INSIGHT GUIDE
Namibië

cambium

Uitgeverij Cambium B.V., Zeewolde

Namibië

TER INTRODUCTIE

U kunt ons ook vinden op internet
www.insightguides.nl

Oorspronkelijke titel:
Insight Guide Namibia
© 2008 APA Publications GmbH &
Co. Verlag KG Singapore Branch

© Nederlandstalige editie:
Uitgeverij Cambium B.V., Zeewolde
Vertaling en redactie:
Pieter Streutker
Redactie en bewerking:
Marjo Thepass
Eindredactie:
Jeanet Liebeek

Drukwerk: Insight Print Services
(Pte) Ltd., Singapore

Eerste druk 2008
ISBN 978 90 6655 159 6

Namibië heeft een landschap van extremen, dat varieert van de onherbergzame Namibwoestijn en de Geraamtekust tot de vruchtbare Caprivistrook. Ga op safari in het Etosha National Park, maak kennis met oeroude culturen, bewonder de koloniale architectuur of geniet simpelweg van de prachtige sterrenhemels. Bereid u voor op een onvergetelijke ervaring die Namibië heet!

Deze Nederlandstalige editie is onder verantwoordelijkheid van **uitgeverij Cambium** te Zeewolde tot stand gekomen en zal u helpen Namibië te ontdekken.

Hoe gebruikt u dit boek?

Aan de hand van de gekleurde balken boven aan iedere pagina kunt u precies zien in welk gedeelte van het boek u bent. In grijze kaders en in de kantlijnen vindt u tips en achtergrond-

informatie die een extra dimensie aan de tekst geven.

In de rubriek *Wetenswaard* en op de themapagina's komen specifieke onderwerpen in woord en beeld tot leven. Volgens de unieke formule van de *Insight Guides* wordt een bijzonder informatieve, onderhoudende en goed geschreven tekst gecombineerd met een tot de verbeelding sprekende fotojournalistieke benadering.

Om het huidige Namibië te kunnen begrijpen, is het nodig dat u zich eerst in de geschiedenis, de mensen en de cultuur van het land verdiept. Het eerste gedeelte helpt u daarover een steeds duidelijker beeld te krijgen.

In het deel *Reizen door Namibië* komen de vele bezienswaardigheden en activiteiten op een zorgvuldige, informatieve maar bovenal levendige manier aan bod. Bij de belangrijkste hoogtepunten staan in de tekst cijfers

of letters die corresponderen met de bijbehorende kaart of plattegrond. In de rechterbovenhoek van elke rechterpagina wordt vermeld waar u de desbetreffende kaart kunt vinden.

Het gedeelte *Reisinformatie* ten slotte, geeft u praktische informatie over onder andere vervoer, accommodatie, klimaat, uitgaan, winkelen, sport, nuttige adressen en nog veel meer. Als u gebruikmaakt van de index op de achterflap kunt u de gezochte informatie snel vinden.

De medewerkers

Deze nieuwe editie van *Insight Guide Namibië* is geactualiseerd door **Philip Briggs**. De auteur van tien reisgidsen voor Afrikaanse bestemmingen levert ook regelmatig een bijdrage aan gezaghebbende wildtijdschriften in Zuid-Afrika en Groot-Brittannië. De huidige editie bouwt voort op het

uitstekende werk van redacteurs en schrijvers van voorgaande edities, met name **Melissa de Villiers** en **Johannes Haape**, de redacteur van de eerste *Insight Guide Namibië*.

Kurt Schlenther, touroperator in Windhoek, schreef het hoofdstuk *Eten en amusement*. De hoofdstukken *Op safari* en *Activiteiten* zijn van de Britse reisjournaliste **Claire Foottit**. **Michael Woods** breidde de hoofdstukken over flora en fauna uit en herzag die over het Etosha National Park, de Caprivistrook, de Geraamtekust, de Namibwoestijn en Zuid-Namibië. **Jeffery Pike** redigeerde het gedeelte *Karakteristieken*.

Beatrice Sandelowsky, een archeologe en conservatrice van het Rehoboth Museum, schreef over de vroege geschiedenis van Namibië. **Hans Jenny** leverde de hoofdstukken over het Duitse koloniale tijdperk, en de jaren voor de onafhankelijkheid werden in kaart gebracht door **Eberhard Hoffman**. **Sean Cleary**, directeur van het Institute of Strategic Concepts uit Johannesburg schreef *De economische koorddansact*.

Amy Schoeman, **Brian Jones**, **Marie Osgood** en **Willie** en **Sandra Olivier** schreven de hoofdstukken van *Reizen door Namibië*, en **Sigrid Nilssen**, **Mary Seely**, **Erik Holm**, **Wulf Haacke** en **Willie Gless** maakten deel uit van een team van schrijvers dat ander materiaal leverde.

Aan deze uitgave hebben verder meegewerkt **Fiona Cook**, **Caroline Wilding** en **Richard Carmichael**.

Wij wensen u veel lees- en kijkplezier en een goede reis.

De uitgever.

Legenda

▬ ▬ ▪ ▬	internationale grens
▬ ▬ ▬ ▬	provinciale grens
⊖	grensovergang
▪ ▬ ▪ ▬	nationaal park/ natuurreservaat
✈ ✈	luchthaven
🚐	busstation
❶	toeristeninformatie
✉	postkantoor
⌂ † ⚑	kerk/ruïne
†	klooster
☾	moskee
✡	synagoge
⌂ ⌂	kasteel/ruïne
∴	archeologische vindplaats
∩	grot
⓲	beeld/monument
★	interessante bezienswaardigheid

In het gedeelte *Reizen door Namibië* staan bij de meest interessante bezienswaardigheden in de tekst cijfers of letters die corresponderen met de bijbehorende kaart of plattegrond (zoals ❶). In de rechterbovenhoek van elke rechterpagina wordt vermeld waar u de desbetreffende kaart kunt vinden.

Namibië

Inhoud

Een uitgebreide inhoudsopgave van de Reisinformatie vindt u op blz. 257.

HET BESTE VAN NAMIBIË

Nationale parken met talloze wilde dieren, desolate kustvlakten,
koloniale stadjes waar de tijd heeft stilgestaan, schroeiend hete duinen:
hier vindt u in één oogopslag onze aanbevelingen voor een bezoek aan Namibië.

WILD OBSERVEREN

● **Etosha National Park** In dit park leven onder andere leeuwen, olifanten, neushoorns en inheemse zwartkopimpala's. In de droge winter vindt hier de meeste activiteit plaats, want dan trekken kudden hoefdieren naar de waterpoelen. *Zie blz. 191.*

● **Cape Cross** - De grootste kolonie Kaapse pelsrobben weet zowel het gezicht, het gehoor als de reuk te prikkelen. Een onvergetelijk hoogtepunt van de Geraamtekust. *Zie blz. 228.*

● **Damaraland** Dit kale en heuvelachtige deel van Noordwest-

Namibië is het leefgebied van de enige olifant van zuidelijk Afrika die zich aan de woestijn heeft aangepast. Ook de zwarte neushoorn is hier te vinden. *Zie blz. 215.*

● **Caprivistrook** Talloze reservaten en nationale parken in een omgeving die in vergelijking met de rest van het land aangenaam vochtig is. *Zie blz. 203.*

● **AfriCat Foundation** Uitstekende locatie om leeuwen, luipaarden en cheeta's eens van wat dichterbij te bekijken (maar wel in een kunstmatig decor). Goede stopplaats onderweg naar Etosha. *Zie blz. 173.*

VOGELS OBSERVEREN

● **Etosha National Park** Tot de 340 vogelsoorten die in het park geregistreerd zijn behoren vooral veel roof- en grote loopvogels. Maar ook de witstaartklauwier, de zwarte trap en de Monteiro-tok komen hier voor. *Zie blz. 191.*

● **Mahango National Park** Dit afgelegen en waterrijke reservaat in de Caprivistrook vormt de habitat van meer vogelsoorten dan in welk ander Namibisch park dan ook. Diverse soorten komen in de drogere delen van het land niet voor. *Zie blz. 205.*

● **Lagune Walvisbaai** In dit wetland aan de zuidkant van Walvisbaai strijken vaak grote zwermen pelikanen, flamingo's

en zeevogels als sternen en meeuwen neer. Goed wandelgebied. *Zie blz. 239.*

● **Sandwich Harbour** Deze lagune ten zuiden van Walvisbaai is de beste locatie in zuidelijk Afrika om zeevogels te spotten. Er zijn ook veel flamingo's. Alleen bereikbaar via een excursie met een terreinauto. *Zie blz. 240.*

● **Namib-Naukluft National Park** Dit droge gebied is geen typische bestemming voor vogelaars, maar biedt tal van droogte minnende vogels als de roodrugleeuwerik, de roodbuikklauwier en diverse roofvogels. *Zie blz. 241.*

Linksboven: Een kudde giraffen. **Rechtsboven**: Vorkstaartscharrelaar, Etosha. **Onder**: Woestijnolifanten onderweg naar de waterpoel.

LANDSCHAP

- **Sossusvlei** Dit prachtige Namibische duinlandschap weet altijd te imponeren en is tijdens de zeldzame keren dat de *vlei* zich met water gevuld heeft beslist adembenemend. De korte wandeling naar de Dead Vlei met zijn gebarsten bodem en oude boomstronken is een must voor fotografen. *Zie blz. 244.*
- **Fish River Canyon** Een van de grootste canyons ter wereld en een hoogtepunt van Zuid-Namibië. Het uitzicht vanaf de rand van de canyon is al fantastisch, maar een wandeling over de bodem (alleen na reservering) is nog indrukwekkender. *Zie blz. 253.*
- **De Kunene-rivier** Deze prachtige brede rivier aan de noordwestgrens met Angola is omzoomd met hoge witte duinen waar

Himba-herders en de elegante spiesbok het beeld bepalen. Een werkelijk fascinerend gebied. *Zie blz. 221.*
- **Quiver Tree Forest** De term 'bos' is enigszins misleidend, want u vindt hier niet meer dan een groepje oud uitziende, boomlange aloë's. Door de combinatie met de omliggende Giants' Playground, een gebied met indrukwekkende vulkanische rotsblokken, waant u zich echter in een andere wereld. *Zie blz. 252.*
- **Naukluftgebergte** Dit prachtige gebergte van dolomiet en kalksteen kan via twee korte dagtochten (of de zware, zevendaagse Naukluft Trail) worden verkend. Het gebied is rijk aan vetplanten en vogels en ook de bedreigde Hartmann-zebra komt hier voor. *Zie blz. 244.*

Rechtsboven: Fish River Canyon. **Onder**: Quiver Tree Forest. **Rechtsonder**: Pootafdruk van een dinosaurus, die meer dan 100 miljoen jaar oud zou zijn.

PREHISTORISCHE LOCATIES

- **Twyfelfontein** Deze pittoreske vallei ten westen van Khorixas herbergt een fantastische verzameling prehistorische rotskunst, die voornamelijk gravures, maar ook schilderingen omvat. Sommige werken zijn wel 5000 jaar oud. *Zie blz. 217.*
- **Hoba-meteoriet** Dit 50 ton zware brok ijzer en nikkel sloeg meer dan 30.000 jaar geleden in de buurt van Grootfontein op aarde in. Het is de grootste meteoriet ter wereld. *Zie blz. 175.*
- **Brandberg** De prehistorische rotsschilderingen in de grotten van deze imposante granieten berg behoren tot de mooiste van zuidelijk Afrika. Zo vindt u hier de legendarische 'Witte Dame van de Brandberg', waarvan de

naam overigens misleidend is. *Zie blz. 217.*
- **Pootafdrukken van dinosaurussen** Bij de boerderij Otjihaenamaparero, net buiten Kalkfeld, bevindt zich een spoor van fossiele pootafdrukken van een tweebenige en drietenige dinosaurus. Het spoor is mogelijk meer dan 100 miljoen jaar oud. *Zie blz. 173.*
- **Petrified Forest** Dit prachtig bewaard gebleven fossiele bos met circa 50 bomen zou meer dan 200 miljoen jaar oud zijn. Goed te combineren met een bezoek aan Twyfelfontein. *Zie blz. 217.*

WANDELEN EN AVONTUUR

- **Kanoën op de Oranjerivier** Een meerdaagse kanotocht over de machtige Oranjerivier voert u door een prachtig afgelegen gebied. *Zie blz. 98.*

- **Sandboarden** De hoge duinen tussen Swakopmund en Walvisbaai zijn een aantrekkelijke bestemming voor wie graag de adrenaline door zijn lichaam voelt stromen. Zo kunt u hier onder andere sandboarden, duneboarden en quadbiken. *Zie blz. 98.*

- **Sossusvlei** De beklimming van deze immense duinen aan de weg tussen Sesriem en Sossusvlei geeft een heel nieuwe dimensie aan de uitdrukking 'twee stappen vooruit, één stap terug', maar het adembenemende uitzicht vanaf de rand maakt de tocht door het mulle zand beslist de moeite waard. *Zie blz. 244.*

- **Fish River Canyon** De vijfdaagse tocht over de bodem van de prachtige Fish River Canyon behoort volgens velen tot de tien mooiste wandelingen in zuidelijk Afrika. Een goede conditie is een must. Vanwege de schroeiende hitte is het traject in de zomer gesloten. *Zie blz. 97.*

- **Waterberg Plateau Park** Dit park is een ideale locatie voor wie wild graag te voet bekijkt. U vindt hier onder andere witte neushoorns, giraffen, luipaarden, buffels, paard-, sabel- en elandantilopen en koedoes. Verder is dit het leefgebied van arenden en gieren. *Zie blz. 175.*

Boven: Verlaten huizen, Kolmanskop. **Rechtsboven**: Natuurlijke boog op de Spitzkoppe. **Rechts**: Lutherse kerk in Windhoek. **Onder**: Een sandboarder beklimt een duin. **Rechtsonder**: Himba-herdertje.

GESCHIEDENIS EN CULTUUR

- **Bushmanland** Deze uithoek van Namibië kan het best in het gezelschap van een lokale gids worden bezocht. Het gebied wordt bewoond door de paar overgebleven groepen Bosjesmannen, jager-verzamelaars van wie de voorouders verantwoordelijk zijn voor de prehistorische rotskunst die overal in zuidelijk Afrika gevonden is. *Zie blz. 185.*

- **Diaz Point** Deze door de wind geteisterde plek, 14 km ten zuiden van Lüderitz, wordt gedomineerd door een replica van een kruis dat Bartholomeu Diaz hier na zijn historische landing in 1488 plantte. Verder is dit de habitat van Kaapse pelsrobben en tal van zeevogels. *Zie blz. 255.*

- **Kolmanskop** Dit spookstadje bij Lüderitz was het bruisende centrum van de Namibische diamanthandel voordat het in 1956 werd verlaten. Dagelijks worden rondleidingen gegeven. *Zie blz. 255.*

- **Lizauli Traditional Village** Dit openluchtmuseum in de Caprivistrook gunt u een fascinerend kijkje in de traditionele landbouw- en vismethoden. Verder is hier kwalitatief goede kunstnijverheid te koop. *Zie blz. 207.*

- **Himba-herders** De charismatische Himba leiden veelal nog hetzelfde seminomadische herdersbestaan als dat van hun voorouders. De vrouwen en kinderen dragen sieraden die gemaakt zijn van koper en schelpen. *Zie blz. 221.*

DE STEDEN

● **Swakopmund** De aantrekkelijkste stad van Namibië, die ook het meest weg heeft van een badplaats, heeft stevige Europese wortels, art-nouveaubouwwerken en talloze terrassen. In en rond de stad lonken vele beziens-waardigheden en activiteiten. *Zie blz. 237.*

● **Lüderitz** Deze prach-tig geïsoleerd gelegen havenstad aan het einde van de stilste weg van Namibië staat bekend om zijn frisse lucht, ontspan-nen atmosfeer en Beierse architectuur. *Zie blz. 255.*

● **Windhoek** De hoofd-stad van Namibië is niet een stad die u per se gezien moet heb-ben, maar de Duitse koloniale architectuur, de uitstekende restau-rants en het aangena-me klimaat zijn goed voor een paar prettige dagen. *Zie blz. 157.*

● **Walvisbaai** Minder aantrekkelijk dan het nabijgelegen Swa-kopmund, maar de nabijheid van een prachtige lagune en de betaalbaarheid van de faciliteiten maken dit meer dan goed. *Zie blz. 239.*

● **Katima Mulilo** Deze stad, die op de oevers van de rivier de Ka-vango ligt, is een echte stedelijke oase voor wie hier door de Caprivistrook naartoe is gereden. *Zie blz. 210.*

BUITEN DE GEBAANDE PADEN

● **Kaokoland** Deze droge uithoek in het noordwesten biedt een spectaculair landschap en wild. Verder is dit het belangrijkste Himba-bolwerk. *Zie blz. 221.*

● **Khaudom National Park** Dit weinig be-zochte park met zijn struiksavannen is ideaal voor kampeer-expedities met een terreinauto. *Zie blz. 186.*

● **Mudumu & Mamili National Park** De combinatie van bossen en wetlands maakt deze parken tot ideale bestemmingen voor avontuurlijke safarigangers en vogelaars. *Zie blz. 207 en 209.*

● **Spitzkoppe** Deze spectaculaire berg in Damaraland biedt goede klim- en wan-delroutes, maar ook rotskunst. *Zie blz. 217.*

● **Geraamtekust** De fantastische desolate kust ten noorden van Cape Cross staat be-kend om zijn onge-repte ecologie en het ontelbare aantal scheepswrakken. *Zie blz. 227.*

LEVENSVORMEN DIE ZICH AAN DE WOESTIJN HEBBEN AANGEPAST

Welwitschia mirabilis Dit is een van de wonderlijkste planten ter wereld, die u het best langs de Welwitschia Drive bij Swakopmund kunt bekijken. De woes-tijnconifeer maakt slechts twee enorme bladeren en wordt meer dan honderd jaar oud. *Zie blz. 241.*

Woestijnkorstmossen Deze fragiele symbiose van een alg en een zwam haalt al het noodzakelijke vocht uit mist. Sprenkel een beetje water over een rots met korstmossen en zie hoe een zwam 'tot bloei komt'! Ook voor de korst-

mossen kunt u het beste naar de Wel-witschia Drive gaan. *Zie blz. 241.*

Spiesbok Deze goed gebouwde antilope is het enige zoogdier dat zonder te zweten een lichaamstemperatuur van 45° C kan bereiken. Het dier foerageert in de vroege ochtend, wanneer het vochtgehalte van de planten het hoogst is. Verder eet het de sappige tsamma-meloenen die in de duinen groeien. *Zie blz. 123.*

Dwergpofadder De giftige dwergpof-adder is inheems in de Namibwoestijn. Hij maakt goed gebruik van zijn omgeving

door zich onder het zand te verschuilen en tevoorschijn te schieten als er een prooi in zijn buurt komt. *Zie blz. 137.*

Fluitgekko Deze kleine hagedis laat zich slechts zelden zien, maar brengt wel een van de meest karakteristieke geluiden van de woestijn voort. Het hoge klikgeluid door-breekt de stilte op menige zomeravond. *Zie blz. 138.*

VERENIGDE KLEUREN

Namibië heeft de overgang naar onafhankelijkheid betrekkelijk eenvoudig doorstaan. Waarom dit land wel en andere niet?

Wat zou de verklaring kunnen zijn voor de eensgezindheid in het hedendaagse Namibië, een land waarvan de bevolking toch uit minstens elf grote etnische groepen bestaat en waar een nog groter aantal verschillende talen wordt gesproken? Een mogelijke reden is dat de Namibiërs weliswaar terugzien op een eeuw van wreed kolonialisme, tientallen jaren van apartheid en een bittere strijd voor onafhankelijkheid, maar dat het merendeel van de bevolking elkaar altijd is blijven steunen en zowel het bitter als het zoet met elkaar heeft gedeeld.

De Europeanen veroverden Afrika met hun taal, religie, onderwijs, technologie en agrarische kennis, oftewel met alles wat Europa groot had gemaakt. Maar tussen de inheemse bevolking en hun veroveraars bleef altijd een kloof van diep wantrouwen, waarbij de ene partij beducht was voor bevolkingsgroei en de andere voor uitbuiting en bedrog.

De 23 jaar van bezetting door het Zuid-Afrikaanse apartheidsregime bracht vanzelfsprekend geen verandering in die situatie teweeg, hoewel de strijd voor onafhankelijkheid in de jaren zeventig en tachtig van de vorige eeuw de blanke en zwarte Namibiërs wel nader tot elkaar bracht. Het leek alsof de partijen zich realiseerden dat de instandhouding van de scheiding ertoe zou kunnen leiden dat men elkaars grootste vijanden werd. Vriendschappelijke betrekkingen zouden daarentegen een waarborg voor vrede en veiligheid voor iedereen kunnen betekenen.

Toen men dit inzag, begon men de kloof te dichten. De blanke Namibiërs - van oorsprong Europeanen, maar allang verafrikaanst - wisten hun angst voor het 'zwarte gevaar' te overwinnen en de zwarte bevolking onderdrukte haar wantrouwen jegens het 'blanke gevaar'. Er bestond geen gapend gat meer tussen de twee rassen.

In 1989 besloot de machtige politieke organisatie SWAPO deel te nemen aan de onafhankelijkheidsonderhandelingen (na aanvankelijk terughoudend te zijn geweest omdat de meeste SWAPO-leiders in ballingschap in het buitenland zaten). Eindelijk konden de Namibiërs toen verdergaan met het ingewikkelde democratiseringsproces, waarna men uiteindelijk in 1990 de onafhankelijkheid kon uitroepen.

Het veelomvattende proces van verzoening - of beter gezegd, van wederzijdse bescherming - is nog altijd aan de gang. Het huidige constitutionele en politieke stelsel van Namibië is gebaseerd op gedegen democratische principes, waarbij veel belang wordt gehecht aan de afkomst, taal, cultuur, religie en politieke overtuiging van de diverse bevolkingsgroepen. Optimisme heeft zich meester gemaakt van de inwoners van Namibië, die dat overigens ruimhartig delen met degenen die hun land bezoeken. ❑

Blz. 10-15: De spookachtige Geraamtekust; openluchtgalerie in Twyfelfontein, een van de rijkste rotskunstlocaties ter wereld; leven en dood in het woestijnzand.
Links: De Namibische leeuwen hebben zich aangepast aan de barre omstandigheden in de woestijn.

BELANGRIJKE DATA

12 miljoen jaar v.Chr. In Namibië wonen mensachtigen *(Otavipithecus namibiensis)*.
25.000 jaar v.Chr. Namibië wordt bevolkt door de San, jager-verzamelaars die stenen werktuigen gebruiken, met pijl en boog jagen en de rotsen bij Twyfelfontein (en elders) met hun tekeningen versieren.
500 v.Chr-500 Vanuit Botswana komen de Khoi-Khoin (of Nama), die herderschap en metaalbewerking introduceren. Namibië bevindt zich in de ijzertijd.
ca. 900 De Damara, een volk van herders, vestigt zich in Noordwest-Namibië.

Ontdekking en verkenning
1485 De Portugees Diego Cão plaatst een stenen kruis op Cape Cross aan de Geraamtekust.
1488 In het voetspoor van Cão zet Bartholomeu Diaz bij Lüderitz een kruis neer. In de daaropvolgende drie eeuwen laten de Europeanen zich vrijwel niet meer zien.
Begin 16e eeuw De Herero (Bantoes uit Oost-Afrika) arriveren in Namibië en vestigen zich in het Kaokoveld.
Begin 18e eeuw Amerikaanse, Britse en Franse walvisvaarders maken steeds vaker gebruik van de havens van Walvisbaai en Lüderitz.
1802 Stichting van de *London Mission Society* aan de Oranjerivier. Begin van de hevige strijd tussen de inheemse bevolkingsgroepen van Namibië.

1820-1829 Khoisan-bevolkingsgroepen als de Oorlam-Nama en de Basters trekken naar Namibië.
1862-1870 Oorlog tussen de Nama en de Herero.
1876 Zuid-Afrikaanse Boeren verlaten de Kaapkolonie en doorkruisen Noordoost-Namibië.

Het koloniale tijdperk
1878 Groot-Brittannië - dat ook de Kaapkolonie in bezit heeft - annexeert de haven van Walvisbaai.
1884 Tijdens het Congres van Berlijn eist Duitsland Namibië op als kolonie (Duits Zuidwest-Afrika). Walvisbaai blijft in Britse handen.
1889 De Duitse troepen nemen de inheemse Namibiërs een groot deel van hun land af.
1890-1899 Duitse kolonisten ontginnen het land.
1904-1906 De Herero en de Nama komen massaal in opstand tegen het Duitse kolonialisme, waarbij meer dan 80.000 mensen de dood vinden. De inheemse bevolkingsgroepen delven het onderspit en hun land wordt systematisch onteigend door het koloniale bestuur.
1915 In WO I valt Zuid-Afrika Namibië binnen en dwingt de Duitsers tot overgave. Het land komt onder Zuid-Afrikaans militair gezag.
1920 Als mandaatgebied van de Volkenbond wordt Namibië bestuurd door Zuid-Afrika.
1922 Zuid-Afrika richt 'reservaten' in voor zwarte Namibiërs en verdeelt meer land onder Zuid-Afrikaanse en Duitse kolonisten. Revoltes van Namibiërs worden met geweld de kop ingedrukt.
1939 WO II breekt uit. Zuid-Afrika stuurt troepen naar Namibië om een coup van pronazi's in de kiem te smoren. Veel zwarte Namibiërs nemen dienst in het Zuid-Afrikaanse leger.
1946 Zuid-Afrika weigert Namibië aan de Verenigde Naties over te dragen, omdat het de VN niet als opvolger van de Volkenbond erkent.

Het vizier op onafhankelijkheid
1960 Onder leiding van Sam Nujoma wordt de *South West Africa People's Organisation* (SWAPO) opgericht.
1961 Bij het Internationaal Gerechtshof begint een procedure om het Zuid-Afrikaanse mandaat over Namibië te beëindigen.
1964 Zuid-Afrika verscherpt zijn apartheidspolitiek in Namibië. De commissie Odendaal beveelt de inrichting van tien 'thuislanden' aan.
1966 Het Internationaal Gerechtshof weigert een oordeel te vellen over Namibië. De SWAPO onderneemt zijn eerste militaire actie en ontketent daarmee de 'bevrijdingsoorlog'. De VN trekt het mandaat van Zuid-Afrika in, maar het land weigert zich terug te trekken.
1967 Oprichting van de VN-raad voor Namibië (UNCN), die het land tot de onafhankelijkheid moet besturen. Zuid-Afrika weigert de UNCN de toegang tot Namibië.

1971 Het Internationaal Gerechtshof bepaalt dat de Zuid-Afrikaanse aanwezigheid in Namibië illegaal is.

1973 De VN erkent de SWAPO als de 'enige echte vertegenwoordiger van het Namibische volk'.

1975 Angola staat de SWAPO toe nieuwe militaire bases te bouwen.

1976 De Veiligheidsraad neemt een resolutie aan die oproept tot door de VN georganiseerde verkiezingen in Namibië.

1977 Zuid-Afrika weigert gehoor te geven aan de resolutie. Het Westen formeert een 'contactgroep' voor Namibië die met Zuid-Afrika moet onderhandelen. Zuid-Afrika stelt een administrateur-generaal voor Namibië aan en herannexeert Walvisbaai.

1978 Bij een aanval van het Zuid-Afrikaanse leger (SADF) op Cassinga in Angola komen 800 Namibische vluchtelingen om. Westerse voorstellen voor verkiezingen in Namibië krijgen de instemming van de SWAPO en worden door de Veiligheidsraad verwoord in resolutie 435. Zuid-Afrika weigert echter deze resolutie uit te voeren.

1979-1980 Zuid-Afrika stelt een 'binnenlandse regering' in Namibië aan.

Het hedendaagse Namibië

1981 De nieuwe Amerikaanse regering-Reagan koppelt de uitvoering van resolutie 435 aan het vertrek van de Cubanen uit Angola.

1983 De 'binnenlandse regering' komt ten val. De Zuid-Afrikaanse administrateur-generaal krijgt de macht in handen. Een Meerpartijenconferentie (MPC) treft voorbereidingen voor een nieuwe 'binnenlandse regering'.

1984 Zuid-Afrika en de SWAPO ontmoeten elkaar in Zambia en Kaapverdië. Zuid-Afrika blijft echter vasthouden aan het vertrek van de Cubanen uit Angola.

1985 De door de MPC geformeerde 'overgangsregering van nationale eenheid' wordt in Windhoek geïnstalleerd, wat Zuid-Afrika op een veroordeling van de Veiligheidsraad komt te staan. Het Zuid-Afrikaanse leger stuurt meer militairen naar Angola.

1987 VN-resolutie 601 roept op tot uitvoering van resolutie 435. Het Zuid-Afrikaanse leger levert zware strijd in Angola.

1988 Er vinden onderhandelingen plaats tussen Angola, Zuid-Afrika en Cuba over de terugtrekking van Cuba uit Angola en Zuid-Afrika uit Namibië en de uitvoering van resolutie 435. De SWAPO wordt buitengesloten van de onderhandelingen. Er wordt geen akkoord bereikt.

Links: Beitelen naar bewijzen; Namibië heeft paleontologen veel te bieden.
Rechts: Instructies voor de kiezers tijdens de historische verkiezingen van 1989.

1989 Op 1 april wordt een staakt-het-vuren afgekondigd. In november worden verkiezingen voor de constituante (die de eerste grondwet van het land zal opstellen) gehouden. De SWAPO krijgt 57 procent van de stemmen en 41 van de 72 zetels.

1990 Op 21 maart wordt de Namibische vlag gehesen; de onafhankelijkheid is eindelijk een feit.

1994 Op 28 februari wordt Walvisbaai overgedragen aan Namibië. De SWAPO wint de algemene verkiezingen.

1995-1999 De vrede en stabiliteit zorgen voor een ontluikende toeristenindustrie in Namibië.

2000 De burgeroorlog in Angola duurt voort. Nujoma staat het Angolese leger toe om vanuit Namibië opstandelingen aan te vallen. Angolese guerilla's voeren vergeldingsacties uit.

2002 De nieuwe premier, Theo-Ben Gurirab, geeft de prioriteit aan landhervormingen. Het staakt-het-vuren in Angola stimuleert de economie in Noord-Namibië.

2004 Een nieuwe brug over de Zambezi naar Zambia geeft hoop voor een groei van de handel. Duitsland verontschuldigt zich officieel bij de Herero voor de slachtoffers tijdens het koloniale tijdperk, maar wijst compensatie af.

2005 Hifikepunye Pohamba (SWAPO) wint de presidentsverkiezingen en begint een landhervormingsprogramma. Vlak bij een voormalige Zuid-Afrikaanse basis in het noorden worden massagraven gevonden.

2006 De geboorte van het kind van actrice Angelina Jolie en acteur Brad Pitt in Swakopmund is een zegen voor de Namibische toeristenindustrie. ❏

HET PRILLE BEGIN

In hun speurtocht naar het ontstaan van de mensheid zijn paleontologen
in Namibië op vele interessante locaties gestuit.

Wetenschappers zijn steeds stelliger in hun overtuiging dat Afrika inderdaad de bakermat van de mensheid was. Fossiele resten duiden erop dat de vroegst bekende soorten van menselijke wezens op het Afrikaanse continent leefden voordat ze noordwaarts naar Europa en Azië trokken. Fysische antropologen noemen deze wezens hominiden (mensachtigen), wat betekent dat ze meer dan een aap, maar minder dan een mens waren. De verschillende soorten hominiden hadden elk hun eigen karakteristieken. De *Austrolopithecus* (een 'rechtoplopend wezen met weinig hersenen') leefde in zuidelijk Afrika ruim een miljoen jaar samen met de meer ontwikkelde *Homo habilis*, maar moest uiteindelijk het onderspit delven - zonder twijfel een uitstekend onderwerp voor een spectaculaire film.

In 1991 deed een Amerikaans-Frans team van paleontologen een fantastische ontdekking in het Otavigebergte, dat zich ten noorden van Windhoek uitstrekt. De wetenschappers vonden het versteende kaakbeen van een mensaap uit het Midden-Mioceen, een geologisch tijdvak dat van 15 tot 12 miljoen jaar geleden loopt. Deze ontdekking, de eerste in haar soort ten zuiden van Kenia, werd *Otavipithecus namibiensis* of Otjiseva-man genoemd.

Sporen van de eerste mensen

Sporen van onze eigen rechtstreekse voorouder, *Homo sapiens*, zijn overal in zuidelijk Afrika gevonden. De Afrikaanse varianten van *Homo sapiens* vertonen genetische kenmerken die negride worden genoemd, tegenover de mongolide en europide varianten die elders gevonden zijn. Grof gezegd betekent dit dat zuidelijk Afrika al ongeveer 100.000 jaar een zwarte bevolking heeft.

Binnen de negride variant ontwikkelden zich echter verschillende groepen die in relatieve afzondering van elkaar leefden. De subgroep die onze speciale aandacht verdient, moet gedurende circa 40.000 jaar betrekkelijk geïsoleerd in de zuidwesthoek van het Afrikaanse continent hebben gewoond. Dit waren de zogenoemde Khoisan, die ooit grote delen bevolkten van wat nu Namibië, Zuid-Afrika en Botswana is.

Overal in dat gebied zijn handbijlen, hakmessen en andere werktuigen uit de oude en middensteentijd (tussen de 25.000 en 27.000 jaar geleden) gevonden, zelfs midden in de Namibwoestijn, wat erop wijst dat daar in een niet al te ver verleden grote klimaatveranderingen moeten hebben plaatsgevonden. De meeste sporen trof men aan langs de beddingen van rivieren die in de zomermaanden opdrogen, aan de kust en rond natuurlijke bronnen. Maar ook in Windhoek

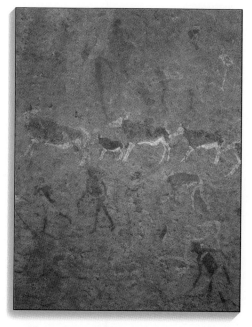

werd een interessante vondst gedaan, die erop wijst dat de mensen uit de oude en middensteentijd op olifanten en andere grote zoogdieren jaagden in wat nu het centrum van de hoofdstad van Namibië is.

Aangenomen wordt dat kleine groepjes van deze jager-verzamelaars van het ene jachtgebied naar het andere trokken, waarbij de seizoensmigratie van het wild leidend was. Overal in Namibië zijn rotstekeningen en -schilderingen gevonden die taferelen uit het dagelijks leven of religieuze gebruiken uitbeelden. De belangrijkste rotskunst bevindt zich in Damaraland en in het Hunsgebergte in het zuiden van het land.

De Khoisan waren kleiner en hadden een lichtere huidskleur dan de meeste andere Afrikanen. Hun taal bestond uit klikgeluiden en aparte me-

Links: Moderne San-jager die water tapt.
Rechts: De 'Witte Dame' nabij Twyfelfontein.

deklinkers. Verder hadden ze geen kaas gegeten van landbouw of ijzerbewerking.

Ongeveer 2600 jaar geleden werd een groep Khoisan in Noord-Botswana door andere Afrikanen ingewijd in de veehouderij. Deze nieuwbakken herders vermenigvuldigden en verspreidden zich bijzonder snel. Ze noemden zichzelf *Khoi-Khoin* - 'mensen van de mensen' - of Nama, terwijl ze de Khoisan die jager-verzamelaar bleven aanduidden met *San*. Nederlandse kolonisten gaven de Khoi-Khoin later de naam Hottentotten, maar deze benaming wordt vandaag de dag als beledigend ervaren.

> ## EEN NAMENKWESTIE
>
> De eerste stammen hadden eigen namen, maar werden 'San' of 'Bosjesmannen' genoemd. Geen van beide termen is passend, maar bij gebrek aan beter worden ze nog altijd gebruikt.

Deze Centraal-Afrikanen vestigden zich in het noordoosten (de regio's Caprivi en Okavango), het centrale noorden (Ovamboland) en het noordwesten (Kaokoland) van het huidige Namibië, en introduceerden het herderschap, de pottenbakkerskunst en de metaalbewerking. Hun komst betekende echter dat de inheemse San-bevolkingsgroepen steeds verder naar het zuiden werden gedrongen.

Apartheid

In de 20e eeuw werd tijdens de lange bezetting van Namibië door Zuid-Afrika een heel ander beeld van de afkomst van de Namibische volken geschapen. Theoretici die de apartheidsfilosofie uitdroegen, presenteerden de zuidwesthoek van het Afrikaanse continent maar al te graag als een onbetekenend gebied dat alleen door immigranten werd bevolkt. Ze maakten die theorie aanschouwelijk door op hun kaarten met dikke, zwarte pijlen de migratiegolven van Afrikanen uit het verre noorden aan te geven, en veel dunnere, witte pijlen te gebruiken om de bescheiden Europese migraties vanuit het zuiden te duiden. De bedoeling was natuurlijk om de indruk te wekken dat zowel de blanke als de zwarte Namibiërs indringers van buitenlandse origine waren en dat de witte minderheid dezelfde morele rechten op het land kon doen gelden als de zwarte meerderheid.

Om dezelfde reden maakten de apartheidstheoretici van elke gelegenheid gebruik om aandacht te vragen voor wat zij zagen als de culturele verschillen tussen de verschillende soorten Afrikanen. Zwarte Afrikanen zouden tot 'stammen' behoren die cultureel homogeen en daardoor onverenigbaar waren. Van deze stammen mocht niet worden verwacht dat ze in vrede zouden leven en daarom moesten ze strikt van elkaar worden gescheiden. Verder ging de apartheidsfilosofie uit van een opdeling van deze Afrikaanse meerderheid in veel kleinere componenten, zodat de blanke minderheid geen blanke minderheid meer zou lijken, maar eerder op een stam te midden van andere stammen.

Dit soort theorieën zult u vandaag de dag nog maar zelden horen in Namibië, maar helaas wordt een verrassend groot deel van de samenleving nog altijd beheerst door de onderliggende stereotypen. ❏

Migraties uit het noorden

Aan het begin van de 9e eeuw kwam de migratie van groepen Bantoetalige mensen uit Centraal-Afrika naar Namibië op gang. Ze waren groter, donkerder en technisch beter onderlegd dan de Khoisan-bevolking en spraken talen die duidelijk blijk gaven van hun culturele banden met de rest van het Afrika ten zuiden van de Sahara. Wereldwijd worden die talen Bantoetalen genoemd (naar het woord dat in de meeste van die talen 'mensen' betekent), wat buiten Namibië en Zuid-Afrika ook beslist een aanvaardbare benaming is. In het tijdperk van de apartheid echter werd het woord 'bantoe' in Namibië zo misbruikt door de Zuid-Afrikaanse regering, dat het hier maatschappelijk gezien niet meer acceptabel is, in welke context dan ook.

Links: San-jager met de kop van een knobbelzwijn.
Rechts: De eerste bewoners van Namibië moesten afrekenen met het droge klimaat van het land.

DE EERSTE ONTDEKKINGSREIZIGERS

Al in 1485 waren het de Portugezen die als eersten voet op Namibische bodem zetten, maar het zou nog vier eeuwen duren voordat de Europese expansiedrift echt op gang kwam.

De eerste Europeaan die voet op Namibische bodem zette, was de Portugese ontdekkingsreiziger Diego Cão. Hij deed in 1485 de Geraamtekust aan en zette een stenen kruis op Cape Cross neer om dat te bewijzen. In zijn voetspoor volgde in 1488 zijn landgenoot Bartholomeu Diaz, die bij Angra Pequena (het huidige Lüderitz) een eigen kruis plantte.

In de eeuwen hieraan voorafgaand hadden het weinig aantrekkelijke klimaat en het onherbergzame terrein van Namibië het land altijd tegen de Europese expansiedrift beschermd. Pas in de 15e eeuw, toen de handel met de Oriënt op gang kwam, gingen Europese schepen op zoek naar een nieuwe zeeroute naar India via Kaap de Goede Hoop (de zuidelijkste punt van het Kaapschiereiland in Zuid-Afrika) en zeilden ze dus ook langs de Namibische kust.

Voor zowel ontdekkingsreizigers als handelaars was een verblijf op een kuststrook die voedsel noch water bood - en ook geen slaven en ivoor om te verhandelen - complete tijdverspilling. Of zoals de kapitein van het passerende Nederlandse schip *Bode* het in die tijd verwoordde: 'Hier is ook maar niet de kleinste winst voor onze op-

drachtgevers te behalen … dit gebied bestaat enkel uit zand, rotsen en storm.'

Tegen het einde van de 18e eeuw werden de havens van Lüderitz en Walvisbaai echter steeds vaker aangedaan door walvisvaarders en zeehondenjagers uit Frankrijk, Groot-Brittannië en Amerika, maar ook door schepen die onderweg waren naar India. Verder was het gebied rond deze havens inmiddels populair vanwege de winning van guano (een meststof die bestaat uit de verdroogde mest en de overblijfselen van zeevogels).

De Oorlam-invasies

Onder de dreiging van oorlog in Europa maakte de Nederlandse regering in 1793 aanspraak op Walvisbaai (de enige diepzeehaven langs de Namibische kust), Angra Pequena en het voor de kust gelegen eiland Halifax. Toen de Britten twee jaar later de Kaapkolonie annexeerden, hesen ook zij hun vlag op de Namibische kust, maar de Britse annexatie van Walvisbaai en omgeving (een gebied van ongeveer 1165 km²) zou pas in 1878 plaatsvinden.

Tot op dat moment was nog maar nauwelijks iets bekend over het binnenland van Namibië, hoewel de ontdekking van de Oranjerivier in 1760 het gebied enigszins had ontsloten voor handelaars, jagers en missionarissen.

De komst van grote aantallen Oorlams - zwervende groepen ontheemde Khoisan die de Kaapkolonie ontvlucht waren voor de Nederlanders - bracht in de jaren twintig van de 19e eeuw grote maatschappelijke onrust in Zuid-Namibië. De Oorlams waren weliswaar van dezelfde afkomst als de Nama-herders die al in Zuid-Namibië woonden (en een vergelijkbare taal spraken), maar velen van hen hadden de beschikking over wapens en paarden, waardoor ze een stuk mobieler waren en ook een technologische voorsprong hadden. Sommigen waren misdadigers en anderen weer gelukszoekers uit Nama-nederzettingen die zich onderweg bij de Oorlams hadden aangesloten terwijl die al handelend, rovend en jagend naar het noorden trokken.

Dankzij hun commando-achtige militaire structuur, die ze van de Boeren afgekeken hadden, wisten deze zuidelijke Afrikanen de met pijlen en bogen bewapende inheemse Namibiërs al snel te bedwingen. Onder leiding van opperhoofd Jonker Afrikaner onderwierpen ze de

Nama en Damara in het zuiden en degradeerden ze de Herero-stammen in het oosten en noorden tot slaven.

De inheemse bevolking vocht echter terug, want de daaropvolgende zeventig jaar waren het toneel van voortdurende schermutselingen die soms bijna het karakter van een kleinschalige oorlog hadden. Op hun beurt roofden de Oorlam-commando's het vee van de lokale stammen en plunderden ze hun nederzettingen. De onuitputtelijke vraag naar handelsartikelen als ruilobject voor wapens leidde ook tot een grootscheepse slachtpartij onder wilde dieren, vooral olifanten en struisvogels.

Handelaars en missonarissen

In 1840 kwam er tijdelijk wat licht in de duisternis, toen Jonker Afrikaner een vredesverdrag met Nama-opperhoofd Oaseb sloot. Zuid-Namibië werd verdeeld tussen de Nama en een aantal Oorlam-groepen en de Oorlams kregen de zeggenschap over het gebied tussen de rivieren Swakop en Kuiseb, in het midden van het land. Verder kreeg Jonker Afrikaner de heerschappij over de bevolking die ten noorden van de Kuiseb woonde. In de praktijk betekende dit dat de Oorlams een buffer vormden tussen de Nama in het zuiden en de Herero in het verder naar het noorden gelegen Kaokoland, hoewel de laatsten sinds het midden van de 18e eeuw steeds verder naar het zuiden waren getrokken.

De ontwrichting van het inheemse dagelijkse leven duurde echter onverminderd voort. De veestapel was door oorlog en droogte sterk gereduceerd en de watervoorraden waren vernietigd. De onvrede die hieruit voortvloeide, verhevigde het verzet tegen het bewind van Jonker Afrikaner en smeedde een breed samengestelde coalitie van Herero, rivaliserende Nama-stammen, handelaars en missionarissen. Evengoed bleef het Centraal-Namibische 'rijk' van Afrikaner zelfs na zijn dood nog in stand, omdat zijn oudste zoon en erfgenaam Christian toen de teugels in handen kreeg.

Rond deze tijd waren handelaars en jagers in hun zoektocht naar kostbare handelswaar als struisvogelveren en ivoor inmiddels ver het Namibische binnenland ingetrokken. Een van de belangrijkste figuren was een zekere Charles John Andersson, een Zweed die een handelspost

in Otjimbingwe had gesticht en was begonnen met het verkennen van nieuwe handelsroutes verder naar het oosten en noorden. Hij werd bijgestaan door een groep jagers die in dit wetteloze gebied als een soort bewapende garde optrad. De mannen van Andersson schoten in 1863 Christian Afrikaner dood, die in een onbewaakt ogenblik de aanval op Otjimbingwe had ingezet.

In het spoor van de handelaars volgden ook verscheidene missionarissen - vooral van de *London Mission Society*, de methodische kerk en Rijnse en Finse lutheranisten - die in het zuiden en midden van het land her en der klei-

ZUIDELIJKE STRIJD

De Ovambo en de Kavango in het noorden van Namibië bleven vrijwel verstoken van de problemen die de Oorlam-invasies met zich meebrachten.

ne missieposten stichtten. In de jaren zeventig van de 19e eeuw konden ze hun invloed tamelijk eenvoudig uitbreiden, omdat dit decennium in relatieve kalmte verliep dankzij een in 1870 getekend verdrag tussen het Herero-opperhoofd Maherero en Jan Jonker Afrikaner, de opvolger van Christian. Maar in de jaren tachtig braken er alweer gevechten uit tussen de Nama-groepen, de Herero en de Basters, een groep nieuwkome.⁊ die zich vanuit de Kaapkolonie in het gebied ro..d Rehoboth had gevestigd. Al deze groepen wa.en inmiddels ook op grote schaal gaan handelen met de Europeanen.

En in dit wespennest - dat als het ware 'voorgekoloniseerd' was met Europese technologie en wapens, maar ook via het christendom - moest Duitsland zich nou net steken. ❑

Links: Deze kaart uit 1894 laat zien hoe weinig Namibisch grondgebied er toen in kaart was gebracht.
Rechts: Het machtige Herero-opperhoofd Maherero.

DE DUITSERS KOMEN

Duitsland kreeg in de *'Scramble for Africa'* pas laat Namibië in handen en lanceerde gelijk een aantal wrede militaire campagnes om de Namibiërs te onderwerpen.

In de grote *'Scramble for Africa'* (vrij vertaald: 'Wedloop om Afrika') die de Britten, Fransen, Portugezen en Belgen aan het eind van de 19e eeuw hielden om het Afrikaanse continent onderling te verdelen, waren de Duitsers relatieve laatkomers. Al in de jaren zeventig van de 19e eeuw hadden Duitse missionarissen die in Namibië gestationeerd waren, de Duitse regering herhaaldelijk om militaire steun verzocht om de rust en orde in het door oorlog verscheurde zuiden en midden van het land te herstellen, maar die verzoeken hadden nauwelijks weerklank gevonden; een koloniale politiek paste op dat moment gewoonweg niet in het totaalbeleid van Duitsland.

Pas in 1884 besloot de Duitse regering van kanselier Otto von Bismarck na veel binnenlands geruzie en debat om af te stappen van het antikoloniale beleid en het strijdperk te betreden. De kolonisatie van Namibië werd aanzienlijk geholpen door de activiteiten van Adolf Lüderitz, een handelaar uit Bremen die in het jaar daarvoor diverse stukken grond langs de kust van een lokaal Nama-opperhoofd gekocht had (waaronder de haven van Angra Pequena). Na de koop had hij de Duitse regering meteen om bescherming verzocht, die hij dus in 1884 kreeg. In april van dat jaar voeren twee Duitse kanonneerboten de haven van Angra Pequena - het huidige Lüderitz - binnen en werd officieel de Duitse vlag boven Namibisch grondgebied gehesen.

Duits protectoraat

Op 24 april 1884 riep Von Bismarck het gebied rond Lüderitz uit tot protectoraat van het Duitse Rijk, maar aan het nieuwverworven stuk land kleefden beslist ook negatieve aspecten. Het was tenslotte een woestijngebied, waarvan de economie er wat bleekjes uitzag. De gok pakte echter goed uit, want de zandduinen van de Namibwoestijn bleken een fortuin te herbergen. Circa 24 jaar later werden er namelijk diamanten ontdekt. Van die meevaller zou Lüderitz echter geen vruchten meer plukken: aan zijn leven kwam een tragisch einde bij een mysterieus ongeluk op zee. In oktober 1886 nam hij deel aan een expeditie die over land van Angra Pequena zuidwaarts naar de

Oranjerivier zou trekken, om daarna per boot langs de kust weer terug te keren. Op 22 oktober verlieten Lüderitz en zijn bemanning de haven van Alexanderbaai in Zuid-Afrika met bestemming Angra Pequena, maar onderweg verging het schip met man en muis.

Vóór de ontdekking van de diamantvelden in de Namibwoestijn was Von Bismarck nog van

plan geweest om het nieuwe overzeesc gebied over te dragen aan particuliere investeerders. Hij had daarom slechts drie functionarissen afgevaardigd om het beheer te voeren over de fonkelnieuwe kolonie Zuidwest-Afrika. De koloniale staf nam zijn intrek in de kleine, maar bloeiende handelspost Otjimbingwe en boekte resultaten die van een organisatie van die omvang verwacht mochten worden. De keizerlijke gelastigde Heinrich Göring (de vader van de latere nazi-leider Hermann Göring) was er weliswaar in geslaagd om het machtige Herero-opperhoofd Maherero zo ver te krijgen een protectieverdrag met Duitsland te ondertekenen, maar het lukte hem niet om enige vorm van relatie op te bouwen met de even machtige Witbooi Nama, die een groot gebied ten zuiden van Windhoek bevolkten. Verder was

Blz. 26-27: Voor sommige divisies van de *Schutztruppe* waren kamelen praktischer dan paarden.
Links: Majoor Theodor von Leutwein.
Rechts: Adolf Lüderitz, handelaar en pionier.

hij niet succesvol in zijn pogingen om een verbod uit te vaardigen op de invoer van wapens en munitie door de plaatselijke bevolking. Hierdoor bleef de onrust tussen de inheemse stammen bestaan; van tijd tot tijd zag de gelastigde zich zelfs genoodzaakt om een veilig heenkomen te zoeken in de Britse enclave Walvisbaai.

Een tijd van stabilisatie

In 1889 moest Berlijn wel inzien dat het tot nu gevoerde beleid in Namibië gedoemd was te mislukken. In een poging om de infrastructuur in de kolonie tot ontwikkeling te brengen, werden nog datzelfde jaar de eerste 21 Duitse soldaten (*Schutztruppe*) naar Namibië gezonden met de instructie om bij Windhoek een fort te bouwen.

EEN TEKORT AAN STRIJDKRACHTEN

De pogingen van majoor Von Leutwein om enige orde in de nieuwe kolonie te scheppen werden ernstig belemmerd door een tekort aan strijdkrachten. Vier compagnieën en één bataljon artillerie waren simpelweg niet genoeg om de Duitse aanwezigheid in dit enorme gebied voelbaar te maken, vooral niet in het noordelijke Kaokoland en Ovamboland en bij de rivier de Okavango. In zijn memoires beschrijft de Duitse soldaat Kurt Schwabe de situatie als volgt: 'De Duitse overheid onderhield jarenlang geen betrekkingen met de Ovambo, die op papier Duitse vazallen waren. Zelf wisten de Ovambo dat echter niet en ook al hadden ze het geweten, dan zouden ze het nog niet hebben erkend.'

Twee jaar later werd in Swakopmund een geïmproviseerde landingsbaan aangelegd en in het voetspoor van de soldaten druppelden ook de eerste kolonisten Windhoek binnen.

Op 1 januari 1894 zette de man die een doorslaggevende rol in de bepaling van de Namibische toekomst zou spelen, voet aan wal in Swakopmund. Majoor Theodor von Leutwein slaagde er niet alleen in om een bondgenootschap van tien jaar te sluiten met het opstandige Nama-opperhoofd Hendrik Witbooi en talloze andere allianties aan te gaan met kleinere Nama- en Baster-groepen, hij voerde ook intensieve onderhandelingen met Samuel Maherero, het opperhoofd van de Herero. Het resultaat van het diplomatieke optreden van Von Leutwein was dat er een tijdelijk bestand tussen de Herero en hun oude vijanden de Nama totstandkwam.

Rond het begin van de 19e eeuw werd in het zuiden en midden van het land de macht van de inheemse bevolking steeds verder ingeperkt, ten faveure van de koloniale overheid. Nieuw aangekomen kolonisten kochten bijvoorbeeld land op van zowel de Herero als de Nama, die op hun beurt grote hoeveelheden westerse artikelen op afbetaling kochten en zich daardoor fors in de schulden staken.

Dit waren geen gunstige omstandigheden voor een langdurige vrede, hoe zeer diplomaat en strateeg Von Leutwein ook zijn best deed om de partijen aan tafel te houden. De spanningen liepen steeds hoger op en op 12 januari 1904 beval Maherero zijn volk in opstand te komen tegen de Duitse kolonisten, een actie die de koloniale strijdkrachten compleet verraste. Liefst 123 kolonisten werden met *kirries* (houten knuppels) doodgeslagen, waarna hun boerderijen werden geplunderd en in brand gestoken en hun vee werd weggejaagd. Alleen vrouwen en kinderen werden gespaard. Naar aanleiding van dit bloedbad werd Berlijn dringend verzocht versterkingen te sturen.

De Herero verslagen

In Duitsland oefende de publieke opinie druk uit op de overheid om 'de rebellen wat verstand bij te brengen'. Berlijn reageerde door Von Leutwein te vervangen door een zekere generaal Lothar von Trotha, die ook al in Oost-Afrika had gediend en een reputatie van wreedheid had opgebouwd. In zijn kielzog werd een complete divisie versterkingen aangevoerd, waaronder zware artillerie.

Het duurde niet lang voordat het verzet van de Herero was gebroken, hoewel ze kranig weerstand boden. Begin augustus 1904 waren de strijders - samen met hun vrouwen, kinderen en vee echter teruggedrongen en ingesloten in het bolwerk Waterberg. Op 11 augustus was het tij in Duits voordeel gekeerd, hoewel nog niet beslissend; de Duitsers hadden simpelweg onvoldoende militaire stootkracht om de volledige capitulatie van de vijand af te dwingen. Als gevolg hiervan gaf Von Trotha na de overwinning in Waterberg zijn beruchte 'bevel tot uitroeiing', dat duizenden Herero ertoe deden besluiten het land te ontvluchten. De meesten trokken in oostelijke richting naar Omaheke (Zandveld) en van daaruit verder naar Botswana. Onderweg staken ze alle vegetatie in brand.

De meedogenloze alles-of-nietscampagne van Von Trotha tegen de Herero had succes gehad, maar stuitte internationaal op stevige kritiek. Vooral de Britten waren niet mals in hun oordeel en spraken over genocide. Ook zette de campagne de Nama aan om in opstand te komen. Gedurende de daaropvolgende drie jaar bundelden de

Niet alleen kwam er een stroom kolonisten naar Namibië - die grote lappen van de vruchtbaarste grond kregen toegewezen, ook het spoorwegnet werd uitgebreid en de steden groeiden. In 1908 ontdekte spoorwegopzichter August Stauch in de Namibwoestijn een van de rijkste diamantvoorraden ter wereld, die de basis vormde voor een economische hausse in het zuiden. In de tussentijd had de exploitatie van de Tsumeb-mijnen - waar koper, zink en lood werden gewonnen - voorspoed in het noorden gebracht.

Daar stond tegenover dat zwarte Namibiërs steeds vaker in 'reservaten' - vaak onvruchtbare gebieden die moeilijk te bewerken waren - werden ondergebracht en als goedkope arbeidskrachten werden uitgebuit.

meeste lokale stammen hun krachten om vanuit hun bolwerken in de desolate Kalahariwoestijn een guerillaoorlog tegen de *Schutztruppe* te voeren. Nadat echter in 1907 de machtige Nama-leider Hendrik Witbooi de dood had gevonden, smeekten de overgebleven leiders om vrede. En daarmee kwam Namibië uiteindelijk toch onder koloniaal bestuur.

Een economische opleving
In de zes jaar van Duitse overheersing vóór de Eerste Wereldoorlog kwam de kolonie tot bloei.

Links: Aan het begin van de 19e eeuw kregen de Duitse kolonisten in Namibië het vruchtbaarste land.
Boven: De eerste kolonisten.

Inmiddels waren na een aantal territoriale overeenkomsten tussen de koloniale machthebbers de grenzen van het land duidelijker vastgesteld. In 1890 droeg Groot-Brittannië bijvoorbeeld een lange en smalle strook land aan Zuidwest-Afrika over, dat daarmee toegang kreeg tot de rivier de Zambezi. De ongeveer 450 km lange strook land in het noordoosten werd 'Caprivistrook' gedoopt, naar de toenmalige Duitse kanselier graaf Georg Leo von Caprivi.

Aan de Duitse overheersing kwam na de uitbraak van de Eerste Wereldoorlog in 1914 een eind. Zuid-Afrika streed mee aan de zijde van de geallieerden en viel de Duitse troepen met een overweldigend machtsvertoon aan. Op 9 juli 1915 gaven de Duitsers zich in Khorab, in de buurt van Otavi, over. ❑

EEN GLIMMENDE SCHAT ONDER HET ZAND

Door de overweldigende rijkdom aan halfedelstenen is Namibië een trekpleister voor zowel mineralogen als souvenirjagers.

In Namibië bevinden zich niet alleen de rijkste alluviale diamantvelden ter wereld, het land is ook gezegend met grote hoeveelheden hoogwaardige halfedelstenen. De eerste topaas werd aan het eind van de 19e eeuw bij de Spitzkoppe in Noordwest-Namibië gevonden. Dit gebied is rijk aan de doorzichtige, glinsterende kristallen die zilvertopazen heten; er zijn hier kristallen van liefst 15 cm lang en 12 cm breed gevonden. Ook het mineraal beril is hier in overvloed te vinden, zowel de blauwe (aquamarijn), de roze (morganiet) als de gele variant (heliodoor). De veelgeprezen groene beril - die bekender is onder de naam smaragd - komt echter niet voor in Namibië. Het meest waardevolle mineraal, toermalijn, wordt gewonnen in talloze mijntjes rond Karibib, Usakos en de Spitzkoppe. Dit kristal combineert vaak een rode kern met een groene 'huid'; in plakjes gesneden en geslepen wordt duidelijk waarom het de bijnaam 'watermeloentoermalijn' heeft gekregen.

UNIEKE MINERALEN

Voor mineralogen zijn de uitzonderlijke ertslagen met hun zeldzame en vaak unieke mineralen het interessantst. In de Ysterpütz-mijn in de zuidelijke regio Karas zijn bijvoorbeeld grote hoeveelheden van de zeldzame 'blue lace'-agaat te vinden. Polluciet, een zeer zeldzaam cesiummineraal, wordt ten zuiden van Karibib gewonnen. En in Tsumeb, in het noorden van het land, werd door de Tsumeb Corporation een kraterpijp geëxploiteerd die 217 verschillende soorten mineralen en sierstenen opleverde; 40 daarvan kunnen alleen in Namibië worden gevonden.

▷ **MOOIE HUIZEN**
Het Goerke Haus, dat een Duitse diamantmagnaat in Jugendstil liet bouwen, is een van de huizen in het kuststadje Lüderitz uit de tijd van de diamantkoorts.

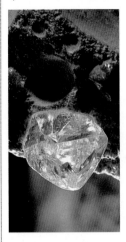

△ **DIAMANTGEISERS**
De diamanten worden gevonden in afzettingen van het bij aardbevingen omhooggestuwde vulkanische materiaal kimberliet.

◁ **ROTSKUNST**
In Namibië worden vele soorten kwarts gevonden. Dit stuk bevat malachiet, waarvan vaak sieraden worden gemaakt.

▽ **RIJKE OOGST**
Een arbeider 'stofzuigt' het gesteente in het Sperrgebiet (Verboden Gebied) in Zuid-Namibië, op zoek naar diamanten.

DIAMANTKOORTS IN NAMIBIË

In 1908 zag Zacharias Lewala - die deel uitmaakte van een team dat woestijnzand van de pas aangelegde spoorlijn bij Grasplatz moest verwijderen - dat een opvallend steentje aan zijn met olie ingevette schep bleef vastzitten. Lewala gaf het kristal aan zijn baas, de Duitse spoorweginspecteur August Stauch, die - gelukkig voor hem, maar niet voor Lewala - al een concessie voor het winnen van 'alle soorten mineralen' had. Het steentje bleek een diamant te zijn en veroorzaakte een enorme 'goudkoorts' in Duits Zuidwest-Afrika. Zeelui verlieten hun schepen, verkopers hun winkels en mannen hun vrouwen - allemaal om in de Namibwoestijn hun geluk te beproeven. De stad Lüderitz dijde snel uit. De hutjes van golfplaten maakten plaats voor mooie stenen Jugendstil-huizen. Men bouwde een school en kerken en legde straatverlichting aan. Na de Eerste Wereldoorlog kwamen de mijnconcessies in handen van het machtige mijnconcern Anglo-American Corporation en werd een nieuw bedrijf opgericht: Consolidated Diamond Mines, het huidige NAMDEB.

▽ **VERBODEN TOEGANG**
Luchtfoto van de diamantstreek Sperrgebiet aan de Geraamtekust. Hier gelden strenge veiligheidsmaatregelen.

△ **STENEN ROZEN**
Jaarlijks wordt circa 300 ton rozenkwarts in Namibië geproduceerd, maar de kwaliteit varieert aanzienlijk.

▷ **LICHTEND VOORBEELD**
Op de lokale sieradenmarkten, vooral in Windhoek, zijn prachtige stenen als deze aquamarijn te vinden.

DE WEG NAAR ONAFHANKELIJKHEID

De transformatie van Namibië van koloniaal protectoraat via mandaatgebied tot onafhankelijke staat zou meer dan 70 jaar bittere strijd kosten.

De rol van het keizerrijk Duitsland als koloniale machthebber op het internationale toneel was maar een kort leven beschoren. Met de overgave van de Duitsers aan de Zuid-Afrikanen in Khorab in 1915 kwam er een einde aan Duits Zuidwest-Afrika. Het gebied werd gedurende het verdere verloop van de Eerste Wereldoorlog onder militair toezicht geplaatst.

Louis Botha, de toenmalige premier van de Unie van Zuid-Afrika en ook de opperbevelhebber van het leger, had geen weerwoord toen de capitulerende gouverneur van de Duitse keizer, Theodor Seitz, stelde dat het lot van Zuidwest-Afrika niet hier en nu, maar door het verloop van de oorlog in Europa zou worden bepaald. De geschiedenis zou Seitz in het gelijk stellen. Het Verdrag van Versailles, waarmee op 28 juni 1919 een einde kwam aan de Eerste Wereldoorlog, bepaalde dat Duitsland afstand moest doen van al zijn kolonies.

'De Duitse kolonies in de Stille Oceaan en in Afrika worden bewoond door barbaren,' schreef de Zuid-Afrikaanse premier Jan Christiaan Smuts in 1918. 'Ze zijn niet in staat om zichzelf te besturen en het zou ook ondoenlijk zijn om het principe van zelfbestuur in de Europese zin proberen in te voeren.' Smuts zinspeelde op een inlijving van Zuidwest-Afrika bij Zuid-Afrika, maar uiteindelijk kwamen de zegevierende geallieerden overeen dat ze zich voor wat betreft de voormalige kolonies van Duitsland zouden beperken tot de rol van bestuurder en toezichthouder.

Als gevolg hiervan kreeg Zuid-Afrika de verantwoordelijkheid over Zuidwest-Afrika, maar slechts in de hoedanigheid van een 'mandaatgebied' van de Volkenbond. Desondanks betekende dit dat de invloed van Pretoria in de daaropvolgende 75 jaar helemaal tot aan de zuidgrens van Angola zou gaan reiken.

Een nieuwe politiek

Met veel machtsvertoon zette Zuid-Afrika direct na de wapenstilstand van de Eerste Wereldoorlog op 11 november 1918 een aantal Duitse 'personae non grata' (ambtenaren, krijgsmachtpersoneel en politieagenten) Zuidwest-Afrika uit. Verder gingen er ongeveer 1400 Duitse staatsburgers vrijwillig terug naar Duitsland en werden er 4900 (ongeveer een derde van alle Duitsers in het gebied) gedeporteerd. De Duitse diamantconcessie werd overgedragen aan Consolidated Diamond Mines, dat later zou overgaan in het wereldberoemde NAMDEB (een samentrekking van Namibië en De Beers).

De mandaatregering

De door de geallieerden opgestelde overeenkomst die bepaalde dat Zuidwest-Afrika een 'integraal deel' van Zuid-Afrika zou worden, werd op 17 december 1920 formeel goedgekeurd door de Volkenbond. De dubbelzinnigheid van de zinsnede 'integraal deel' zou in de decennia daarna een groot struikelblok voor het bestuur van het gebied blijken te zijn; deze bepalende definitie liet simpelweg te veel ruimte voor interpretatie open.

De verantwoordelijkheden van Zuid-Afrika werden met de volgende zin samengevat: 'De mandataris zal alles in het werk stellen om de inwoners van het gebied dat onder het huidige mandaat valt in hun basisbehoeften te voorzien en hun morele welbevinden en ontwikkeling te

---

Links: De weg naar onafhankelijkheid was lang en zwaar.
Rechts: Zwarte ambities werden de bodem ingeslagen door de nieuwe Zuid-Afrikaanse regering.

stimuleren.' In de daaropvolgende jaren werd de formulering specifieker: Zuidwest-Afrika moest, onder de hoede van Zuid-Afrika, richting onafhankelijkheid worden geleid.

Behalve met enkel en alleen het mandaatgebied besturen, hield Zuid-Afrika zich ook bezig met het bouwen van blanke nederzettingen, een voortzetting van het beleid van de voormalige Duitse machthebbers. In een poging om de Boerenbevolking uit te breiden gaf het steeds meer grond aan 'arme blanke' kolonistenfamilies uit Zuid-Afrika in plaats van aan Duitsers. Tussen 1915 en 1920 werd zes miljoen ha grond aan Zuid-Afrikanen gegeven; in 1928 en 1929 werd nog eens een groot deel van het mandaatgebied toebedeeld aan uit Angola terugkerende Boeren.

De derde en laatste fase van de blanke kolonisatie vond tussen 1950 en 1954 plaats.

Een laatste stuiptrekking

De hoop van de inheemse bevolking dat er met de nederlaag van de Duitsers een einde zou komen aan de koloniale landverkaveling, werd dus de bodem ingeslagen. Desondanks waren verschillende groepen vastbesloten om voor hun land te vechten. Opperhoofd Mandume nam bijvoorbeeld stelling tegen Brits-Zuid-Afrikaanse territoritale aanspraken in Ovamboland.

Een combinatie van de ijdele hoop op positieve ontwikkelingen na de machtswisseling in Windhoek en de inmenging van Zuid-Afrika in de opvolging van het opperhoofd van een van de mach-

SCHEUREN IN HET BOERENKAMP

Hoewel het Groot-Brittannië was dat Zuid-Afrika na het uitbreken van de Eerste Wereldoorlog aanmoedigde om de Duitsers in Zuidwest-Afrika aan te vallen, had het land vrijwel geen stimulans nodig. Een van de belangrijkste beweegredenen voor de invasie was dat een succesvolle militaire campagne tot een verzoening zou leiden met de Boeren die zich na de Boerenoorlog van 1899-1902 in de kolonie hadden gevestigd. Het conflict had de Boeren in twee kampen verdeeld: anti-Brits (tegenstanders van oorlog) en pro-Brits (zoals premier Jan Smuts). De tweedracht was echter groot en Zuid-Afrika slaagde er niet in om een complete verzoening te bewerkstelligen.

tigste Nama-stammen, de Bondelswarts, vormde in 1922 de aanleiding voor een grote opstand van de Nama tegen de Zuid-Afrikaanse regering.

Maar of de tegenstand nu werd geboden door opperhoofd Jacobus Christiaan, die 64 krijgers verloor, of door de Basters uit Rehoboth, die gehoopt hadden op meer autonomie na de machtsovername door de Zuid-Afrikanen, de Nama hadden geen schijn van kans tegen een vijand die op militair gebied veruit superieur was. Zelfs de door de strijd geharde Bondels, die vóór de Eerste Wereldoorlog met hun guerrillaoorlog lange tijd stand hadden weten te houden tegen het Duitse koloniale leger, zagen zich nu geconfronteerd met een tegenstander die - door de vergelijkbare ervaringen in de Boerenoorlog - bedreven was in precies dezelfde tactiek.

De Zuid-Afrikaanse regering reageerde op de Nama-opstand met het sturen van steeds nieuwe troepen. De vergeldingsmaatregelen voor de revolte waren zwaar: de Basters raakten zelfs het recht om hun eigen 'kaptein' (leider) te benoemen kwijt. In plaats daarvan moesten ze zich nu onderwerpen aan het gezag van een blanke overheid, een situatie die tot 1976 zou voortduren.

Verdeel en heers

De Zuid-Afrikaanse mandaatregering zette het beleid van haar Duitse voorgangers voort door zich constant met de opvolging en de benoeming van lokale opperhoofden te bemoeien, met wisselend succes. Geprobeerd werd om de zwarte bevolking onder controle te krijgen door opper-

Ondanks hun pogingen om een zo groot mogelijk deel van Zuidwest-Afrika onder controle te krijgen, investeerden de Zuid-Afrikanen bijzonder weinig in de Namibische infrastructuur. Een uitzondering was de aanleg van diverse spoorlijnen: van Swakopmund naar Walvisbaai, van Otjiwarongo naar Outjo, van Karasburg naar Upington in Zuid-Afrika en van Windhoek naar Gobabis. Verder werd in 1929 de allereerste automatische telefooncentrale in Windhoek geïnstalleerd.

De toenmalige sfeer in Namibië was er een van een geïsoleerd gelegen land waar de tijd leek te hebben stilgestaan en wordt goed onder woorden gebracht door de Duitse missionaris Heinrich Vedder. In het voorwoord van zijn boek *Das alte Südwestafrika* (1934) schrijft hij: 'Dit boek zou

hoofden aan te stellen die als stromannen bereid waren om naar de pijpen van de regering te dansen. Langzamerhand strekte de invloed van Zuid-Afrika zich op die manier uit tot in Ovamboland en de noordelijke gebieden die voorbij de zogenaamde Rode Lijn lagen - een gebied dat de Duitsers liever meden. (De Rode Lijn is een afrastering die de verspreiding van allerlei besmettelijke veeziekten, zoals mond- en klauwzeer, door vee uit Noord-Namibië en Angola moest en nog altijd moet verhinderen.) Het uiterste noorden en de grensgebieden bij de Kalahariwoestijn bleven echter grotendeels buiten schot.

Links: Uitgelaten mijnwerkers met hun opzichter.
Boven: Arbeiders in de Caprivistrook krijgen medisch advies (met behulp van een tolk).

alleen gelezen moeten worden door mensen die van Zuidwest-Afrika houden; er staan namelijk veel dingen in die in vergelijking met de grote wereldgebeurtenissen van deze tijd van ondergeschikt belang zijn, dingen die alleen van waarde zijn voor iemand die al gegrepen is door ons zonnige land.'

Uiteindelijk bepaalden juist deze 'grote wereldgebeurtenissen' het lot van Namibië, omdat ze het politieke bewustzijn van de blanke kolonisten beïnvloedden. Feitelijk werden de kolonisten in twee kampen verdeeld, waarbij de taal de bepalende factor was: Afrikaanstaligen die loyaal waren aan de Unie van Zuid-Afrika en eenwording met Zuid-Afrika bepleitten, en Duitstaligen van wie de meerderheid juist trouw wilde blijven aan het mandaat van de Volkenbond. De laatsten hoopten dat wanneer Duitsland eenmaal weer op krachten zou zijn gekomen, het snel een eind zou maken aan het Zuid-Afrikaanse bestuur over Namibië en daarmee een nieuw tijdperk van onafhankelijkheid zou inluiden.

De oorlogsjaren

In de jaren dertig van de vorige eeuw zorgden de nationaal-socialistische propaganda en agitatie voor een verslechtering van de verhoudingen tussen de twee kampen. De Zuid-Afrikaanse regering gaf de lokale overheid de bevoegdheid om buitenlanders (zoals Duitse immigranten) het recht op deelname aan politieke organisaties te ontzeggen, maar er was een grote ontsnappingsmogelijkheid: vele Duitstaligen waren genatura-

liseerd of beschikten over twee paspoorten. De *Deutscher Bund* (Duitse Bond) en *Die Verenigde Nasional Suidwes Party* (Verenigde Nationale Zuidwestpartij, VNSWP) waren de belangrijkste politieke bewegingen van die tijd. De eerste steunde het mandaat, de laatste was voor inlijving bij Zuid-Afrika.

Het uitbreken van de Tweede Wereldoorlog maakte een eind aan deze geschillen. Het spreken van vloeiend Duits was nu genoeg reden voor de Zuid-Afrikaanse overheid om mannen in de dienstplichtige leeftijd in interneringskampen gevangen te zetten, ongeacht of het ging om genaturaliseerde Brits-Zuid-Afrikaanse onderdanen, personen met zowel het Duitse als het Zuid-Afrikaanse staatsburgerschap of recentelijk gearriveerde immigranten.

Gedurende de oorlogsjaren hielden de vrouwen de boerderijen draaiende. Net als in de Eerste Wereldoorlog werden de Duitse bezittingen onder de jurisdictie van een 'beheerder voor vijandelijk bezit' gebracht. Het lot van de Duitsers en hun gezinnen die naar Zuid-Afrikaanse gevangenenkampen in Andalusia en Baviaanspoort gedeporteerd waren, bleef ook nog lang na het ondertekenen van de vrede ongewis.

De nipte overwinning in 1948 van de Nationale Partij (NP) van Daniel François Malan in Zuid-Afrika maakte een definitief einde aan alle vijandelijkheden jegens de Duitsers van Zuidwest-Afrika en daarmee ook aan de dreiging van deportatie. De laatste gedetineerden mochten terugkeren naar hun boerderijen. Tot het midden van de jaren zeventig kon de NP als dankbetuiging rekenen op de rotsvaste loyaliteit van de Duitsers uit Zuidwest-Afrika (dat in 1968 officieel Namibië ging heten), ook al waren die het niet altijd eens met de apartheidspolitiek van de Zuid-Afrikaanse regering.

Zuid-Afrika tart de VN

Na de Tweede Wereldoorlog zette de Verenigde Naties (VN) de mandaten van alle mandaatgebieden om in een voogdijschap. In 1947 maakte Zuid-Afrika bij de VN officieel melding van zijn voornemen om Zuidwest-Afrika als vijfde provincie in te lijven, waarbij het aanvoerde dat de lokale opperhoofden in een gemeenschappelijke stemming hun goedkeuring aan de annexatie hadden gegeven. Men verbloemde echter de tegenstemmen van een groot aantal Herero- en Nama-opperhoofden, evenals die van het Afrikaanse Nationale Congres (ANC) en de Zuid-Afrikaanse Communistische Partij. De twee laatste hadden altijd al bij de Verenigde Naties aangedrongen op een betrouwbaar bestuur voor Zuidwest-Afrika, zoals dat omschreven was door de Algemene Vergadering van de VN.

De VN wees het Zuid-Afrikaanse plan af en vanaf dat moment werden er steeds meer vraagtekens bij het Zuid-Afrikaanse voogdijschap over het gebied gezet. In de daaropvolgende 21 jaar stapten de Algemene Vergadering en de Veiligheidsraad minstens zes keer naar het Internationaal Gerechtshof in Den Haag over aangelegenheden die verband hielden met Zuidwest-Afrika. Een bindende en heldere uitspraak over de internationale status van het gebied en een duidelijke afbakening van de verantwoordelijkheden van Zuid-Afrika bleven echter uit.

Zuid-Afrika koos ervoor de juridische druk van de VN te negeren. Vanaf 1948 stopte het land eenvoudigweg met het indienen van de jaarlijkse rapportages die het over zijn 'mandaatgebied' zou moeten uitbrengen.

Aan het eind van de jaren vijftig en in het begin

van de jaren zestig spoelde er een golf van onafhankelijkheid over het Afrikaanse continent, echter zonder Namibië te beroeren. Desondanks kreeg deze periode wel een duidelijke plek in het collectieve geheugen van de zwarte bevolking van het land. Als zwarte Namibiërs er al in slaagden om gezamenlijk in opstand te komen tegen het gebrek aan politieke en burgerrechten, werd hun verzet met geweld de kop ingedrukt. Zo werden in december 1959 in Windhoek 13 zwarte demonstranten door politieagenten met knuppels in elkaar geslagen. De slachtoffers hadden geprotesteerd tegen hun gedwongen verhuizing naar de nieuwe zwarte township Katutura.

Volgens de Zuid-Afrikaanse apartheidspolitiek mocht de zwarte bevolking binnen het man-

missie voor Zuidwest-Afrika hun stem te laten horen. In dit tijdperk werd echter wel de *Ovamboland People's Organisation* (OPO) opgericht, wat weer de aanzet was tot de oprichting van de *South West Africa People's Organisation* (SWAPO) in 1960. Hoewel de SWAPO zich aanvankelijk alleen bezighield met arbeidsgerelateerde vraagstukken, werd de organisatie steeds vaker gezien als een onafhankelijkheids- en bevrijdingsbeweging, helemaal na 1966, toen de SWAPO besloot om de wapens op te pakken en de vrijheid te bevechten. Aan de andere kant moet de blanke bevolking, gesteund door de onverschilligheid van hun regering jegens de VN-resolutie, er in die tijd van overtuigd zijn geweest dat alles bij het oude zou blijven.

daatgebied haar eigen zaken regelen, althans in naam. Alle cruciale onderwerpen - zoals internationale betrekkingen - vielen onder de verantwoordelijkheid van de regering in Pretoria en het parlement in Kaapstad.

Een zware strijd

Tussen 1949 en 1977 werd de blanke bevolking van het mandaatgebied vertegenwoordigd door zes parlements- en vier senaatsleden. Gedurende deze hele periode slaagden slechts een paar Namibische nationalisten erin om bij de VN-com-

Links: Zuid-Afrikaanse transporteurs.
Boven: SWAPO-leider Sam Nujoma in gevechtsuitrusting. De organisatie werd in 1960 opgericht.

EEN TRIEST RECORD

Er is geen ander land ter wereld - vooral niet met een dergelijke kleine bevolking - dat kan tippen aan de lange periode die Namibië nodig had om helderheid te scheppen in zijn internationale status. In de decennia van zijn omvorming van koloniaal protectoraat via mandaatgebied en internationaal twistpunt naar erkende, onafhankelijke staat heeft Namibië een hoeveelheid uitspraken, documenten, verzoeken en gerelateerd materiaal verzameld die zijns gelijke niet kent. Desondanks oordeelde het Internationale Gerechtshof in Den Haag pas in 1968 dat de aanwezigheid van Zuid-Afrika in strijd was met de wet en eiste het dat het land het bestuur over Zuidwest-Afrika zou opgeven.

De politieke ontwikkelingen waren één ding, de inrichting van een infrastructuur in Namibië was heel wat anders. In de jaren zestig maakte het land, voor het eerst sinds de Duitse overheersing, een periode door van snelle ontwikkelingen in de wegenbouw, de water- en energievoorziening, de telecommunicatie, de landbouw, het toerisme en ook op andere terreinen. Hierdoor bereikte Namibië op het gebied van leefomstandigheden een niveau dat het met kop en schouders boven het gemiddelde Afrikaanse land deed uitsteken. In het dichtbevolkte, maar landelijke noorden raakte dit proces echter slechts ondergeschikte terreinen en beperkte het zich doorgaans tot de politiezones (zoals de blanke gebieden sinds de Duitse koloniale tijd werden genoemd).

Vorster een 'inheemse raad' voor Namibië in het leven. In september 1975 werd een constitutionele conferentie uitgeschreven. De bijeenkomst vond plaats in de oude Duitse *Turnhalle* (sporthal) in Windhoek en ging daarom de geschiedenis in als de Turnhalle-conferentie. De opdracht was om een grondwet voor een onafhankelijk Namibië op te stellen. De afgevaardigden waren in elf groepen opgesplitst; politieke partijen waren nog altijd uitgesloten van deelname.

Oproep tot veranderingen

Ongeveer 18 maanden later, in maart 1977, werd een eerste ontwerp van de grondwet gepresenteerd. Het concept, waarop Zuid-Afrika een zwaar stempel had gedrukt, bevatte een model

De vijfde provincie

Het vaste voornemen van Pretoria om Namibië te annexeren bereikte een hoogtepunt toen in 1968 en 1969 twee grondwetswijzigingen werden aangenomen die het gebied officieel als vijfde provincie van Zuid-Afrika bestempelden. In de daaropvolgende jaren verlieten duizenden jonge Namibiërs hun vaderland, ofwel om vanuit het buitenland de strijd voor onafhankelijkheid te voeren of om onderwijs te volgen dat niet onder Zuid-Afrikaans toezicht stond.

Onder steeds grotere internationale druk deed Zuid-Afrika noodgedwongen een aantal halfslachtige stappen richting de toekenning van burgerrechten aan de zwarte bevolking. Vlak nadat de SWAPO bij de VN de status van waarnemer had gekregen, riep de Zuid-Afrikaanse premier

voor een etnisch gesegregeerd land. Ondertussen hadden de vijf westerse leden van de Veiligheidsraad - de Verenigde Staten, West-Duitsland, Groot-Brittannië, Frankrijk en Canada - de gelederen gesloten. De groep drong er bij Zuid-Afrika op aan om de garantie te geven dat de uitkomsten van de Turnhalle-conferentie ongeldig zouden worden verklaard en dat algemene en vrije verkiezingen gehouden zouden worden om het recht van elke Namibiër op zelfbestuur te laten gelden. Dit laatste had de Algemene Vergadering van de Verenigde Naties al in talloze eerdere resoluties gevraagd.

Hoewel de Turnhalle-conferentie geen tastbare resultaten opleverde, zorgde deze er wel voor dat de teugels van de apartheid wat werden gevierd. Voor de eerste keer zaten zwarten, kleurlingen en blanken om de tafel om te proberen via - naar zou blijken langdurige - onderhandelingen tot overeenstemming te komen.

Zuid-Afrika zwichtte maar gedeeltelijk voor de druk van de vijf westerse mogendheden. In 1977 werd als tegenhanger van Martti Ahtisaari, de speciale VN-gezant voor Namibië, Marthinus Steyn aangesteld als administrateur-generaal om Namibië naar onafhankelijkheid te leiden. In de geest van de westerse eisen, die een jaar later officieel werden vastgelegd in VN-resolutie 435, trok Steyn nog voor het einde van het jaar diverse belangrijke apartheidswetten in. Verder werd in de

ONGELDIGE KEUZE

Bij de verkiezingen van 1978 kreeg de Democratische Turnhalle Alliantie 41 en de Nationalistische Partij zes zetels. Drie kleine partijen kregen elk één zetel.

vijf westerse mogendheden verklaarden de verkiezingen echter ongeldig.

Op advies van Zuid-Afrika vormden de gekozen volksvertegenwoordigers een Nationale Assemblee. Dit wetgevend lichaam had echter slechts beperkte bevoegdheden en moest doorlopend Zuid-Afrikaanse tussenkomst dulden, zoals bijvoorbeeld toen men een wet tegen rassendiscriminatie wilde aannemen of toen men de Zuid-Afrikaanse feestdagen wilde schrappen.

In januari 1983 trok de Democratische Turnhalle Alliantie (DTA) - die met 41 zetels veruit de grootste partij in de Nationale Assemblee was -

woonwijken van steden een begin gemaakt met de afschaffing van de rassenscheiding, een proces dat tot 1980 zou duren.

Zonder zich iets aan te trekken van resolutie 435 schreef Zuid-Afrika in 1978 onder eigen auspiciën algemene verkiezingen in Namibië uit, die niet onder supervisie van de VN stonden. Voor de eerste keer in de geschiedenis van het land kon iedere stemgerechtigde zijn stem uitbrengen. Ondanks de oproep van de SWAPO om de verkiezingen te boycotten, bracht 81 procent van de 421.600 geregistreerde kiezers zijn stem uit. De

Links: In de mandaatjaren rekruteerde het Zuid-Afrikaanse leger ook San (Bosjesmannen).
Boven: De verkiezingen van 1989 stonden onder toezicht van de VN.

zich terug. De partij stelde dat ze onder deze omstandigheden niet kon regeren. In de daaropvolgende jaren ging Pretoria naarstig op zoek naar mogelijkheden om enige mate van Namibisch zelfbestuur te herstellen. Zo werd de administrateur-generaal min of meer aan zijn lot overgelaten, om daarmee aan te geven dat hij de enige Zuid-Afrikaanse bestuurder van het land was.

In 1985 werd andermaal een 'tijdelijke regering van nationale eenheid' gevormd, maar dit keer zou het de laatste zijn. Ook deze regering ontbrak het echter aan geloofwaardigheid, omdat Zuid-Afrika bij constitutionele vraagstukken de instemming van alle partijen verlangde.

Gewapend conflict

Aan het begin van de jaren zestig namen de

SWAPO en de Organisatie van Afrikaanse Eenheid een gezamenlijk besluit: als de diplomatieke weg naar onafhankelijkheid vruchteloos zou blijken te zijn, zou men naar de wapens grijpen. De historische eerste schermutseling met de Zuid-Afrikaanse politie vond plaats in augustus 1966 (tegenwoordig is 26 augustus een nationale feestdag in Namibië: *Heroes Day*), in de buurt van het in Noordwest-Ovamboland gelegen Ongulumbashe. Dit gevecht markeerde het begin van vele jaren van guerrilla- en grensoorlogen, waaraan pas in april 1989 een einde zou komen.

Nadat Angola in 1975 onafhankelijk was geworden, ging het gewapende conflict in Namibië steeds meer draaien om de geopolitieke belangen van de supermachten en hun vertegenwoordigers

verandering komen tot vlak voor de verkiezingen van 1989.

Na 1975 werden de onstabiele noordelijke gebieden van Namibië een uitvalsbasis voor het Zuid-Afrikaanse leger, vanwaar militaire acties in Angola werden uitgevoerd. Ook het hoofdkwartier van de SWAPO in Angola kwam herhaaldelijk onder vuur te liggen; het ergst op 4 mei 1978, toen een luchtaanval het SWAPO-kamp in Cassinga verwoestte. Honderden soldaten, maar ook vrouwen en kinderen, kwamen hierbij om het leven.

Inmenging van de supermachten
Ondanks de hoopvolle aankondiging van een plan voor de oplossing van de Namibische kwes-

in zuidelijk Afrika. De Sovjet-Unie en Cuba steunden de Angolese marxistische regering van de *Movimento Popular de Libertação de Angola* (MPLA), en op hun beurt gaven de Verenigde Staten hulp aan de pro-westerse verzetsbeweging *Uniãcio Nacional para a Indepêndencia Total de Angolo* (UNITA). Zolang de politieke partijen van Namibië elk een eigen voorkeur hadden voor een van deze twee allianties, waren alle pogingen tot het creëren van eenheid gedoemd te mislukken.

Na een algemene staking in 1971, waaraan vooral Ovambo-arbeiders deelnamen, en opstanden in Ovamboland in 1972 werd in het noorden voor het eerst de staat van beleg afgekondigd. Hierbij werd het gezag uitgeoefend door het Zuid-Afrikaanse leger. In deze situatie zou geen

tie zou het nog elf jaar duren voordat resolutie 435 van de Veiligheidsraad - die in 1978 brede steun had gekregen - uitgevoerd was. Telkens weer beschuldigden de partijen elkaar ervan irreële voorwaarden te stellen die de uitvoering van het plan in de weg stonden. De stellingen werden definitief betrokken toen de Verenigde Staten en Zuid-Afrika de uitvoering van resolutie 435 aan de terugtrekking van Cuba uit Angola koppelden (de zogenaamde *Cuban linkage*).

Gezien de dreiging van UNITA was terugtrekking van het Cubaanse leger onbespreekbaar voor de MPLA-regering in Angola. Ook de Verenigde Naties konden niet uit de voeten met de aanvullende eis van de Verenigde Staten, omdat resolutie 435 specifiek gericht was op een oplossing van de Namibische kwestie en niet op de veiligheid en het machtsevenwicht in buurlanden. Uiteindelijk kwamen in 1988 Zuid-Afrika, Angola en Cuba onder toezicht van de Sovjet-Unie en de Verenigde Staten een aantal keren bijeen in Caïro, Brazzaville en New York, totdat de partijen het eens werden en resolutie 435 onlosmakelijk verbonden was met de terugtrekking van de Cubaanse en Zuid-Afrikaanse troepen uit respectievelijk Angola en Namibië.

EEN HELPENDE HAND

Het onafhankelijkheidsproces werd bijgestaan door de *United Nations Transition Assistance Group* (UNTAG), circa 7000 mensen uit 110 landen.

Eindelijk een akkoord

Nadat de drie partijen op 22 december 1988 eenmaal een akkoord hadden bereikt, ging het snel. Vanuit meer dan honderd landen stroomden de waarnemers naar Windhoek.

Toch kwam een oplossing voor de Namibische kwestie opnieuw in gevaar toen op 1 april 1989 - uitgerekend de dag waarop de VN-resolutie ten uitvoer zou worden gebracht - zwaarbewapende SWAPO-eenheden over een breed front vanuit Angola de grens met Namibië overtrokken. Hoewel VN-gezant Martti Ahtisaari in de verleiding werd gebracht om legereenheden onder Zuid-Afrikaans commando te mobiliseren, kon een conflict gelukkig worden afgewend. Na een snel georganiseerde conferentie tussen Zuid-Afrika, Angola en Cuba kon het onafhankelijkheidsproces al in mei van datzelfde jaar worden voortgezet.

Niet alleen trok Zuid-Afrika de nog resterende apartheidswetgeving in, maar tevens werd de SWAPO-strijders de mogelijkheid geboden om als burger naar Namibië terug te keren. De terugtrekking van alle Namibische en Zuid-Afrikaanse soldaten die nog onder Zuid-Afrikaans commando stonden en de daaropvolgende demobilisatie verliepen vlot. In juni konden de SWAPO-leiders die in ballingschap in het buitenland hadden gewoond, eindelijk terugkeren naar hun vaderland - in triomf.

Tussen mei en augustus werden met hulp van de Verenigde Naties circa 40.000 Namibische ballingen en vluchtelingen vanuit Angola en Zambia gerepatrieerd. De volgende stap was de registratie van de Namibiërs, zodat iedere burger gebruik kon maken van zijn onvoorwaardelijke stemrecht. Meer dan 700.000 kiezers werden geregistreerd, hoewel dat vaak onder buitengewoon moeilijke omstandigheden gebeurde.

Vrije verkiezingen

In november 1989 ging Namibië naar de stembus

om een constituante (nationale vergadering voor het opstellen van de grondwet) te kiezen. Drie partijen - het *National Patriotic Front of Namibia* (NPF), de *Federal Convention of Namibia* (FCN) en het *Namibia National Front* (NNF) - konden na de verkiezingen elk één afgevaardigde naar de constituante sturen, de *Aksie Christelik Nasionaal* (ACN) drie en het *United Democratic Front* (UDF) vier. De absolute meerderheid van de afgevaardigden kwam echter van de inmiddels tot politieke partij omgeturnde SWAPO, die 57 procent van de stemmen en daarmee 41 zetels in de constituante had gekregen.

De grootste oppositiepartij was de Democratische Turnhalle Alliantie (DTA) met 28 procent van de stemmen en 21 zetels.

In 22 van de in totaal 23 kiesdistricten waren de twee grootste partijen in een nek-aan-nekrace verwikkeld geweest. Alleen in Ovamboland, het dichtst bevolkte district van het land en de thuisbasis van de SWAPO, kon de laatste zijn thuisvoordeel uitbuiten en een glansrijke overwinning behalen. Geen van de negen andere politieke partijen kon hier ook maar één zetel in de wacht slepen.

Toen de Verenigde Naties vervolgens konden bevestigen dat de verkiezingen eerlijk waren verlopen, was er eindelijk een einde gekomen aan zeventig jaar bittere strijd om onafhankelijkheid in Namibië. ❑

Links: De historische Turnhalle-conferentie.
Rechts: Een San-vrouw uit de omgeving van Tsumkwe gaat in 1989 haar stem uitbrengen.

DE HEDENDAAGSE REPUBLIEK

Het onafhankelijke Namibië ontwikkelde zich als relatief stabiel en
welvarend land, waar regionale veiligheidsproblemen nog
de grootste kopzorgen lijken te gaan geven.

Op 9 februari 1990 werd de nieuwe grondwet van Namibië unaniem aangenomen, waarna het land net na middernacht op 21 maart 1990 onafhankelijk werd. Maar weinigen die deze historische nacht hebben meegemaakt, zullen ooit de verrukking vergeten die zich meester maakte van het land toen de Zuid-Afrikaanse vlag werd gestreken om plaats te maken voor het rood, blauw, groen en geel van de Namibische vlag - een gebeurtenis die werd bijgewoond door een uitbundige menigte in het Independence Stadium van de Namibische hoofdstad Windhoek.

Decennialang was Namibië - een van de laatst overgebleven kolonies in Afrika - de inzet geweest van ontelbare debatten bij de Verenigde Naties en terugkerende onderhandelingen op internationaal niveau. Al sinds het eind van de jaren zestig was het land in de greep geweest van een door de guerrillabeweging SWAPO begonnen kleinschalige burgeroorlog, die geleid had tot toenemende politieke druk op de Zuid-Afrikaanse regering. Toch had het nog tot 1988 geduurd voordat Zuid-Afrika uiteindelijk gezwicht was voor de internationale druk en ingestemd had met de beëindiging van het koloniale bestuur. Eindelijk hadden de Namibiërs nu het recht om hun eigen onafhankelijke regering te kiezen.

De onafhankelijkheidsvieringen trokken hoogwaardigheidsbekleders uit de hele wereld, onder wie de toenmalige secretaris-generaal van de Verenigde Naties Perez de Cuellar, die de leiding over de ceremonie had. Het vertrekkende koloniale bestuur werd vertegenwoordigd door de toenmalige president van Zuid-Afrika, De Klerk.

Zoals Sam Nujoma, de leider van de SWAPO en de eerste president van de republiek Namibië, in zijn inauguratierede aangaf, had de strijd om onafhankelijkheid vorm gekregen door het karakter van de koloniale overheersing. Hij stelde in zijn rede: '... het doet me deugd dat we hier vandaag niet bijeenzijn om alweer een nieuwe resolutie te bekrachtigen, maar om het begin van een nieuw tijdperk voor dit land te vieren en de wereld te laten weten dat er een nieuwe ster aan het Afrikaanse firmament is. Vanaf dit moment is de laatste kolonie van Afrika bevrijd ... in onze moeilijke strijd wisten we ons gesteund door een rotsvaste overtuiging in de gerechtvaardigdheid en juistheid van onze zaak. Vandaag heeft de geschiedenis ons vrijgesproken; onze droom van een democratisch Namibië is in vervulling gegaan ... we spreken onze grote dankbaarheid uit aan de internationale gemeenschap voor haar trouwe steun.'

De opbouw begint

De verkiezingen in 1989 eindigden in een overwinning voor de SWAPO, die 41 van de 72 zetels in het Namibische parlement binnenhaalde en het mandaat kreeg om een regering samen te stellen.

Eerder had een constituante (een nationale vergadering voor het opstellen van de grondwet), waarin alle politieke partijen van het land vertegenwoordigd waren, al de taak gekregen om een grondwet op te stellen die de principes van een meerpartijenstelsel huldigde. Het indrukwekkende document voldoed daar beslist aan. Het effende de weg voor een nieuw Namibisch bestuursstelsel dat uit drie takken bestaat: een uitvoerende macht, een wetgevende macht en een rechterlijke macht. Ook werden er specifieke controles ingebouwd om mogelijk machtsmisbruik tegen te

---

Links: Oud en nieuw staan gebroederlijk naast elkaar in Windhoek, de hoofdstad van de republiek.
Rechts: SWAPO-aanhangers. Een groot deel van de bevolking hecht nog altijd veel belang aan politieke stabiliteit.

gaan, werd er ruimte gelaten voor onafhankelijk hoger beroep en kreeg een onafhankelijke ombudsman verregaande onderzoeksbevoegdheden.

De leden van de rechterlijke macht worden gekozen via een stelsel van evenredige vertegenwoordiging, waardoor ook de kleinere partijen de gelegenheid krijgen om hun stem te laten horen. Verder is er een solide stelsel van regionaal en plaatselijk bestuur en adviseert een Raad van Traditionele Leiders de president over onderwerpen die verband houden met traditionele wetgeving.

Daarnaast werd een aantal nationale symbolen ontworpen om de 'nationbuilding' en eenheid te stimuleren. Zo bestaat de vlag uit drie gekleurde banen die diagonaal gerangschikt zijn. De linkerbovenhoek is blauw - wat symbool staat voor de

de wereldwijde versterking en bevordering van de democratie), vergeleek in een document dat hij voor het instituut opstelde de toestand in het land vóór de onafhankelijkheid met die daarna. Het oude Namibië was, zo stelde hij, 'een statische gemeenschap, die vervuld was met angst voor de toekomst'. In november 1989 was hij echter als waarnemer bij de verkiezingen teruggegaan naar Namibië, waar hij 'een bijzonder ... emotionele campagne' waarin 'de opvattingen ... enorm waren veranderd' had aangetroffen. De bevolking 'werkte nu samen' om een meerpartijenstelsel vorm te geven en 'dat te laten slagen'.

Sinds de onafhankelijkheid

Aanvankelijk verliep alles gladjes voor de nieuw-

lucht en de watervoorraad van het land - en vertoont een gouden zon met twaalf driehoekige stralen. De rechterbenedenhoek is groen, wat het landbouwkundig potentieel van Namibië symboliseert, en de brede rode baan in het midden staat voor de heldhaftigheid van het volk. De vlag vormt ook het middelpunt van het wapenschild en wordt daarop aan weerszijden geflankeerd door een van de bekendste antilopen van Namibië, de spiesbok. Onder de symbolen staat het motto 'Unity, Liberty, Justice' ('Eenheid, Vrijheid, Gerechtigheid'), de beginselen van de grondwet.

De eerste jaren van Namibië als onafhankelijk land werden gekenmerkt door een sfeer van ongebreideld optimisme. Brian Atwood, de voorzitter van het Nationaal Democratisch Instituut voor Internationale Aangelegenheden (dat zich richt op

bakken staat. In september 1993 kondigde Zuid-Afrika aan het omstreden Walvisbaai - de enige diepzeehaven aan de Namibische kust - per 1 maart 1994 terug te zullen geven en kwam deze belofte ook na. De relatie tussen de beide landen bleef daarna vriendschappelijk.

Bij de algemene verkiezingen van december 1994 kreeg de SWAPO 53 van de 72 zetels in het parlement en werd Sam Numoja voor een periode van vijf jaar herkozen als president.

Ook de algemene verkiezingen van december 1999 betekenden een glansrijke overwinning voor de zittende president, die een overtuigende 77 procent van de stemmen kreeg. Zijn partij, de SWAPO, veroverde 55 parlementszetels en daarmee een tweederdemeerderheid die nodig is voor grondwetswijzigingen.

Hoewel de verkiezingen als eerlijk werden bestempeld, waren deze resultaten toch controversieel. Het vorige SWAPO-parlement had namelijk zijn overwicht al aangewend om de grondwet aan te passen en daarmee een derde ambtstermijn van Nujoma mogelijk te maken (in de eerdere grondwet werd bepaald dat een president na twee ambtstermijnen niet meer herkozen kon worden).

De Democratische Turnhalle Alliantie (de traditionele oppositie), die nog altijd de negatieve gevolgen van haar banden met de Zuid-Afrikaanse regering ondervond, kreeg slechts zeven zetels. De nieuwe partij *Congress of Democrats*, die onder leiding stond van de afvallige SWAPO-activist Ben Ulenga, kwam ook met zeven zetels in het parlement. Ulenga had in 1998 de SWAPO

van de bevolking blijft onverminderd laag. Bovendien heeft de productiviteit een erg smalle basis, want buiten de mijnsector is de industrialisatie minimaal.

Tegenstanders van de SWAPO vallen voortdurend het regeringsbeleid aan door te wijzen op het landelijke werkloosheidscijfer van 35 procent en op de beschuldigingen van corruptie en fraude onder ambtenaren. In de kranten verschijnen herhaaldelijk berichten die het zoveelste - en bijna normaal gevonden - incident aan de kaak stellen. Zo zou bijvoorbeeld het wagenpark van de overheid - dat voornamelijk uit personenauto's bestaat - per auto meer benzine verbruiken dan een verzameling vrachtauto's voor zwaar transport. De suggestie die hiermee wordt gewekt, is dat leden

verlaten, uit onvrede over het steeds autocratischere optreden van zowel de president als het parlement.

Regionale spanningen

Nujoma maakte de economie tot speerpunt van zijn verkiezingscampagne en ging zelfs zo ver dat hij zijn landgenoten beloofde dat ze binnen dertig jaar dezelfde levensstandaard als de ontwikkelde landen zouden hebben. Het is een feit dat de meeste Namibiërs sinds 1990 betere leefomstandigheden en sociale voorzieningen dan daarvoor hebben, maar het gemiddelde inkomen per hoofd

van de regering benzine voor privé-gebruik uit hun dienstauto's halen.

Nujoma besloot zich geen kandidaat te stellen voor de presidentsverkiezingen van november 2004, maar bleef wel leider van de SWAPO. Zijn beoogd opvolger Hifikepunye Pohamba behaalde een ruime zege bij de verkiezingen. Hoewel dit resultaat hevig werd betwist door de oppositiepartijen, was de meerderheid van de neutrale waarnemers van oordeel dat er nauwelijks bewijs was voor onregelmatigheden tijdens de verkiezingen. De voormalige balling en mede-oprichter van de SWAPO Pohamba werd in maart 2005 tot president beëdigd. Sindsdien zet hij het beleid van zijn voorganger voort, zoals het treffen van maatregelen op het gebied van landhervormingen en de aanpak van corruptie. ❑

Links: De inauguratie van de eerste president van een onafhankelijk Namibië: Sam Nujoma.
Boven: Het parlementsgebouw in Windhoek.

DE ECONOMISCHE KOORDDANSACT

Sinds de onafhankelijkheid hebben de meeste Namibiërs een hogere levensstandaard, maar door de minimale industrialisatie blijft de basis smal.

Gedurende bijna een kwarteeuw - van de eerste resolutie van de Algemene Vergadering van de Verenigde Naties in 1966 die een eind maakte aan het mandaat dat Zuid-Afrika van de Volkenbond had gekregen tot de onafhankelijkheid op 21 maart 1990 - was de politieke toekomst van Namibië wereldnieuws. Een opeenvolging van resoluties van de Algemene Vergadering en de Veiligheidsraad van de Verenigde Naties en een aantal uitspraken van het Internationaal Gerechtshof loodsten het land tussen de politieke klippen door.

Tegen het einde van deze periode had de zakenwereld van Namibië (die grotendeels uit blanke conservatieven bestond) de onafhankelijkheidsgedachte inmiddels om drie redenen omarmd. Ten eerste had geen enkel ander alternatief tot nog toe vruchten afgeworpen, ten tweede werd het blanke regime in Zuid-Afrika geplaagd door nog grotere problemen, waardoor het niet bij machte was om hulp te verlenen, en ten derde leken de paar leden van het nieuwgekozen parlement die men ontmoet had redelijke mensen te zijn die bereid waren om de retoriek van het verleden achter zich te laten en op pragmatische wijze met de economie om te gaan.

Toen het land echter eenmaal onafhankelijk was geworden, veranderde de situatie. Welgestelde buitenlandse investeerders die eerder nog enthousiast leken over de Namibische zaak (en die ook gezamenlijk - omgerekend - 650 miljoen euro aan de Namibische overgang naar onafhankelijkheid hadden besteed), verloren nu hun interesse. De vooruitzichten die Oost-Europa op dat moment bood waren interessanter en men was niet langer genegen om bijzonder vrijgevig te zijn voor het nieuwste - maar beslist niet armste - lid van de internationale gemeenschap.

De nieuwe Namibische regering moest alle zeilen bijzetten om subsidieverstrekkers en investeerders in het land te interesseren. Aan de nabijheid van Zuid-Afrika bleken (en blijken nog steeds) twee kanten te zitten: enerzijds biedt deze voordelen voor de export, anderzijds gaat een groot deel van de hulp voor en de investeringen in de regio doorgaans juist naar dat land. Tijdens een

vergadering in New York in 1990 zegden donorlanden een bedrag van omgerekend ruim 550 miljoen euro aan Namibië toe. Tussen twee derde en drie kwart van dit bedrag werd toegezegd in de vorm van subsidies, de rest bestond uit leningen met een gunstige rente en dito aflossingsvoorwaarden. Het voorstel van Namibië aan de Wereldbank om te worden beschouwd als een van de

'minst ontwikkelde landen' werd echter afgewezen, omdat het bruto binnenlands product per hoofd van de bevolking meer bedroeg dan het geldende maximum voor deze categorie landen ($ 1000). Als Namibië wel tot deze landen gerekend zou zijn, had het land aanspraak kunnen maken op extra financiering via gunstige leningen.

Communicatiemiddelen

Onder de vlag van het *United Nations Development Plan* (UNDP) heeft Namibië op basis van zijn ontwikkelingsplan 1996-2000 van dertig donoren omgerekend bijna 500 miljoen euro aan hulp ontvangen. De UNDP omschrijft de situatie in het land als 'een stabiel politiek en economisch klimaat met een lage belastingdruk. Namibië is gunstig gelegen om als toegangspoort voor Zuid-

---

Blz. 48-49: Even uitblazen.
Links: Skyline van het hedendaagse Windhoek.
Rechts: De visindustrie is cruciaal voor de economie.

Afrika te dienen en kan bogen op een goed communicatienetwerk en havens die in staat zijn om 800 schepen per dag te verwerken.' De Europese Unie (EU) is de grootste donor van Namibië en bilateraal krijgt het land de meeste hulp van Zweden en Duitsland.

Gemeten naar het bruto binnenlands product per hoofd van de bevolking is Namibië het op twee na rijkste land van zuidelijk Afrika; het moet alleen Zuid-Afrika en Botswana voor laten gaan. Het land heeft een goede infrastructuur: grote en kleine steden zijn verbonden door circa 5450 km asfaltweg en de landelijke gebieden

BEWEGINGSRUIMTE

Namibië is een bijzonder groot land - ruim elf keer zo groot als Nederland en België samen - maar met nog geen twee miljoen inwoners (cijfers 2006) slechts dunbevolkt.

lingen werd de enclave echter in 1994 op vreedzame wijze aan Namibië overgedragen.

De circa 80.000 telefoonabonnees in Namibië kunnen rechtstreeks bellen met meer dan 150 landen. Verder zijn in ongeveer 90 procent van het land FM-radiostations te ontvangen; de *Namibian Broadcasting Corporation* (NBC) biedt radioprogramma's in negen talen, waaronder Engels en Duits. Een groot deel van het land kan inmiddels ook een breed scala aan televisieprogramma's ontvangen, die behalve van de publieke NBC ook van satellietzenders uit Zuid-Afrika en Europa komen.

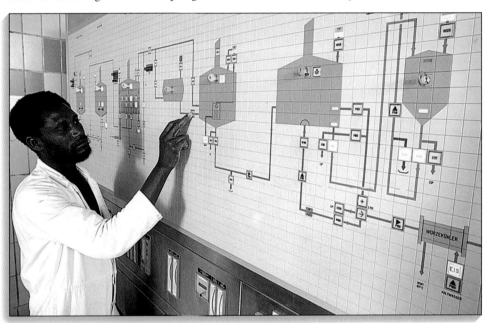

worden doorkruist door 37.000 km onverharde weg. De spoorlijnen (2400 km), waarover zowel vracht- als passagierstreinen rijden, zijn verbonden met het Zuid-Afrikaanse spoorwegnet en daardoor ook met de rest van het subcontinent. En de meer dan 350 landingsbanen en vliegvelden, waaronder een internationale luchthaven bij Windhoek, handelen vluchten af van de nationale luchtvaartmaatschappij Air Namibia, chartermaatschappijen en privé-vliegtuigen.

Twee havens - de in het zuiden gelegen vissershaven van Lüderitz en de op een centrale locatie aan de kust gelegen diepzeehaven van Walvisbaai - verschaffen toegang tot zee. De aanspraak op de enclave Walvisbaai werd lange tijd betwist met Zuid-Afrika, dat de haven na de onafhankelijkheid van Namibië had behouden. Na onderhande-

Mijnbouw, landbouw en visserij

Voor Afrikaanse begrippen is Namibië - gelet op zijn geringe aantal inwoners - een potentieel rijk land, omdat het beschikt over waardevolle bodemschatten, buitengewoon rijke viswateren en een solide veeteeltindustrie. De exploitatie van diamanten, uranium en onedele metalen, de rundveefokkerij en de teelt van karakoelschapen (een Aziatisch schapenras) waren in het verleden gezamenlijk goed voor circa 90 procent van de Namibische export en ongeveer 40 procent van het bruto binnenlands product.

De visgronden van Namibië bevinden zich in de voedselrijke wateren van de zuidoostelijke Atlantische Oceaan en wemelen van de verschillende soorten diepzee- (sardines, ansjovissen) en bodemvissen (heek, witvis). Verder houden ze een kleine, maar bloeiende rivierkreeftindustrie in Lüderitz in stand. Omdat de exclusieve economische zone van 200 zeemijlen (circa 370 km) vóór de onafhankelijkheid van Namibië nog niet was erkend en er veel illegaal werd gevist, hebben deze wateren nog niet het economische rendement behaald waartoe ze - mits met beleid geëxploiteerd - in staat moeten worden geacht. De overheid meent dat een combinatie van haven- en liggelden van buitenlandse schepen en de opbrengsten van de lokale visvangst de winst in deze sector aanzienlijk kan doen stijgen.

De veeteeltindustrie op het zuidelijke en centrale plateau van het land vertegenwoordigt bijna 90 procent van de waarde van de totale landbouwproductie met commercieel oogmerk. De land-

tot 1,3 miljoen. Toen daarna een einde aan de droogte kwam, groeide de veestapel weer tot twee miljoen exemplaren (1990). Het meeste rundvee dat voor de verkoop bestemd is, wordt per trein of vrachtauto naar Zuid-Afrika getransporteerd om daar te worden geslacht. De overheid is echter gebonden aan een exportquotum, dat haar door de Europese Unie is opgelegd.

Veranderende trends

De vacht van de karakoellammetjes - die ooit bekendstonden als de 'zwarte diamanten' van Namibië - werd vroeger in Londen geveild, maar sinds 1995 vinden de veilingen twee keer per jaar in de Deense hoofdstad Kopenhagen plaats. Daar worden de vachten verkocht onder de merknaam

bouwsector maakt slechts 10 procent van het bruto binnenlands product uit, maar in totaal is bijna 70 procent van de bevolking er voor zijn levensonderhoud van afhankelijk.

De minimale regenval in het overgrote deel van het land, de cyclische droogteperioden en het gebrek aan irrigatiemogelijkheden maken graanteelt onmogelijk. Zelfs voor de rundveefokkerij (die in Namibië wordt bedreven met sterke exemplaren als de Brahmaan en de Afrikaner) kan watertekort soms problemen opleveren. Tussen 1979 en 1984 kromp de veestapel van 2,5 miljoen

Links: In de grote brouwerijen van Windhoek wordt bier nog altijd op de Duitse wijze gebrouwen.
Boven: De industriële sector is relatief klein.

Swakara. De karakoelboeren zijn altijd kwetsbaar geweest voor veranderende trends in de bontindustrie. Toen de vraag op zijn hoogtepunt was, waren er vier miljoen karakoelschapen in Namibië en werden er per jaar alleen al in Londen liefst drie miljoen vachten verkocht. Na de ineenstorting van de markt aan het begin van de jaren tachtig van de vorige eeuw volgde een voorzichtig herstel van de prijzen, maar in 2001 vond opnieuw een scherpe daling plaats. Tegenwoordig bedraagt de jaarproductie circa 120.000 vachten. Veel boeren zijn overgegaan op een gecombineerde productie van wol en schapenvlees om zichzelf te beschermen tegen de grillen van de markt.

De waarde van de productie van de Namibische bodemschatten is de op drie na hoogste van Afrika (Namibië moet Zuid-Afrika, Zaïre en

Botswana voor laten gaan) en vertegenwoordigt gemiddeld meer dan 75 procent van de nationale exportopbrengsten. De mijnindustrie is verantwoordelijk voor het leeuwendeel van de totaalopbrengst van de vennootschapsbelasting en is verder ook de grootste werkgever in de private sector. Het verdere productieproces vindt grotendeels buiten Namibië plaats en de meeste producten worden dan ook geëxporteerd. Hiermee is ook deze industrie overgeleverd aan de veranderlijke marktprijzen, wat blijkt uit de fluctuerende toegevoegde waarde van de omzet. In de afgelopen jaren is het aantal werknemers in de mijnin-

EEN GLANSRIJK RECORD

Namibië produceert 1,3 miljoen karaten per jaar - ruim 8 procent van de werelddiamantproductie - die meer dan 350 miljoen euro opleveren.

De productie omvat een hoog percentage grotere edelstenen, hoewel de gemiddelde grootte afneemt en de omstandigheden waaronder men moet winnen steeds moeilijker worden. De exploitatie van nieuwe aders is afhankelijk van de resultaten van nieuwe exploratie en de aannamen die men doet over de diepten waarop ontginning nog mogelijk en winstgevend is.

Rössing Uranium, dat voor 68,6 procent in handen is van het Britse bedrijf Rio Tinto, exploiteert samen met een aantal Zuid-Afrikaanse mijnbouwondernemingen en het Franse Minatome op circa 65 km van Swakopmund de grootste open uraniummijn

dustrie gedaald en in 1998 werd de Tsumeb-mijn gesloten.

De NAMDEB wint diamanten uit afzettingen die zich 30 km voor de kust bij Lüderitz en aan de Oranjerivier - de zuidgrens van Namibië - bevinden. De maatschappij is in handen van de Namibische overheid en het diamantconcern De Beers (vandaar de naam: een samentrekking van Namibië en De Beers). Beide hebben een even groot aandeel, maar De Beers heeft alle exploitatierechten. In de jaren tachtig van de vorige eeuw daalde de productie van 1,56 miljoen karaten in 1980 tot net iets meer dan 900.000 karaten in 1990, maar de hogere prijzen hebben de winst doen stijgen en daarmee nieuwe exploratie (onderzoek naar de aanwezigheid van delfstoffen en naar de mogelijkheid tot ontginning ervan) mogelijk gemaakt.

ter wereld (www.rossing.com). Dankzij een voorzichtige financiële aanpak - waaronder een lange ontheffing van belastingbetaling - en langdurige contracten die afgesloten werden in de kernwapenvriendelijke jaren zeventig kon de mijn aan het begin van de jaren tachtig ondanks het lage gehalte van het erts uitstekende winsten behalen.

Moeilijke tijden

Een combinatie van omstandigheden heeft de mijn sindsdien echter kwetsbaar gemaakt. De lokale prijs van uranium daalde scherp toen in de nasleep van de ongelukken op Three Mile Island (1979) en in Tsjernobyl (1986) plannen voor kernreactors in de ijskast werden gezet en in Australië en Canada nieuwe uraniumvondsten van een hoger gehalte werden geëxploiteerd. Verder werd door de VN-raad voor Namibië politieke en juridische druk op kopers uitgeoefend.

Toen de langlopende contracten na de onafhankelijkheid in 1990 ten einde liepen, had Rössing problemen om nieuwe af te sluiten. Ook op de uraniumverkopen in de Verenigde Staten was namelijk in de jaren vóór de onafhankelijkheid behoorlijk de rem gezet door de goedkeuring, eind 1986, van een antiapartheidswet die Namibië als deel van Zuid-Afrika beschouwde. Hoewel in 1990 een langlopend contract met het Franse EDF werd afgesloten, kondigde het bestuur van Rössing in 1991 een productieverlaging van 25 procent aan. Ook nu nog zet het verval zich door en het einde is nog niet in zicht.

De Namibische overheid heeft 50 procent van

ten. Gold Fields Namibia, een staatsbedrijf waarvan de aandelen echter grotendeels in handen zijn van Gold Fields of South Africa (GFSA), exploiteert een loodraffinaderij en een kopersmelterij. Ook Rio Tinto (via BP Minerals) en Seltrust Investments beschikken over een deel van de aandelenportefeuille. Anglo American Corporation en De Beers hebben gezamenlijk een belang van 70 procent in de eerste echte goudmijn van Namibië, die zich in het nabij Karibib gelegen Navachab bevindt. De exploitatie van de goudmijn begon in 1989 en zou gedurende twintig jaar jaarlijks 1900 kg goud moeten opleveren.

In de buurt van het in het zuiden gelegen Rosh Pinah is zink gevonden, wat een stroom van investeerders naar het gebied rond Lüderitz voert.

de stemmen en 3,5 procent van het aandelenvermogen van Rössing Uranium. In de jaren zeventig van de vorige eeuw werden minstens drie andere uraniumvondsten in de buurt van de Rössing-mijn gedaan.

De grootste opbrengst van onedele (koper, lood, zink, cadmium, pyriet, arsenicumtrioxide en natriumantimonaat) en edele (goud en zilver) delfstoffen kwam van oudsher uit de vier mijnen die geëxploiteerd werden door de Tsumeb Corporation (TCL), maar die werden in mei 1998 gesloten.

Links: Bijna 70 procent van de Namibiërs is voor zijn levensonderhoud afhankelijk van de landbouw.
Boven: Himba-vrouwen uit het landelijke Kaokoland.

Lokale industrieën

Omdat Zuid-Afrika tot aan het eind van de jaren zeventig van de vorige eeuw Namibië min of meer als vijfde provincie heeft bestuurd, is er weinig aandacht geweest voor de ontwikkeling van de lokale industrieën. De industriesector vertegenwoordigt slechts circa 5 procent van het bruto binnenlands product en biedt werk aan nog geen 10.000 mensen. Ongeveer de helft van deze mensen werkt in de levensmiddelenindustrie.

De geringe omvang van de industriesector blijkt ook uit het feit dat de incorporatie van de visverwerkende industrie en de activiteiten op het gebied van de scheepswerktuigbouwkunde in Walvisbaai in 1994 de waarde van de totale industriële productie van Namibië deden verdubbelen. De overheid stimuleert actief binnen- en buitenlandse investeringen in deze sector met als doel de waarde te verhogen en banen te creëren. Tot de ondernemingen die deze markt hebben betreden behoren Unilever, Guinness en Lonrho.

Water en elektriciteit

Hoewel de terugkeer van de ongeveer 40.000 SWAPO-strijders uit ballingschap het aantal inwoners van Windhoek in 1989 aanzienlijk deed stijgen, leiden de meeste Namibiërs nog altijd een landelijk bestaan. De ontwikkeling van de fysieke en sociale infrastructuur in de landelijke gebieden, en dan vooral in het dichter bevolkte noorden, is daarom een voor de hand liggende prioriteit. De verbetering van onderwijs en gezondheidszorg en het creëren van banen is echter al-

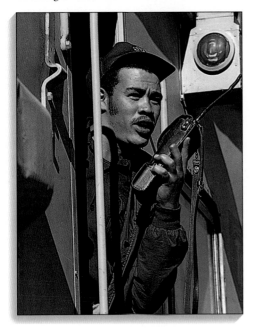

leen mogelijk als de landelijke gebieden over elektriciteit beschikken. Verder staan of vallen een verbeterde graanproductie en een beter gebruik van de weiden door vee met de beschikbaarheid van water op plekken die ver van de bron verwijderd zijn.

Hoewel het grootste deel van Namibië droog is, heeft het land enorme watervoorraden binnen zijn grenzen; vooral in het noorden, waar het Okavango-stelsel alleen al meer water biedt dan alle rivieren van Zuid-Afrika bij elkaar. De plannen voor de laatste fase van een *Eastern Water Carrier*, die water vanuit de Okavango naar het midden van het land zou moeten brengen, werden in de jaren tachtig van de vorige eeuw vanwege geldgebrek in de ijskast gezet. Verder heeft Namibië door zijn gasvoorraad in het Kudu-gasveld in het stroomge-

bied van de Oranjerivier de potentie om de grootste gasexporteur van de regio te worden.

Toerisme is een veelbelovende groeisector, die nu al een grotere bijdrage aan de economie levert dan de industriesector. Rechtstreekse vluchten naar Europa, verbeterde toeristenfaciliteiten en een toename van het reizigersverkeer naar Zuid-Afrika hebben aan deze trend bijgedragen.

Zuid-Afrika is nog altijd de belangrijkste handelspartner van Namibië; 80 tot 90 procent van de totale buitenlandse handel wordt met dat land gedreven. Daarnaast is Zuid-Afrika goed voor liefst 80 procent van de investeringen in de belangrijke bank-, mijnbouw- en verzekeringssector.

Uitdaging voor de toekomst

De sterkste punten van Namibië zijn de tolerantie die sinds het midden van de jaren zeventig in de politieke cultuur is doorgedrongen en die tot uitdrukking komt in de grondwet van het land, en verder de persvrijheid, de basisgezondheid van de economie - ondanks onvolkomenheden - en de pragmatische instelling van de overheid. De zwakke punten zijn de hoge werkloosheid, de verschillen in inkomen en kansen tussen de landelijke en stedelijke gebieden en tussen blank en zwart, de overafhankelijkheid van de mijnbouwsector, de ontoereikende industriële capaciteit vanwege de onderontwikkelde industriesector, en een gebrek aan essentiële expertise in belangrijke sectoren van de economie en de politiek.

Verlost van de ideologieën en de maatschappelijke ongelijkheid van het verleden kunnen de Namibiërs na de onafhankelijkheid in nieuwe maatschappelijke en economische projecten weer naar elkaar toegroeien en daarmee tegelijk voeding geven aan een nationaal bewustzijn. De uitdagingen zijn enorm: het bestrijden van de werkloosheid, het stimuleren van een snelle ontwikkeling van deskundigheid en het verwezenlijken van hervormingen om de economische groei in stand te houden, het beteugelen van de inflatie en het verkleinen van de huidige verschillen in kansen.

Het einde van de burgeroorlog in Angola heeft de ontwikkeling in Namibië een duwtje in de rug gegeven; de twee landen werken eendrachtig samen en hebben daar allebei voordeel van. Angola is rijk aan mineralen en energiebronnen en heeft nauwe culturele en etnische banden met Namibië. Verder openen zich wegen naar lucratieve regionale samenwerking, met Zuid-Afrika als economische motor. Deze ontwikkelingen zijn noodzakelijk voor Namibië om te kunnen voldoen aan de economische eisen van de 21e eeuw. ❑

Links: Gelijke tred houden met de ontwikkelingen.
Rechts: Gaten boren voor het plaatsen van explosieven in de mijn van Rössing Uranium.

DE BEVOLKING

Het cultuurrijke Namibië huisvest minstens elf grote etnische bevolkingsgroepen, die tientallen verschillende talen spreken.

De bevolking van Namibië is net zo gevarieerd als het landschap van het land: kleurrijk en met vele verschillende talen en levensstijlen. De inwoners van dit dunbevolkte, maar bijzonder grote land - dat rivierlandschappen in de Caprivistrook afwisselt met droge bossen en savannen en woestijnen aan de Atlantische Oceaan - worden wel eens vergeleken met een kleurrijk tapijt waarvan de franjes tot ver in de omringende landen reiken. Dit jonge land combineert een palet van bevolkingsgroepen en stammen met een geografisch gebied waarvan de grenzen tussen 1884 en 1890 dwars door stamgebieden werden getrokken om de belangen van de koloniale machthebbers te dienen. Op die manier werd een groot aantal bevolkingsgroepen bij elkaar gebracht in wat zich later zou ontwikkelen tot de moderne staat Namibië.

De sociaal-politieke oriëntatie van de bevolking is net zo veelzijdig als haar cultuur. Enerzijds lijkt men conservatief, anderzijds weer ruimdenkend en progressief. Sociaal isolationisme is niet ongebruikelijk, maar dat geldt ook voor opwaartse sociale mobiliteit (de mogelijkheid om een hogere maatschappelijke positie in te nemen). Zo wordt segregatie - veelal nog een erfenis van de apartheidswetten die in de jaren zeventig van de vorige eeuw zijn afgeschaft - na decennia van openlijke en sluimerende conflicten afgewisseld met grote stappen voorwaarts op het gebied van nationale verzoening.

De mobiele Namibiërs

Lang geleden lieten de nomadische herders van de Herero en de Nama zich in hun zoektocht naar goed grasland leiden door de seizoenen; een gewoonte die de inwoners van het Kaokoveld ook vandaag de dag nog in de praktijk brengen. Al eeuwenlang ruziën concurrerende herders daar over weiden, waterrechten en het eigendom van de koeien zelf.

Ondertussen trokken de oudste bewoners van zuidelijk Afrika, jager-verzamelaars die bij de buitenwereld bekendstaan onder de verzamelnaam San (Bosjesmannen), door uitgestrekte woestijnlandschappen die vanwege hun onherbergzaamheid waren genegeerd door zowel de rondtrekkende herders als de boeren-, herders- en

visserstammen die zich in Ovamboland, Okavango en de Caprivistrook hadden gevestigd.

Hierna trokken de eerste kolonisten met hun wagens en vee het land binnen. Conflicten over nederzettingen en territoria verdreven de inheemse bevolking van hun geboortegrond naar afgelegen gebieden. Vooral de Herero en de Nama waren hiervan het slachtoffer. Maar ondanks de koloniale overheersing van de Duitse en

Zuid-Afrikaanse kolonisten wist de inheemse bevolking haar culturele identiteit te bewaren.

De bewoning en ontwikkeling van het midden en het zuiden van het land en de uitbreiding van de mijnbouwindustrie brachten een grote vraag naar arbeidskrachten met zich mee. Arbeiders werden geworven in het dichter bevolkte noorden van het land, in Ovamboland, waar 'rondtrekkende arbeiders' een vertrouwd gezicht waren. Deze migrantenarbeid, die tot de jaren zeventig van de vorige eeuw in een systeem van aangenomen werk aan strenge regels gebonden was, bracht mensen uit verschillende regio's van het land bij elkaar. De mandaatregering probeerde echter om de rondtrekkende arbeiders ervan te weerhouden zich permanent in het zuiden te vestigen door allerlei wetgeving op dat gebied te treffen. Hierdoor zag de

---

Blz. 58-61: Kerkgangers; Herero-vrouwen.
Links: In de maat blijven.
Rechts: Boerendochter met haar paard.

noordelijke inheemse bevolking het midden en het zuiden van Namibië als een soort buitenland. Om een tijdelijke woonvergunning te krijgen, moest men een vaste baan hebben en die was maar moeilijk te vinden.

In 1977 werd deze wetgeving weer ingetrokken. Het systeem van aangenomen werk was niet langer praktisch. Sindsdien volgen de rondtrekkende arbeiders hun eigen weg: duizenden zoeken werk in de industrie, de handel of de ambtenarij om - ook al is het maar tijdelijk - te ontsnappen aan de 'vicieuze cirkel van de overlevingseconomie'. Velen gaan zo nu en dan terug naar hun families en dorpen, anderen raken

STEDELINGEN IN SPE

Het patroon van migratie naar de steden is het zichtbaarst in Windhoek, waar het inwonertal vanaf 1990 is gegroeid van 100.000 naar 280.000 tot 300.000.

de wapenstilstand (11 november 1918) en de ondertekening van het Verdrag van Versailles (28 juni 1919), deporteerde het Zuid-Afrikaanse militaire bestuur 4900 Duitsers - soldaten, ambtenaren en overige 'personae non grata' - uit het bezette Zuidwest-Afrika. Dit was een aanzienlijk aantal op een totale Duitse bevolking van ongeveer 15.000 zielen, van wie er ruim 12.000 de Duitse taal als moedertaal hadden. De deportatie betekende een klap voor de economie, omdat de bekwame arbeiders die men nodig had niet zo eenvoudig in Zuid-Afrika te vinden waren. Nadat de verordening tot deportatie was ingetrok-

sneller verknocht aan het turbulente leven in de grote stad.

De migratie naar de steden heeft invloed op elk deel van de bevolking, op zowel de mensen in de dichtbevolkte gebieden van het noorden als die in de dunbevolkte woestijnen in het zuiden en westen. De onafhankelijkheid heeft dit proces in een opvallende stroomversnelling gebracht. De paar steden en bevolkingscentra van het land - Ondangwa, Oshakati, Windhoek en Swakopmund - zien zich geconfronteerd met de enorme taak om op korte termijn aanvaardbare huisvesting voor al deze mensen te creëren en de ontwikkeling van sloppenwijken in de kiem te smoren.

Deportatie en emigratie

Na de Eerste Wereldoorlog, in de periode tussen

ken, keerden circa 1000 van de eerder uitgezette personen terug naar Namibië.

Gedurende de periode waarin de apartheidswetgeving van kracht was - die meer dan 25 jaar duurde - verlieten duizenden zwarte Namibiërs illegaal het land om zich in Botswana, in Zambia en later ook in Angola te vestigen. Ze gaven gehoor aan de patriottische oproep om deel te nemen aan de strijd voor de Namibische onafhankelijkheid of hoopten aan buitenlandse scholen of universiteiten een betere opleiding te kunnen krijgen. Toen in 1989 de grote repatriëring plaatsvond, hadden vele Namibiërs tot wel dertig jaar in ballingschap geleefd.

Nadat Namibië in 1978 een eerste - niet geslaagde - poging tot het verkrijgen van onafhankelijkheid had gedaan, noopten de politieke onstabiliteit en economische recessie een groot deel van de blanke bevolking tot emigratie. Van het recordaantal van 110.000 blanken bleven er nog 74.000 over. Emigratie vond vooral plaats onder de mensen die een paar jaar eerder vanuit Zuid-Afrika waren overgeplaatst of als werkzoekenden vanuit dat land waren aangekomen. Het laatste en succesvolle proces naar onafhankelijkheid leidde echter niet tot een noemenswaardige emigratie onder blanke Namibiërs, hoewel de terugtrekking van het Zuid-Afrikaanse leger na de onafhankelijkheid in 1990 met zich meebracht dat duizenden blanke gezinsleden van de militairen, die jarenlang de verschillende bases in Namibië hadden bevolkt, nu het land verlieten.

lië. De immigrantengolven telden nooit meer dan enkele duizenden mensen.

De meest recente grootschalige toevloed van immigranten had te maken met de repatriëring van ballingen in 1989, het jaar waarin de internationale gemeenschap plannen verwezenlijktc om de Namibische kwestie op te lossen. De vluchtelingencommissaris van de Verenigde Naties zette voor alle Namibiërs die in Angola, Zambia en elders in ballingschap leefden, een 'luchtbrug' naar Windhoek en Grootfontein op. Elke repatriant met de stemgerechtigde leeftijd kon zijn bijdrage leveren aan de voorbereidingen van en zijn stem uitbrengen tijdens de historische verkiezingen voor onafhankelijkheid van november 1989. Via deze luchtbrug kwamen

De nieuwkomers

Oorspronkelijk beschouwden de Duitsers Zuidwest-Afrika als 'woongebied' in plaats van als exploitatiegebied van ruwe materialen, zoals Togo of Kameroen. Europese kolonisten - vóór 1914 voornamelijk Duitsers, na de beide wereldoorlogen vooral ontheemde Zuid-Afrikaanse Boeren - brachten grote verschuivingen teweeg in de eigendomsrechten van het land en dus ook in het gebruik daarvan. De toevloed van immigranten naar Zuidwest-Afrika bereikte echter nooit de onwaarschijnlijke omvang van de emigratie van Europeanen naar Amerika en Austra-

Links: Himba-stedelingen weer even thuis.
Boven: Veel boerderijen zijn nog altijd in handen van afstammelingen van Duitse pioniers.

TERUGKEER VAN DE TREKKERS

Een opvallende groep 20e-eeuwse immigranten bestond uit Boeren uit Angola, die in 1928 op initiatief van de Zuid-Afrikaanse regering rond Outjo en Gobabis werden gehuisvest. De nieuwkomers waren voornamelijk overblijvers en afstammelingen van de legendarische 'Dorsland-trekkers', die in 1878 uit Transvaal vertrokken om op zoek te gaan naar grondgebied dat niet onder Brits koloniaal bestuur stond. De onvermoeibare Trekkers weerstonden uitdroging en tropische ziekten en kwamen met hun vee en ossenwagens via de Kalahari en Zuidwest-Afrika uiteindelijk in Zuid-Angola terecht. Daar hebben ze ongeveer een halve eeuw gewoond.

42.000 vluchtelingen terug naar hun vaderland. Velen van hen waren kinderen en tieners die het land van hun ouders nog nooit eerder gezien hadden.

Verschillende talen

Van de twee talen die van oudsher al een officiële status in Namibië hadden, kozen de opstellers van de Namibische grondwet het Engels als officiële taal. Het Afrikaans, de algemene spreektaal die circa zestig jaar dienst had gedaan als officiële taal, werd daarmee naar het tweede plan verwezen. De opstellers van de grondwet kozen bewust niet voor het Duits, de taal van de vroegere koloniale overheersers (een gebruikelijke procedure in veel Afrikaanse staten die pas onaf-

meerderheid en ook geen dominante minderheid. Taalexperts verwachten dat het ongeveer twee generaties zal duren voordat de nieuwe officiële taal helemaal is ingeburgerd; in de steden zal het proces naar verwachting wat sneller gaan.

Aan de beheersing van de Engelse taal wordt echter wel de hoop op een grotere sociale en economische mobiliteit verbonden. Dankzij deze wereldtaal heeft het land aansluiting kunnen vinden bij internationale informatie-uitwisselingen. Verder heeft het Engels bijgedragen aan het aanknopen van relaties met naburige landen en zal de taal mogelijk ook dienstdoen als vehikel voor het creëren van een nieuwe nationale eenheid.

hankelijk geworden zijn). Behalve het Engels en het Afrikaans zijn er in Namibië nog ongeveer twintig talen die worden erkend.

Minstens 97 procent van de Namibische bevolking spreekt thuis geen Engels. Hoewel het Engels de officiële taal is, is minder dan 2 procent van de Namibiërs Engelstalig opgevoed - een percentage dat vergelijkbaar is met dat van Duitstalig opgevoede Namibiërs.

Het Ovambo-dialect wordt gesproken door 680.000 Namibiërs en vormt daarmee de grootste taal van het land, met inbegrip van de twee geschreven vormen van het dialect. De beperking van de officiële taal tot het Engels doet dus geen recht aan de sprekers van andere talen in Namibië, oftewel aan vrijwel de gehele bevolking. Engelstaligen vertegenwoordigen geen

SPRECHEN SIE DEUTSCH?

Het Duits, dat historisch gezien de eerste 'officiële' taal van Namibië was, heeft zijn betekenis als communicatiemiddel en cultuuroverdrager weten te behouden. Waarschijnlijk is dit eerder te danken aan de meertalige vaardigheden van de mensen die het spreken dan aan het aantal sprekers, dat nog altijd relatief klein is. Belangrijke instandhouders van de Duitse taal in Namibië zijn verschillende scholen en kerken, een groot aantal sport- en culturele organisaties, twee Duitse kranten, een radiostation, een deel van de zakenwereld en de toeristen- en dienstensector, hoewel men in de laatste twee sectoren zeer bereidwillig is om over te schakelen op het Engels of het Afrikaans.

Het Afrikaans wordt daarentegen gestigmatiseerd als een 'taal van onderdrukking', vanwege de connectie met apartheid. Aan de andere kant is het de moedertaal van een aantal op cultureel gebied zeer bepalende bevolkingsgroepen, dus er lijkt maar weinig gevaar te zijn dat het Afrikaans in de toekomst zal uitsterven.

BELANGRIJKSTE TAAL

Meer dan 100.000 Namibiërs - kleurlingen, zwarten en de meeste blanken - spreken Afrikaans als moedertaal, veel meer dan het aantal Engels- en Duitstaligen.

Het voortbestaan van de andere talen van Namibië is afhankelijk van de levenskracht van de culturen van de bevolkingsgroepen die ze spreken. De Ovambo-dialecten, die geworteld zijn in hechte en levendige culturen, hebben minder te vrezen dan de talloze grenstalen van de kleinere groepen, zoals die van de Bosjesmannen (San) en een aantal Nama-talen.

In de sport verschilt de gebruikte taal van discipline tot discipline. Op het voetbalveld en bij bowls (een balspel waarbij grote, aan één kant afgeplatte ballen zo dicht mogelijk naar een klein balletje moeten worden gerold) wordt doorgaans Engels gesproken. Afrikaans is veelal de voertaal bij rugbywedstrijden, terwijl bij paardrijden, kegelen en hanggliden meestal Duits wordt gesproken. Bij het spectaculaire *omupembe*, een verspringdiscipline, zult u ten slotte vooral Oshivambo horen.

Al sinds het ontstaan van Namibië hebben de inwoners van het land meertalig moeten zijn. Gewoonlijk spreken de Namibiërs twee of drie lokale talen vloeiend en is de beheersing van vier of vijf talen beslist geen uitzondering. Iedereen die zich in een land met zo veel verschillende talen als Namibië maar tot één taal zou beperken, riskeert een sociaal isolement. En als er ook maar iemand klaagt over de onredelijkheid van deze situatie, dan zal men niet nalaten te wijzen op de uit pragmatisch oogpunt geboren meertaligheid van de Zwitsers.

Zoektocht naar cultuur

Afgezien van de vlag, het volkslied en de burgerrechtelijke bepalingen die voor alle burgers en in elk deel van het land gelden, is er cultureel gezien niet veel waarmee alle Namibiërs zich in dezelfde mate identificeren. De culturele expressie van bepaalde bevolkingsgroepen is echter bijzonder karakteristiek. De traditionele Victoriaanse kledij van de Herero-vrouwen is bijvoorbeeld uniek voor Namibië. Een dergelijke vermenging van Europese en Afrikaanse culturen is kenmerkend voor dit land.

Elke bevolkingsgroep is een tegeltje in het mozaïek van de Namibische cultuur. Het aardewerk,

Links: Stadsmeisjes.
Rechts: Herder met zijn kudde.

de gevlochten manden en de decoratieve houtsnijwerken van de bewoners van het regenachtige noorden maken evenzeer deel uit van de Namibische cultuur als de liederen tijdens de dansrituelen van de Nama of de Bosjesmannen. Koorzang is bijzonder populair in Namibië en wordt overal in het land bedreven. Een koor wordt begeleid door de ritmische geluiden van trommels of door klassieke instrumenten. En of er nu wordt gezongen tegen de achtergrond van de rivier de Okavango of die van de Caprivistrook, en of het nu gaat om een kerkkoor of de in 1902 opgerichte Men's Choral Association in Swakop-

mund, elk koor heeft zijn eigen geluid, zijn eigen aantrekkingskracht.

Is dit de typische Namibische cultuur? Nee, maar de cultuur van dit land heeft vele verschillende gezichten. Verder trekt Namibië de aandacht van creatieve personen uit andere landen: zij die het culturele erfgoed van kleine en snel verdwijnende minderheden willen bestuderen. Tijdens het jaarlijkse muziekconcours en de wedstrijd beeldende kunst gaan Namibische kunstenaars op zoek naar nieuwe vormen, schakeringen en kleuren. Gezichten, landschappen, maatschappelijke problemen, het zijn allemaal ideale onderwerpen voor hun werken.

Na een dag hard werken zijn de Namibiërs meesters in de kunst van het ontspannen, wat ze het liefst in gezelschap doen. Tijdens feesten en op officiële feestdagen worden er in het hele land uitnodigende barbecuevuren ontstoken, niet alleen onder de avondhemel maar ook gewoon overdag. Bij zonsondergang kan men aan de hand van deze vuren zien waar zich een safarikamp bevindt, of in welke achtertuin een levendig feestje aan de gang is.

Tot de dagelijkse kost van de Namibiërs behoren in ieder geval vleesgerechten, van welke soort of grootte dan ook. Het grillen van vlees boven gloeiende kolen is een onderdeel van de gastvrijheid die men aan vrienden en gasten tentoonspreidt. In

MENSEN ZONDER NAAM

Hoewel de 'Bosjesmannen' een aparte etnische bevolkingsgroep zijn, hebben ze geen gemeenschappelijke naam voor zichzelf. Ze beschouwen zichzelf als leden van de !Kung, de Ju/'hoan of een van een tiental andere stammen.

een land met zo veel afgelegen boerderijen en plattelandsgemeenschappen speelt die gastvrijheid een belangrijke rol.

De laatste jager-verzamelaars

De meeste San - die ook bekendstaan onder de naam 'Bosjesmannen' - wonen aan de grens met Botswana, in het uiterste oosten van Noord-Namibië. Deze regio wordt door de Zuid-Afrikanen 'Bushmanland' genoemd. De kleine en tengere San met hun abrikooskleurige huid wonen nog altijd in traditionele dorpen, hoewel de meesten van hen inmiddels westerse kleding dragen en bewerkelijke sieraden verkopen om in hun dagelijkse levensonderhoud te voorzien. Sommigen beschikken echter nog altijd over buitengewone spoorzoekerskwaliteiten (zo kunnen ze bijvoor-

beeld iemand aan zijn voetafdrukken herkennen) en verkrijgen het merendeel van hun voedsel door middel van jagen en verzamelen.

Een bezoek aan deze eenvoudige mensen is een ontroerende belevenis. Ze hebben een groot gevoel voor humor, een grondige kennis van de natuur en een zekere rust in hun bestaan die in het jachtige Westen al geruime tijd tot het verleden behoort. Kleine reisgezelschappen kunnen in Bushmanland een bezoek brengen aan een aantal San-dorpen om te genieten van hun dansen, en soms is het zelf mogelijk om mee te gaan op jacht- en verzamelexpedities.

Voor een dergelijk bezoek kunt u het beste contact opnemen met de *Nyae Nyae Development Foundation*, PO Box 9026, Windhoek (tel. 061-236327, www.nacobta.com.na). Verder kunt u een verblijf boeken in de Tsumkwe Lodge, vanwaar Arno Oosthuysen (PO Box 1899, Tsumkwe, mobilofoon 09-26464203581, vraag naar toestel 531) excursies naar de Ju/'hoan organiseert.

Saamhorigheid

De nieuwe grondwet van Namibië verplicht de overheid om goederen en sociale voorzieningen gelijkmatig over het land te verdelen. Ook tegenstellingen op het gebied van modern comfort, officieel onderwijs en structurele economische ontwikkeling tussen de regio's in het midden van het land en de minder ontwikkelde grensgebieden dienen te worden opgeheven. Deze ontwikkeling zal het proces van wederzijdse aanpassing, vooral voor de kleinere etnische bevolkingsgroepen, in een stroomversnelling doen belanden.

De bestaande culturele diversiteit en regionale gebruiken zullen het land weliswaar behoeden voor uniformiteit en saaiheid, maar de Namibiërs er niet van weerhouden één volk te vormen en toe te groeien naar een nieuw land met een eigen identiteit. De talrijke en kleurrijke volken van Namibië hebben deze veelsoortigheid al in een groot aantal situaties gedemonstreerd. Het refrein van een lied waarin maar liefst vijf verschillende talen worden gebruikt, vat het als volgt samen:

Namibia, Namibia, ti oms, ti saub, geskenk van God;

Namibia, oshilongo shetu, country - Heimat Namibia. ❑

Links: Himba-jongen in een traditionele outfit.
Rechts: In Centraal- en Noord-Namibië gaan Herero-vrouwen gekleed in dit soort opvallende gewaden.

RELIGIE

Officieel is Namibië een christelijk land, maar in de praktijk nemen traditionele Afrikaanse geloofsovertuigingen nog altijd een belangrijke plaats in het religieuze leven in.

Afrika, de smeltkroes van vele verschillende culturen en talen, is ook de ontmoetingsplaats van een overvloed aan religies. Namibië vormt hierop geen uitzondering. Als het aantal lokale, traditionele geloofsovertuigingen in ogenschouw wordt genomen, blijkt dat er in dit land geen sprake is van één overheersende religie. De inheemse volken van Namibië hebben elk hun eigen geloof. Zo heeft iedere Hererostam bijvoorbeeld zijn eigen taboes, die onderling ook sterk van elkaar kunnen afwijken, en hadden de Damara vele verschillende namen voor hun god.

Ondanks deze grote diversiteit aan religieuze uitingen zijn er in de bonte verzameling inheemse geloofsovertuigingen gemeenschappelijke elementen te ontdekken. Vrijwel elk geloof huldigt de opvatting dat God de wereld heeft geschapen en er sindsdien over heeft gewaakt. Wel hebben de diverse stammen heel verschillende namen aan het Opperwezen gegeven en even verschillende voorstellingen van deze God ontwikkeld. Maar uiteindelijk doelen alle Afrikanen op dezelfde God als ze het hebben over de Schepper en de Beschermer van de Aarde.

Ook in hun ontelbare mythen verhalen de Namibische inheemse volken over het oorspronkelijke verbond tussen God en de mens, dat werd gebroken door een dwaling van een mens of een beest. Maar God hield niet op te bestaan; Zijn betekenis voor de hele Afrikaanse bevolking bleef onaangetast.

Misvattingen van missionarissen

Keer op keer stonden de christelijke missionarissen er versteld van dat de inheemse bevolking er geen formele religieuze erediensten op nahield; ze zagen dit als een indicatie van de zeer beperkte mate waarin de heidense gebruiken verspreid waren.

Het was echter een misvatting om dit soort inschattingen puur en alleen op basis van de Europese traditie te maken. In Afrika is God namelijk zo heilig en zo ver verheven boven de mensheid dat vrijwel niemand Zijn naam hardop durft uit te spreken. En als Hij dan al wordt aangeroepen, moet dat met de nodige omzichtigheid gebeuren,

net zoals iemand ervoor zal waken om zijn koning of opperhoofd lastig te vallen met onbelangrijke dingen of alledaagse beslommeringen. In de inheemse geloven legt de mensheid contact met de godheid door tussenkomst van wezens die dichter bij hem staan: de voorouders of, kernachtiger, 'de levende doden' genoemd.

Volgens de traditionele religies zijn de gestor-

venen niet echt dood; ze hebben een nieuwe bestaansvorm aangenomen en houden contact met de levenden. Ook blijven ze bij de familie horen, ook al is men hun namen op een gegeven moment vergeten.

De Europese missionarissen trokken al snel de conclusie dat deze 'vooroudercultus' in de inheemse culturen in de plaats kwam van de westerse 'waarachtige verheerlijking'. Andermaal bekeek men de situatie door een Europese bril en opnieuw had men het bij het verkeerde eind. Volgens de Afrikaanse tradities bestaat er namelijk geen verschil tussen het geestelijke en het wereldlijke; religie en het dagelijkse leven vormen één geheel. Beide kunnen tot in de kleinste details afzonderlijk worden beschouwd en besproken, maar ze zijn onlosmakelijk met elkaar verbonden.

Links: Jonge Ovambo-non.
Rechts: Herero-vrouw bij het graf van een opperhoofd.

Hedendaagse traditionele religie

'Officiële' statistieken wijzen uit dat ongeveer 91 procent van de Namibische bevolking christen is. Hiermee wordt de indruk gewekt dat slechts een fractie van de bevolking nog de traditionele religies aanhangt. De traditionalisten wonen doorgaans in de noordelijke regio's en behoren tot bevolkingsgroepen als de Himba in Kaokoland en de San (Bosjesmannen). Deze gegevens demonstreren de toewijding waarmee de missionarissen hun doel nastreefden, namelijk om het christendom tot in elke uithoek van het land te brengen.

Toch kan hieruit niet de conclusie worden getrokken dat de hele Namibische bevolking het christendom aanhangt zoals dat in grote kerkgenootschappen van Europa wordt gepraktiseerd, want de lokale christelijke gezindten zijn doortrokken van een groot aantal oude Afrikaanse tradities - niet als homogeen geheel, maar ook niet als afscheiding.

Gedenkdag voor de voorouders

De nationale feestdag van de Herero is een goed voorbeeld van deze religieuze 'coëxistentie'. De meeste inheemse tradities worden doorgaans afgeschermd voor buitenstaanders, maar de verschillende Herero-stammen in Namibië vieren hun nationale feestdag met veel ophef en uiterlijk vertoon in Gobabis, Okahandja en Omaruru. Hoewel deze festiviteiten misschien niet strikt volgens de religieuze riten verlopen, zijn er dui-

DUALISME

Minstens twee San-stammen, de !Kung en de G/wi, geloven van oudsher in twee 'grote opperhoofden'. Yasema woont in het oosten en is de machtige god van het goede. Hij laat de zon opgaan, heeft alles gecreëerd en is de sterkere van de twee. Yasema wordt aangeroepen voor genezing. Chevangani woont in het westen en is de zwakkere god. Hij laat de zon ondergaan en veroorzaakt onheil, ziekte en dood. Toen de Nederlandse gereformeerde Kerk in de jaren tachtig van de vorige eeuw zijn zendingswerk onder de Bosjesmannen begon, werd gerapporteerd dat hoewel de San Yasema probleemloos met God identificeerden en Chevangani met satan, maar weinigen zich tot het christendom bekeerden.

delijk zowel traditionele als christelijke elementen in te herkennen.

In Gobabis concentreren de festiviteiten zich rond de begraafplaats bij een boerderij net buiten de stad, waar belangrijke opperhoofden en leiders van de Oost-Herero (Mbanderu) begraven liggen. De Dag van Nikodemus, zoals deze nationale feestdag heet, is genoemd naar een van de opperhoofden en trekt Herero uit alle uithoeken van het land. Als men voor zonsondergang op de voorafgaande dag aankomt, moet eerst een bezoek aan de begraafplaats worden gebracht. Voordat een Herero deze echter kan betreden, wordt zijn of haar aanwezigheid kenbaar gemaakt aan de voorouders en test een priester bij het Vooroudervuur of de voorouders prijs stellen op de aanwezigheid van de betreffende persoon.

Hierbij trekt de geestelijke aan de vingers van de bezoeker. Als er een gewrichtje kraakt, heeft men de test doorstaan; zo niet, dan kan men beter afstand bewaren.

Personen die welkom zijn, ondergaan een rituele reinigingsceremonie, waarbij een ceremoniemeester een mondvol water over hen heen sproeit. Pas hierna mag men de begraafplaats betreden. Eerst knielt de ceremoniemeester bij de ingang van de begraafplaats en stelt hij de bezoekers voor. Vervolgens maken de voorouders van zijn stem gebruik om elke gast uit te nodigen verder te lopen. Elke bezoeker knielt bij het graf van het oudste opper-

HET WOORD VERTALEN

De Duitse missionaris Heinrich Schmelen maakte de eerste vertaling van het Nieuwe Testament in de Nama-taal, daarbij geholpen door zijn vrouw - een Nama.

opdrachten en wijsheid van de voorouders genegeerd heeft, krijgt ook geen toegang tot hen. Daar waar het christendom zich concentreert op de zonden die jegens God worden begaan, richt de inheemse traditie zich op de zonden die mensen jegens elkaar begaan. Dat is dan ook de reden waarom belang wordt gehecht aan de samenwerking tussen de beide tradities.

De eerste missionarissen

In 1805 stuurde de *London Mission Society* de Duitse broers Abraham en Christian Albrecht naar Namibië om daar missiearbeid onder de

hoofd, legt een hand op een steen en zegt zijn of haar naam en geboorteplaats. De andere 'levende doden' worden begroet door hun grafsteen aan te raken of door kleine steentjes op het graf te leggen. De bezoekers mogen vrij tussen de graven rondlopen. Op de zondag na de Dag van Nikodemus wordt deze ceremonie herhaald. Dan verzamelen de Herero zich rond de graven en houden ze een soort kerkdienst.

De achterliggende gedachte van dit ceremonieel is dat de zonden van de aanwezigen de loop van de gebeurtenissen bepalen. Eenieder die de

Links: Heilige communie in Ovamboland.
Boven: De Herero-graven zijn traditioneel getooid met koeienschedels in plaats van met een kruis.

Khoi-Khoin (Nama) te gaan verrichten. Alleen mensen die ooit de droge en onvruchtbare gebieden in het zuiden van het land hebben doorkruist, weten met welke moeilijkheden de broers hier geconfronteerd werden; om hun werk te kunnen doen en niet in het minst om te overleven, hadden ze geen andere keuze dan met de rondtrekkende Nama mee te reizen. Abraham overleed in 1810, waarna Christian hun werk voortzette. Uiteindelijk stichtte hij de eerste christelijke gemeenschap in Warmbad.

In 1814 arriveerde - in Windhoek - nog een Duitse missionaris van de *London Mission Society*. Deze Heinrich Schmelen zou talrijke wapenfeiten op zijn naam schrijven: niet alleen stichtte hij een missiepost in Bethanie (zijn eenkamerwoning kan daar vandaag de dag nog worden bezichtigd), maar ook ontdekte hij tijdens zijn werkzaamheden een nieuwe westelijke route naar de kust.

Veelheid aan kerken

Soms lijkt het wel alsof er in Namibië op elke straathoek een kerk staat. De vele kerken zijn onder te verdelen in drie categorieën, waarvan er een uit het tijdperk van de missionarissen dateert. In deze categorie heeft de evangelisch-lutherse Kerk, die oorspronkelijk onder de hoede van de Rijnse en de Finse missie viel, het grootste aantal volgelingen.

De tweede categorie bestaat uit alle kerken die door de blanke kolonisten gesticht zijn, zoals de rooms-katholieke Kerk - die net als de anglicaan-

se Kerk ook missiearbeid verricht - en de Duitse evangelisch-lutherse Kerk.

De invloed van de derde groep, de echte Afrikaanse onafhankelijke kerken, kan niet enkel en alleen op basis van het aantal kerkgebouwen worden ingeschat: hun gemeenten komen meestal bijeen in de zwarte wijken van de steden of in voormalige reservaten, waar ze enigszins aan het oog worden onttrokken. Maar wanneer u op een zondag door een van deze wijken loopt, passeert u groepjes mensen die voor een huis, onder een boom of in een eenvoudige ruimte liederen zingen, in hun handen klappen of rond een kaars dansen. Deze kerken vormen niet alleen het werkterrein van priesters en bisschoppen, maar ook van profeten en charismatische personen. Gebedsgenezing en het praten in tongen worden

gezien als tekenen van de kracht van de Heilige Geest.

Gezangen spelen een belangrijke rol in de kerken, zelfs in de grote gemeenschappen van de voormalige missiekerken. Een orgel is niet nodig; de gemeenten zingen altijd in vierkwartsmaat. Doorgaans worden ze daarin bijgestaan door een klein koor. Vandaag de dag zingt men liever de gezangen die geschreven en gecomponeerd zijn door zwarte Namibiërs dan de uit Europese gezangboeken vertaalde liederen. De kerkdiensten duren vaak behoorlijk lang, soms wel twee uur.

Streven naar eenheid

Het staat buiten kijf dat de Zuid-Afrikaanse apartheidspolitiek jarenlang ook het kerkelijke leven in Namibië heeft beïnvloed. De katholieke Kerk en de anglicaanse Kerk negeerden tenminste het rassenvraagstuk en weigerden - anders dan de Zuid-Afrikaanse Nederlandse gereformeerde Kerk - hun gemeenten te scheiden. Het blanke deel van hun kerkgangers koos er echter in het algemeen voor om zich niet onduidelijk uit te spreken voor de anti-apartheidsbeweging.

De zwarte lutherse kerken (ELCRN en ELCIN) van Namibië zetten de eerste stappen richting eenheid, met elkaar en met de Duitse lutherse Kerk. Waar de Duitstalige gemeenschap al tevreden zou zijn geweest met een federatie van kerken, gaven de zwarte kerken de voorkeur aan een volledige samenvoeging. Maar zelfs de twee zwarte lutherse Kerken slaagden er niet in om dit te bewerkstelligen, een indicatie van hoe groot de kloof is tussen de verschillende talen en tradities. Het huidige doel is daarom simpelweg te komen tot een nauwere samenwerking tussen de zwarte en blanke kerkgemeenschappen.

Ook de hervormingen in Zuid-Afrika hebben zonder twijfel grote invloed op de Namibische gereformeerde Kerken gehad. Zo moet men zorgen voor hereniging van kerken die tot dusver gescheiden waren in blanke, gekleurde en zwarte gemeenten. In het licht van de lange periode van theologische rechtvaardiging van apartheid zal dat nog een heidens karwei zijn.

De Raad van Kerken in Namibië is echter een standvastige organisatie gebleken, die ook een belangrijke rol heeft gespeeld in de overgangsfase na de onafhankelijkheid van Namibië. Het doel van de Raad is niet om een 'superkerk' te stichten, maar om samenwerking te bewerkstelligen bij vraagstukken die de Namibische bevolking aangaan, wat gewoon een andere manier is om eenheid onder christenen tot stand te brengen. ❑

Links: Traditionele genezer aan het werk.
Rechts: De sierlijke Christuskirche van Windhoek is een evangelisch-lutherse kerk.

ETEN EN AMUSEMENT

De rijke en gevarieerde Namibische keuken weerspiegelt de kosmopolitische cultuur van het land. In Windhoek en aan de kust is er geen gebrek aan restaurants.

Er is één woord dat vrijwel iedere Namibiër begrijpt, want *brötchen*, het Duitse woord voor 'broodje', is tot elke taalgroep in het land doorgedrongen. De Europese bezoeker vindt in de Namibische bakkerijen dan ook alle uit Duitsland bekende soorten broden, broodjes en gebakjes, van donker, dun gesneden rogge-brood tot *apfelstrudel*, *sachertorte* (chocolade-gebak), luxe *Schwarzwälder kirschtorte* (choco-ladetaart met kersen en slagroom) en nog veel meer.

De Namibische menukaarten staan ook vol met Duitse producten, van *frankfurters* (grote knakworsten) tot *sauerkraut* (zuurkool). En niet te vergeten het bier natuurlijk, dat strikt volgens het Duitse *Reinheitsgebot* (regelgeving voor het brouwen van bier) wordt gebrouwen.

De lokale keuken is een walhalla voor vlees-liefhebbers. U kunt uw keuze maken uit allerlei soorten exotische vleesgerechten, zoals gems-bok, koedoe, struisvogel, springbok en krokodil, of het nu in de vorm van een steak, een grillge-recht of een stoofpotje is. Boven aan de lijst met voorgerechten staan vaak gerookt hertenvlees en diverse soorten paté. Mogelijk treft u zelfs knob-belzwijn, zebra, hartebeest of elandantilope op de menukaart aan, maar minder vaak dan de hier-voor genoemde vleesgerechten.

En wanneer het zo ter sprake komt, zal de plaatselijke bevolking u vertellen dat het Nami-bische rundvlees het smakelijkste en gezondste rundvlees ter wereld is omdat het van scharrel-koeien komt.

Uitstekende vis en schelpdieren

Liefhebbers van vis mogen zich verheugen op verse *kabeljou* (kabeljauw), koningsklip en tong, die allemaal voor de kust in de Atlantische Oce-aan worden gevangen. De in Swakopmund ge-kweekte oesters zijn een populaire lokale delica-tesse, net als de rivierkreeftjes die bij Lüderitz uit de zee worden gehaald.

Andere interessante specialiteiten zijn onder andere de Kalahari-truffel *(nabas)*, een inheems paddestoelengeslacht met een enigszins nootach-

tige smaak. Dun gesneden vormt de truffel een verrukkelijke smaakmaker in salades, sauzen en stoofschotels. Ook veel gevraagd zijn de smake-lijke *omajavo*-paddestoelen, die na de zomerre-gens op termietenheuvels ontspruiten. Ze wor-den in knoflookboter gebakken en daarna opge-diend bij steaks en schnitzels, of in salades en soepen verwerkt.

De meeste groente- en fruitproducten die in Na-mibië verkrijgbaar zijn, worden uit Zuid-Afrika geïmporteerd, dus in de kleinere steden is de keu-ze over het algemeen beperkt, en dan ook nog vaak duur en van slechte kwaliteit.

Zuid-Afrikaanse invloeden

De Zuid-Afrikanen hebben ook hun nationale tijdverdrijf, de *braai* (barbecue), naar Namibië geëxporteerd. Dit betekent dat in de zomermaan-den ieder weekend veel tuinen in blauwe rook zijn gehuld omdat er grote stukken vlees op de barbecue liggen te spetteren. Probeer beslist eens een keer *boerewors* (boerenworst), die ge-maakt is van rundvlees of wild en op smaak is ge-bracht met kruiden en specerijen. Een andere aanrader is de *potjiekos*, een vleesstoofpotje dat

---

Links: Vriendelijke kok in de Country Club in Windhoek, een goede locatie voor een zondagse lunch.
Rechts: Roerei à la San: dit struisvogelei staat gelijk aan ruim twintig kippeneieren.

in een driepotige gietijzeren kookpot urenlang boven kolen heeft staan sudderen.

De maaltijd wordt meestal gecompleteerd met wijn uit de Zuid-Afrikaanse Kaapprovincie. Als rode wijn worden hier onder andere wijnen van druiven als de pinotage, shiraz, cabernet sauvignon en merlot geserveerd, als witte wijn komen wijnen van druiven als de chenin blanc, chardonnay, cape riesling, blanc fumé en sauvignon blanc op tafel.

Uiteten in Windhoek

De kosmopolitische hoofdstad van Namibië, Windhoek, is ruim voorzien van prima cafés en restaurants, die voor vrijwel elke smaak en beurs wel wat te bieden hebben. In het altijd populaire Gathemann Restaurant in de Independence Avenue (op de eerste verdieping van het Gathemann Building) kunt u plaatsnemen op een balkon dat uitzicht biedt op het Zoo Park. Het restaurant is een uitstekende locatie om Namibische specialiteiten als wild, rivierkreeftjes uit Lüderitz en verse asperges uit Swakopmund te proeven. Ook voor vegetariërs wordt goed gezorgd en de wijnkaart biedt tal van prima wijnen.

Bij O Portuga, dat praktisch tegenover Joe's Beerhouse in de Nelson Mandela Avenue gevestigd is, kunt u kennismaken met de karakteristieke kruidige keuken van de voormalige Portugese kolonie Angola, waaronder eersteklas visgerechten. Ook Luigi & the Fish staat bekend om zijn prima visgerechten. Dit restaurant is gevestigd in

DELICATESSEN UIT DE WOESTIJN

In dit warme en grotendeels droge land moest de lokale bevolking haar dagelijkse eten afstemmen op de beschikbare voedselbronnen, wat men op een fantasierijke en inventieve manier heeft gedaan.

Neem bijvoorbeeld het struisvogelei, dat gelijkstaat aan ruim twintig kippeneieren. De San (Bosjesmannen) kennen vele bereidingswijzen. De kok maakt een gat in de bovenste helft van de schaal en roert met een takje de dooier en het eiwit door elkaar. Hierna vult hij een gat in de grond met hete kolen en bakt hij van het mengsel een omelet.

En wat zou het leven van een woestijnnomade zijn zonder de !nara? Deze vrucht groeit op rivieroevers, waar de diepliggende wortels het water opzuigen.

Voor de Nama dient deze vrucht meerdere doelen. Het sap van de !nara is zoet en dorstlessend, terwijl van de pulp cake kan worden gemaakt. Ook bakt men er droog brood van, dat twee jaar kan worden bewaard. Van de wortels worden medicijnen gemaakt.

Vlees is een traktatie voor woestijnbewoners, van wie de in gif gedoopte pijlen het wild op slag doden, zelfs een giraffe. De jagers snijden het karkas ter plekke in stukken. De gemerkte pijlen laten er geen twijfel over bestaan wie welk deel van het dier heeft geraakt; sommigen claimen de kop. Deze wordt in een gat met gloeiende kolen begraven. Na een dag wordt de kop opgegraven en de schedel opengebroken, want de hersenen zijn een absolute delicatesse!

de Sam Nujoma Drive, dicht bij de kruising met de Nelson Mandela Avenue, en is een populaire gelegenheid om lekker lang te tafelen.

Voor de lunch bent u bij Mugg & Bean - waarvan het balkon op de eerste verdieping uitzicht biedt op de Post Street Mall - aan het juiste adres. Men serveert er geurige koffie en een grote keuze aan sandwiches en lichte maaltijden. Andere goede opties zijn het Café Zoo in het centraal gelegen, maar verrassend rustige Zoo Park, het Craft Café in het Namcrafts Centre in de Tal Street en het wat verder buiten het centrum gelegen Jenny's Palace aan de Sam Nujoma Drive.

Wat later op de avond

Voor een hoofdstad heeft Windhoek op het gebied

het zuidelijke industriegebied) en Club Thriller in Katatura. Ook podia voor livemuziek zijn dun gezaaid. De belangrijkste zijn het populaire Pentagon Entertainment Centre ten zuidwesten van het stadscentrum, dat in de weekends na 22.00 uur tevens dienstdoet als nachtclub, en de Tower of Music (wo., vr. en za. vanaf 18.00 uur) in het Namcrafts Centre in de Tal Street.

De enige bioscoop van Windhoek, de Ster-Kinekor met vijf zalen, vindt u in het Maerua Park Centre in de Centaurus Road. Hier worden zowel internationale als Zuid-Afrikaanse films vertoond. Vergeleken met West-Europa is de prijs van een kaartje bijzonder laag.

Wie zijn geluk wil beproeven, kan een gokje wagen in het Windhoek Country Club Resort aan

van uitgaan en amusement maar weinig te bieden. Wie op zoek is naar een bar zal genoegen moeten nemen met de faciliteiten van de grote hotels, waarvan ook niet-gasten veelal wel gebruik kunnen maken. Goede opties zijn de biertuin in het Thüringer Hof, O'Hagan's Irish Pub nabij de kruising van de Jan Jonker Road en de Robert Mugabe Avenue, Bulldogs in het Hidas Centre aan de Sam Nujoma Drive en (de populairste van allemaal) het eerdergenoemde Joe's Beerhouse.

Nachtclubs zijn vaak een kort leven beschoren, maar tot de gevestigde namen behoren onder andere La Dee Das (vlak bij de Lazarett Street in

---

Links: Plezier in een kroeg in Swakopmund.
Boven: In Windhoek kunt u talloze varianten van Afrikaanse muziek live beluisteren.

de westelijke ringweg of in het casino in het Kalahari Sands Hotel, dat gevestigd is in het Gustav Voigts Centre in de Independence Avenue.

Gevarieerd eten in Swakopmund

Behalve om de traditionele Namibische kost staat Swakopmund bekend om de gerechten met verse vis en schelp- en schaaldieren. De beste locatie om dat eens uit te proberen? Zonder twijfel het Hansa Hotel in de Roon Street, waar het gelauwerde restaurant kwalitatief goede 'internationale' gerechten serveert, van vis en zeevruchten tot vlees- en vegetarische gerechten. Verder kunt u hier een keuze maken uit een indrukwekkende selectie Zuid-Afrikaanse wijnen.

Ook bij The Tug smaken de vis en zeevruchten bijzonder goed. Het etablissement ligt op een prachtige plek aan het strand, naast een ijzeren steiger (bijkomend voordeel is dat u hier 's avonds de zon in de zee kunt zien zakken). The Tug is zeer geliefd, dus reserveer tijdig.

En dan is er ook nog Kücki's Pub, een van de levendigste en populairste restaurants annex bars van Swakopmund. U kunt zowel binnen als op de ruime binnenplaats plaatsnemen; op beide locaties worden uitstekende, traditioneel Duitse gerechten geserveerd. Vis en zeevruchten zijn specialiteiten. Voor Kücki's Pub geldt eveneens dat reserveren is aan te bevelen.

Swakopmund staat ook bekend om zijn traditionele Duitse koffiehuizen. Café Anton van Hotel Schweizerhaus in de Bismarck Street is een van de beste gelegenheden om u te goed te doen

aan calorierijke gebakjes en koekjes. Bovendien is ook het uitzicht op zee hier niet te versmaden.

Een avondje stappen

In tegenstelling tot Windhoek heeft Swakopmund een tamelijk levendig uitgaansleven voor een dergelijke kleine plaats, vooral tijdens het zomerseizoen. De betere bars voor een aangenaam avondje uit zijn de Rafters Action Pub in de Moltke Street (een populair etablissement dat bekendstaat om zijn tapbieren en assortiment importbieren), Fagan's Bar in de Roon Street (een levendige Ierse pub waar zo nu en dan een band optreedt) en de aangrenzende O'Kelly's Pub, die tot in de kleine uurtjes openblijft en populair is bij iedereen die in is voor wat amusement en ook wel van een dansje houdt.

Als u uw geluk wilt beproeven, vindt u in het Swakopmund Entertainment Centre naast het Swakopmund Hotel een casino. U kunt hier overigens ook naar de bioscoop gaan.

Uitstekende vis in Lüderitz

In Lüderitz is het uitgaansleven tamelijk beperkt. De meeste mensen houden het na een paar drankjes in de hotelbar wel voor gezien. Op het gebied van eten valt er hier echter voldoende te genieten: de lokale specialiteit is rivierkreeft, maar ook alle gebruikelijke vleesgerechten staan op de menukaarten.

Gerechten uit de rimboe

Eenmaal op safari is de keuze aan restaurants beperkt, maar gelukkig bieden de meeste lodges een verscheidenheid van gerechten aan. De kwaliteit varieert. Bij veel verblijven wordt gedineerd in een traditionele *boma*, een omheind stuk grond waar de maaltijd bij een knapperend vuur en onder de blote hemel wordt bereid en opgediend.

In de meeste gevallen krijgt u de lunch en het diner in buffetvorm aangeboden, waarbij u de keuze hebt uit een overvloed aan vleesgerechten, salades, groenten en desserts. Als u bij het ontbijt eens iets typisch Namibisch wilt proberen, ga dan op zoek (of vraag) naar de verrassend smakelijke *mahangu* (pap van gierst). Veel zwarte Namibiërs eten deze pap elke ochtend.

Op vakantieboerderijen en bij de kleinere verblijven - vooral die in de meer afgelegen gebieden - is de keuze bij de maaltijden een stuk beperkter. Hier hangt de productie af van de vorm van de dag en van de chef-kok, maar evengoed zijn de ingrediënten vers en worden de maaltijden prima bereid. Zelfs op verafgelegen locaties als de Kulala Lodge in de Namibwoestijn is het niveau opvallend goed, vooral als de moeilijke omstandigheden rond de bevoorrading en de bereiding in ogenschouw worden genomen.

Bij een kampeersafari krijgen de gasten 's avonds doorgaans een traditionele *braai* aangeboden, compleet met vele verschillende soorten salades en *potjiekos*.

Als u tijdens uw verblijf in Namibië ook de noordelijke regio's aandoet, kunt u zich te goed doen aan allerlei soorten vruchten en noten die bij kraampjes langs de weg worden verkocht; het aanbod is vanzelfsprekend afhankelijk van het betreffende seizoen. Probeer eens de vruchten van de *marula-* of olifantsboom, een *embe* of *omuve* (van een boom van de wegedoornfamilie) of een sappige apensinaasappel (een uitstekende dorstlesser op een verzengend hete dag). ❑

Links: Dé knalfuif van Windhoek is het carnaval, dat meestal begin mei plaatsvindt.
Rechts: Huwelijksceremonie, Noord-Namibië.

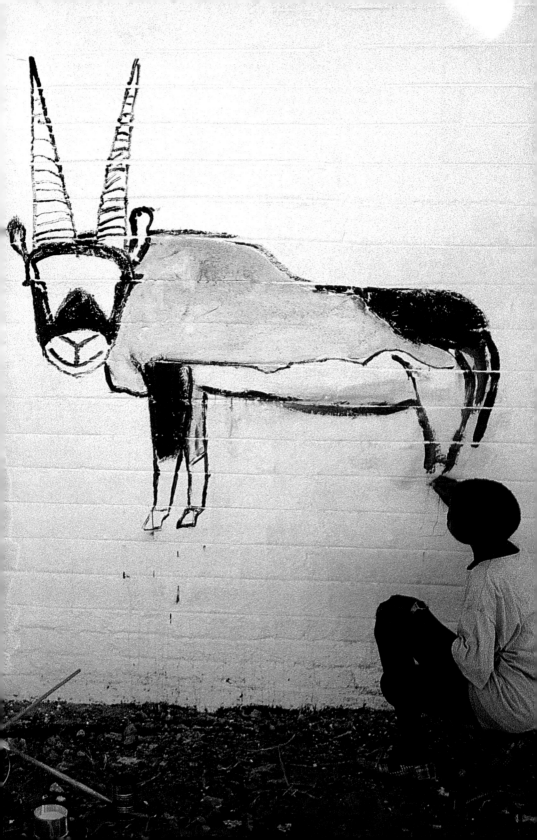

DE KUNSTEN

In tegenstelling tot wat de meeste bezoekers verwachten, is het culturele leven van Namibië een levendige mix van mythen, lokale kunsten en moderniteit.

De meeste mensen stellen zich Namibië voor als een land van woeste landschappen en een indrukwekkend natuurschoon. Minder bekend is echter de stedelijke leefomgeving van het land, waaruit een rijk cultureel leven is ontstaan. Decennialang hebben blanke immigranten - voornamelijk in Windhoek en Swakopmund - zich ingespannen om hun Europese cultuur te behouden en een kunstscene in het land op te bouwen. Sinds de onafhankelijkheid van 1990 doen echter ook zwarte kunstenaars van zich spreken.

Vlak na de Tweede Wereldoorlog stichtten kunstenaars, artistiek aangelegde inwoners en kunstbeschermers van Windhoek en Swakopmund culturele verenigingen met eigen expositieruimten. Hier stelden ze een grote verscheidenheid aan lokale en buitenlandse werken tentoon. Hun doel was het lokale talent te stimuleren en dat tegelijkertijd aan de internationale kunstscene te presenteren.

Het naburige Zuid-Afrika was een belangrijke kracht achter de artistieke ontwikkeling van Namibië; zelfs in de dagen van de apartheid waren de plaatselijke kunstsociëteiten open voor vertegenwoordigers van alle rassen. Tegenwoordig worden in galeries en bij exposities veelal werken van zwarte kunstenaars en kunstuitingen over Afrika tentoongesteld. De National Art Gallery in Windhoek biedt een uitgebreide collectie Namibische kunstwerken uit heden en verleden.

Afrikaanse kunstnijverheid

Sinds de onafhankelijkheid van 1990 verkeert het land op artistiek gebied in een pioniersfase. In Okavango, Ovamboland, de Caprivistrook en in het zuiden van het land is er sprake van een opleving in de traditionele kunstnijverheidsproductie. De plaatselijke bevolking wordt gestimuleerd om nieuwe producten te maken, zonder in massaproductie te vervallen.

Vrouwen in Noord-Namibië, van de bewoonsters van de Caprivistrook tot de Ovambo en de Kavango, maken aardewerk en vlechten manden. Bij het laatste worden van oudsher bladeren van de makalanipalm gebruikt. Ook houtsnijden is onderdeel van de noordelijke traditie, hoewel dit vooral door mannen wordt gedaan.

Links: Zwarte artiesten doen inmiddels van zich spreken, soms op een onverwachte plaats.
Rechts: In Ovamboland in Noord-Namibië worden nog vele oude ambachten bedreven.

De San (Bosjesmannen) en de Himba zijn traditioneel het meest bedreven in het maken van kralen producten. Voor authentieke San-producten (tassen en kleding die versierd zijn met van schalen van struisvogeleieren gemaakte kralen, zaden en stekels van stekelvarkens) kunt u het beste terecht in de omgeving van Tsumeb, en voor kralen kunstnijverheid van de Himba in Kaokoland. Voor beide kunt u echter ook een be-

zoek brengen aan een van de particuliere galeries in Windhoek.

Ook de van wol van het karakoelschaap (een Aziatisch schapenras) geweven tapijten spelen een belangrijke rol in de plaatselijke kunstnijverheid. De wand- en vloertapijten uit grote weverijen zoals Ibenstein en Dorka nabij Dordabis *(zie blz. 176)* zijn van een uitstekende tot soms uitzonderlijke kwaliteit.

Landschappen van olie en waterverf

Al sinds het koloniale tijdperk weet het fantastische natuurschoon van Namibië Europese kunstenaars te fascineren. Zelfs de meest onherbergzame gebieden in de Namibwoestijn kunnen betoverend zijn, of het nu vanwege de bizarre lichteffecten in de vroege ochtend of de aparte speling van de intense kleuren bij het vallen van de avond is. Kunstenaars hebben dit land van stenen en grote afstanden met grote regelmaat omgetoverd tot een maagdelijk paradijs of een romantisch landschap.

Zelfs de bekende koloniale schilder Ernst Vollbehr, doorgaans toch een tamelijk afstandelijke observator, liet zijn werk *De haven van Lüderitz* in een lichtroze middaglicht baden. De olieverflandschappen van Carl Ossmann, die in Berlijn tentoongesteld werden, zetten voor de Eerste Wereldoorlog een traditie in Namibië in gang waarbij de natuur op natuurlijke wijze werd weergegeven. Deze school bleef de belangrijkste artistieke macht in Namibië, tot in de jaren zeventig nieuwe stijlopvattingen en thema's hun in-

born en andere kunstenaars maken in hun verbeeldingen van de natuur vaak gebruik van vredig grazende antilopen: voor hen zijn wilde dieren - zo ver verwijderd van de rest van de wereld - een belangrijk onderdeel van sereniteit.

Fritz Krampe, die als kind in de dierentuin van Berlijn tekeningen van olifanten en gorilla's had gemaakt, koos het Afrikaanse wild echter als centraal thema voor zijn werken. Hij vulde er complete doeken mee. Krampe bracht een groot deel van zijn tijd door rond het Etosha National Park en in andere delen van Afrika die rijk zijn aan wild. Hij was meer geïnteresseerd in grote en gevaarlijke dieren als leeuwen, olifanten, buffels, hyena's en gieren dan in sierlijke gazellen of schilderachtige struisvogels.

trede deden en het naturalisme naar de tweede plaats werd verdreven.

De kalligrafische penseelstreken in de werken van Adolph Jentsch, een landschapsschilder die tot ver over de grenzen van zijn eigen land erkenning en waardering kreeg, beogen een mystieke connectie tussen iemands eigen hartslag en het ritme van de omringende natuur weer te geven. Jentsch werd sterk beïnvloed door filosofieën uit het Verre Oosten en zat vaak uren in de wildernis te mediteren alvorens hij aan een aquarel begon. Andere belangrijke namen om in de plaatselijke galeries naar op zoek te gaan zijn Otto Schröder, Johannes Blatt en Jochen Voigts.

Dierenthema's

Axel Eriksson, Zackie Eloff, Hans-Anton Aschen-

Het uitbeelden van beweging werd zijn handelsmerk: zijn penseelstreken waren kort afgemeten, krachtig en vaak ook schetsmatig. Zijn olieverfschilderijen, tekeningen en lithografieën van vechtende, jagende of vluchtende dieren doen de toeschouwer bijna terugdeinzen, alsof de warme wind op de steppe gevoeld en het gevaar geroken kan worden.

De mens centraal

Alle hiervoor genoemde kunstenaars maakten zo nu en dan ook portretten of werken met menselijke figuren. Maar pas vanaf de jaren tachtig van de vorige eeuw werden de mens, zijn leefmilieu en zijn observaties gezien als interessante thema's voor visuele kunstenaars, mogelijk als gevolg van de sociaal-politieke ontwikkelingen rond de ingeslagen weg naar de onafhankelijkheid van Namibië. Achteraf gezien blijkt de ontdekking van het menselijke figuur al uit de landschapsschilderijen van Anita Stayn en François de Necker.

Ook fotografie - een kunst die in Namibië een technisch hoog niveau heeft bereikt - is inmiddels veelal meer gericht op *Homo sapiens* dan op de microkosmos van de natuur die ze vroeger in beeld bracht. Voorbeelden hiervan zijn de verwoestingen van de grensoorlogen in het Kaokoveld of de feestelijkheden tijdens de onafhankelijkheidsvieringen.

Beeldhouwers zijn een zeldzaamheid in Namibië. Tot nog toe is Dörte Berner uit Dordabis de enige die buiten de landsgrenzen succesvol is geweest. Haar monumentale werken van het plaatselijke steatiet (speksteen, een goed snijdbaar gesteente dat in verschillende kleuren voorkomt) verbeelden gekwelde, eenzame en verachte mensen, of moeders en groepjes kinderen die bescherming zoeken.

Zwarte kunst

Een nieuwe en dynamische kunstcategorie is vandaag de dag volop in het nieuws in Namibië: *township*-kunst. Deze term, die verzonnen is in de zwarte sloppenwijken van Zuid-Afrika, doelt op het werk van een nieuwe generatie kunstenaars in Namibië die met behulp van subsidies en beurzen een artistieke opleiding aan de Windhoek Academy, de huidige universiteit van Namibië, of aan een van de particuliere kunstscholen in Lüderitz hebben kunnen volgen. Van deze kunstenaars hebben Joseph Madisia, Andrew von Wyk en Tembo Masala al bekendheid verworven.

In termen van de zwarte bevolking is *'sharp'* de superlatief van *'good'*, en de tekeningen en schilderijen van deze jonge kunstenaars - die het bestaan in de kleine hutjes in de *townships* afbeelden en daarmee verhalen vertellen van leed, armoede en onvrede - zijn *'sharp'*, naast agressief, grappig, cynisch en aangrijpend realistisch. De kleuren zijn vaak schreeuwend en vloekend en eenvoudige handelingen worden uitvergroot met een hoogdravende expressiviteit. Dit zijn werken waarvan het onvervalste realisme de toeschouwer weet te fascineren. Tegelijkertijd bieden ze een esthetisch evenwicht tussen het dagelijkse stadsleven en de Afrikaanse mythe.

Links: Niet alleen tapijten worden geweven van de wol van het karakoelschaap...
Rechts: ... vrijwel elk ontwerp kan worden besteld.

Een van de bekendste namen uit de hedendaagse Namibische kunstscene is die van de Ovambo John Ndevasia Muafangejo. Deze kunstenaar, die helaas al op jonge leeftijd aan een zware beroerte overleed, raakte zelfs na zijn bezoek aan Zuid-Afrika en zijn reis door Europa niet beïnvloed door de Europese stijlelementen. Zijn linoleumsneden van het traditionele leven van de Ovambo en zijn kijk op de bijbelse geschiedenis zijn absoluut origineel en uniek. Ze zijn zelfs zo weergaloos, dat er op de Zuid-Afrikaanse kunstmarkt hoge prijzen voor worden betaald.

De uitvoerende kunsten

Zang en dans behoorden tot de eerste kunstuitingen van de inheemse bevolking van Namibië. Al in de late Middeleeuwen zagen Portugese zeevaarders inwoners van nederzettingen langs de kust muziek maken met rietfluiten. Andere reizigers deden al in 1668 verslag van zanguitvoeringen in de zwarte *kraals*.

De Nama, die het midden en het zuiden van Namibië bewoonden, beschikten over een hele verzameling handgemaakte en technisch geavanceerde muziekinstrumenten. Een aantal instrumenten werd overgenomen door de San en de Khoisan: met dierenhuiden bespannen kommen die dienstdeden als trommels, een snaarinstrument dat *gora* werd genoemd, en de *ramki*, een soort gitaar met drie of meer snaren die gemaakt waren van de staarten van rundvee of van plantenvezels.

Rietfluiten werden gebruikt om de gemeente tijdens de traditionele religieuze rituelen op te zwepen, waarbij het geratel van botten voor de ritmische ondersteuning zorgde. Bij deze rituelen imiteerden de gelovigen de bewegingen van dieren om de geesten op te roepen. De inheemse stammen maakten ook gebruik van handratels van kalebassen en trompetten van antilopenhoorns. De Ovambo en de Kavango in het noorden van Namibië bedienden zich van grote houten trommels. In de Caprivistrook werden xylofoons gebruikt om het klankenspel te vervolmaken.

In Okavango bespeelt men bij rituele dansen -

maar zelfs ook bij christelijke kerkdiensten - nog altijd traditionele trommels en andere muziekinstrumenten.

Europese invloeden

Decennialang werden de muziek- en theaterwereld van Namibië gedomineerd door Europese smaken en stijlen, omdat een elitegroep van 'cultureel bewuste' inwoners van Windhoek en Swakopmund probeerde om het culturele erfgoed van Duitsland, Groot-Brittannië en Zuid-Afrika naar de 'wildernis' over te brengen. De oprichting van artistieke organisaties na de Tweede Wereldoorlog leidde ertoe dat tentoonstellingen en ballet- en theateruitvoeringen georganiseerd konden worden en dat buitenlandse kunstenaars konden worden uitgenodigd.

In 1902 werd in Swakopmund de Men's Choral Association in het leven geroepen. Dit voorbeeld werd gevolgd door Windhoek, waarna ook in de rest van het land talloze andere koren (zowel gemengde als mannenkoren) werden opgericht. Door een tekort aan geschoolde dirigenten werden na 1963 muziekleraren van scholen als zodanig aangesteld. In 1971 werd in Windhoek het Rijksconservatorium geopend; sindsdien geeft kundig personeel hier zangles.

Sinds de afschaffing van het Zuid-Afrikaanse apartheidssysteem zijn zowel zwarte als blanke Namibiërs hun gemeenschappelijke culturele tradities aan het verkennen. Zo bestaat het Cantare Audire Choir uit Windhoek uit vertegenwoordigers van beide rassen, die religieuze en klassieke Europese zangstukken, maar ook spirituals en Afrikaanse en Namibische composities ten gehore brengen. Tijdens tours door Europa en Amerika krijgt het koor vaak bijzonder lovende kritieken.

Theater en dans

De traditie van Namibië op het gebied van theater gaat terug tot zijn begintijd als kolonie. Lang voordat in 1966 de Raad voor de Uitvoerende Kunsten van Zuidwest-Afrika (SWARUK) werd opgericht, voerden getalenteerde amateurs moeilijke werken als *Die mitschuldigen* van Goethe en *The glass menagerie* van Tennessee Williams uit.

Vandaag de dag zijn er behalve een Nationaal Theater in de hoofdstad ook allerlei theatertjes in de kleinere plaatsen van het land. Met zijn kunstschool beschikt de universiteit van Namibië over een eigen theaterfaculteit. Het Space Theatre en het Warehouse Theatre, podia voor experimenteel theater, bieden jonge Namibische toneelspelers en -schrijvers de kans om hun vaardigheden aan te scherpen alvorens ze hun kunsten elders gaan vertonen.

In de inheemse theatertraditie hebben zang en dans altijd een wezenlijke rol gespeeld. Sinds de onafhankelijkheid stellen verscheidene culturele organisaties programma's op waarbij toneelspelers naar afgelegen gebieden worden gestuurd - niet alleen maar voor het vermaak, maar ook om de Namibische bevolking, zowel jong als oud, te betrekken bij het maken en naar buiten brengen van een verhaal.

Zelfs bij traditionele ceremonies zijn theaterelementen altijd met verve ingezet. Door het gebruik van dans, ritme en muziek worden zintuiglijke gewaarwordingen en religieuze ervaringen op een hoger, magisch plan gebracht. ❑

Links: Koormuziek stamt uit het elitaire erfgoed van Namibië, maar maakt inmiddels deel uit van de lokale cultuur.

DE EERSTE KUNSTENAARS

De overvloed aan schilderingen en inscripties op rotspartijen in Namibië zijn de enige overgebleven archeologische sporen van de jager-verzamelaars die tot ongeveer 2000 jaar geleden de enige inwoners van Afrika waren.

De kunst wordt in verband gebracht met de sjamanistische trance, die een belangrijke religieuze rol in die gemeenschappen speelde. Ook vandaag de dag nog is de trancedans bij de enkele nog overgebleven San-stammen in de Kalahariwoestijn een belangrijk ritueel. Tijdens deze dans zingen de vrouwen al klappend speciale liedjes over dingen die bijzondere krachten worden toegedicht - bijvoorbeeld de elandantilope of de giraffe - terwijl de mannen langzaam en ritmisch rond hen dansen.

De San geloven dat dit zingen en dansen bovennatuurlijke krachten activeert. De sjamanen (priester-genezers) - meestal circa de helft van de mannen en een derde van de vrouwen - gebruiken deze energie vervolgens om een toestand van trance te bereiken of, zoals zij het noemen, de spirituele wereld te betreden. Eenmaal in deze wereld zouden de sjamanen in staat zijn de zieken te genezen, sociale conflicten op te lossen en de trek van het wild en het belangrijke regendier, dat regen zou brengen, te beïnvloeden. Deze 'goede werken' zijn de garantie voor het bestaan van de San-gemeenschap.

Sjamanen die een toestand van trance bereiken, ondergaan meestal een aantal fysieke en visuele hallucinaties en gebruiken vaak de woorden 'dood' en 'onder water' als metafoor voor hun ervaringen. In de traditionele rotskunst werd deze gemoedstoestand doorgaans verbeeld met een stervende elandantilope omdat zowel de sjamaan als de antilope uit zijn neus bloedt, schuim op zijn mond heeft, rondstrompelt en uiteindelijk bewusteloos neervalt.

Bij het ontcijferen van de rotskunst dient u de meest gebruikte thema's in gedachten te houden: trancedansen (klappende vrouwen en dansende mannen), dieren die symbool staan voor bovennatuurlijke krachten (vaak de elandantilope) en de visuele en fysieke hallucinaties van de sjamanen.

Een onlangs gehouden interview met een van de laatste afstammelingen van een San-kunstenaar - een vrouw van in de tachtig die in de Zuid-Afrikaanse Oostkaap woont - heeft een nieuw licht geworpen op het mogelijke rituele gebruik van de schilderingen. Ze vertelde hoe elandantilopen de vallei in werden gedreven waar haar (nomadische) stam een tijdelijk onderkomen had gezocht en

werden gedood bij de grot waar de familie verbleef. Het bloed van de dieren werd vermengd met verf in een poging de kracht van de antilope over te brengen op de schilderingen in de grot. Als de sjamanen vervolgens tijdens het dansen meer kracht wilden opdoen, keerden ze hun gezicht naar de pas gemaakte schilderingen, zodat de daarin aanwezige krachten naar hen konden overvloeien. Met andere woorden, de schilderingen en inscripties waren niet alleen maar afbeeldingen van gebeurtenissen die zich afspeelden in de spirituele wereld of symbolen van machtige wezens, ze beschikten zelf ook over krachten. Het waren krachtbronnen die contact met de spirituele wereld mogelijk maakten.

Aanvankelijk doorstond de levenswijze van de

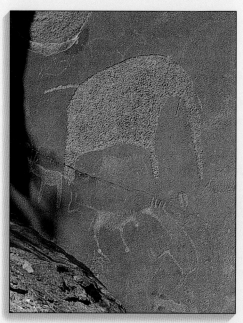

San de komst van de Khoi-herders, die ongeveer 2000 jaar geleden uit het noorden van Afrika kwamen. Ze ontwikkelden zelfs een goede relatie met hen en leefden in relatieve harmonie met elkaar. Met de komst van de Boeren en de Britten in de 17e eeuw kwam hun maatschappij echter steeds meer onder druk te staan. Niet alleen namen de blanke kolonisten het land en de jachtgebieden van de San over, ze zagen hen ook als niet veel meer dan ongedierte, waarmee dan ook korte metten werd gemaakt.

Vandaag de dag voeren nog een paar San-stammen in Botswana, Namibië en Zuid-Afrika een overlevingsstrijd, maar hun aantal is zo gering dat ze niet meer echt gezien kunnen worden als vertegenwoordigers van een afzonderlijke sociale groep. ❑

Rechts: Deze gravure van een olifant bevindt zich in de Phillip's Cave op de Ameib Ranch, een boerderij in Centraal-Namibië.

HET ARCHITECTURALE ERFGOED

De combinatie van de Duitse koloniale overheersing en het extreme klimaat van Namibië heeft een wonderlijke, maar effectieve stijl van bouwen opgeleverd.

De architectuur in Namibië moet afrekenen met grote verschillen tussen de dag- en nachttemperaturen en een intense zonnestraling. Bij elk gebouw dienen de effecten van de dagelijkse hitte op de constructie en het interieur te worden beperkt. Gedurende vele eeuwen ging de inheemse bevolking hier adequaat mee om door een frame van palen te bouwen dat bekleed werd met dikke lagen modder waarin kleine openingen waren vrijgelaten.

De Duitse kolonisten kwamen met een andere oplossing. Ze pasten de Duitse bouwtradities gewoonweg aan de andere eisen van het klimaat en de beschikbare bouwmaterialen aan. Het resultaat was een veranda-architectuur, die in wezen bestond uit een ommuurde kern met een zadeldak en diverse aanleunende lessenaarsdaken. De laatste moesten de muren tegen de zon beschermen en daarmee het doordringen van de hitte naar de kern vertragen.

De verandastijl werd gepropageerd door missionarissen die deze stijl overal in Zuid-Afrika waren tegengekomen. Vanaf het begin van de 19e eeuw bouwden ze hun eigen gebouwen in Namibië ook in die stijl. Het Imperiale Commissariaat van Bouwbedrijven - dat in eerste instantie onder leiding stond van Gottlieb Redecker, de eerste in Namibië geboren architect - ontwikkelde een veranda-architectuur die gebaseerd was op hedendaagse interpretaties van klassieke ontwerpen. Een goed voorbeeld hiervan zijn de aanpassingen aan het Ludwig von Estorff Haus in Windhoek, die uit 1902 dateren.

In het koloniale Namibië ging de veranda in de loop der tijd ook dienstdoen als ontvangsthal en als aangenaam koele en overdekte leefruimte, met name als deze aan de zuidkant van het huis gesitueerd was. De veranda-architectuur werd toegepast bij een groot aantal verschillende bouwvormen, met als hoogtepunt de monumentale parlementsgebouwen in Windhoek. Dit *Tintenpalast* (Inktpaleis) uit 1913 is een verandagebouw van twee verdiepingen met klassieke elementen.

Blz. 88-89: Fleurige woningen in de wijk Katatura in Windhoek.
Links: Het Hohenzollernhaus (1906) in Swakopmund is een goed voorbeeld van de lokale Jugendstil.
Rechts: In het vroeg-19e-eeuwse Ritterburggebouw in Swakopmund zijn nu kantoren gevestigd.

Vele van de koloniale gebouwen hebben onmiskenbaar Wilhelminische (naar de Duitse keizer Wilhelm) invloeden. Duidelijke voorbeelden zijn het spoorwegstation, de gevangenis en het Hohenzollernhaus in Swakopmund. Het gematigde klimaat zorgt ervoor dat de architectuur hier beter met het omliggende landschap harmonieert dan elders in het land.

De productiefste particuliere architect was

Wilhelm Sander, die nadrukkelijk zijn sporen in het hedendaagse Windhoek heeft achtergelaten; het Gathemann Haus en het Genossenschaftshaus in de Independence Avenue zijn waarschijnlijk de eerste gebouwen van zijn hand die u zult tegenkomen. Het was ook deze architect die een niet meer in gebruik zijnde militaire post omvormde tot het middeleeuwse kasteel Schwerinsburg en daarmee de richting bepaalde voor het 'herenhuis' in Duwisib in het zuiden van het land en twee andere kastelen in de hoofdstad, die hij voor zichzelf verbouwde. Het Woermannhaus in Swakopmund - van de hand van Friedrich Höft, de huisarchitect van de gelijknamige scheepvaartmaatschappij - is gebaseerd op de ontwerpprincipes van de Arts and Craftsbeweging (een Engelse beweging die aan het eind van de 19e eeuw teruggreep op het handwerk van de Middeleeuwen) en biedt een klein aantal Jugendstil-motieven.

Ook het belangrijkste oriëntatiepunt van Windhoek, de Christuskirche uit 1910, is op de Jugendstil geïnspireerd. Het belangrijkste centrum van Jugendstil-architectuur in Namibië is echter zonder twijfel Lüderitz, de zuidelijke havenstad die na de vondst van diamanten in Kolmanskop in 1908 tot ontwikkeling kwam. In de majestueus gelegen stad, met haar haven en het Shark Island, hebben diamantmagnaten woningen op de Diamantberg laten bouwen. Een mooi voorbeeld is het Goerke Haus uit 1909.

LICHTEND VOORBEELD

Het belangrijkste kantoorgebouw van Namibië is het glazen CDM-gebouw in de hoofdstad Windhoek. De zuidelijke gevel biedt de juiste lichtinval voor het sorteren van diamanten.

Zuid-Afrika en de apartheid
Na het Duitse tijdperk verliep de verdere ontplooiing van Namibië aarzelend, gehinderd door de politieke besluiteloosheid, de langdurige droogteperioden en de crisis van de jaren dertig. In de jaren vijftig kwam hierin echter verandering, toen de inlijving van het land bij Zuid-Afrika prioriteit nummer één werd en een enorm bedrag aan ontwikkelingshulp ter beschikking werd gesteld. De infrastructuur kwam tot ontwikkeling en Windhoek groeide uit tot de moderne stad die het vandaag de dag is.

De economische hulp ging echter vergezeld van de ideologie van de apartheid. Voor architecten bracht dit met zich mee dat ze openbare gebouwen moesten ontwerpen waarin aparte faciliteiten voor blank en zwart waren aangebracht.

Voorbeelden hiervan zijn het hoofdpostkantoor en de terminals van de beide luchthavens van Windhoek.

Een belangrijke ontwikkeling was het bibliotheek-, museum- en archiefgebouw in de hoofdstad, het resultaat van een wedstrijd onder architecten die gewonnen werd door Hellmut Stauch. De zoon van de ontdekker van de diamantvelden in Namibië was een voorstander van de moderne architectuur zoals die in Brazilië tot ontwikkeling was gekomen, maar hield in zijn ontwerpen goed rekening met het specifieke Namibische klimaat. Inmiddels was met de stijgende grondprijzen ook een grotere vraag naar hogere gebouwen ontstaan. Stauch maakte graag gebruik van jaloezieën om de kern van een gebouw af te schermen voor de zonnestraling, omdat dit niet ten koste ging van het daglicht. In wezen betekende dit een voortzetting van de veranda-architectuur van het koloniale Namibië. Het Carl List Haus uit 1964 was het prototype.

Architectuur sinds de onafhankelijkheid
Vandaag de dag worden de Duitse koloniale gebouwen op grote schaal gerenoveerd en onder monumentenzorg gebracht, zoals bijvoorbeeld de Alte Feste, de Kaiserkrone en de Orban Schule (conservatorium). Deze gebouwen worden historistisch genoemd omdat de bouwstijl geïnspireerd is op historische voorbeelden. Ook de bouwstijl uit de beginperiode van de onafhankelijkheid putte uit historische bronnen en verbond daarmee twee belangrijke perioden uit de geschiedenis van Namibië. Het schilddak van het Wernhil Park Shopping Centre en het mansardedak en de klokkentoren van Mutual Platz herinneren aan de daken uit het Wilhelminische tijdperk. In Lüderitz is op vergelijkbare wijze teruggegrepen op het verleden.

De nieuwe architectuur blinkt vaak uit in het gebruik van strakke contouren, maar in een onherbergzaam landschap als dat van Namibië tart de omgeving de gebruikelijke waardeoordelen. De moderne gebouwen vervolmaken het stadsgezicht, maar misschien wel meer door overeenkomsten dan door verschillen. Verder dragen ze bij aan de rijkheid en de diversiteit van het totaalbeeld. Ook de oude gebouwen blijven echter hun waarde voor het hedendaagse Namibische leven houden. ❑

Links: De inheemse architectuur moet beschermning bieden tegen de intense zonnestraling.
Rechts: Windhoek is een mengelmoes van bouwstijlen.

ACTIVITEITEN

Voor liefhebbers van de vrije natuur zijn er maar weinig plaatsen op aarde die meer te bieden hebben dan de dunbevolkte wildernis van Namibië.

De combinatie van het woestijnklimaat, dat het hele jaar door heldere luchten en overvloedige zonneschijn biedt, de overvloed aan ongerepte wildernis en de weinige toeristen maken Namibië tot een uitgestrekte speelplaats voor liefhebbers van het buitenleven, die hier een grote verscheidenheid van activiteiten kunnen ondernemen.

Wandelen en bergbeklimmen

In de Namibische wintermaanden (april tot oktober) zijn wandelen en bergbeklimmen een ideale manier om de pracht van het Namibische landschap - de uitgestrektheid, de kleuren en de bergen die met eindeloze vlakten contrasteren - te ervaren. De spectaculaire uitzichten geven behalve een enorm gevoel van ruimte ook een uitstekend overzicht van de natuurlijke omgeving. Over het algemeen wordt alleen 's ochtends en in de avonduren gewandeld, en last men op het heetst van de dag een rustpauze in. Een van de grootste genoegens van wandeltochten in Namibië is dat het zelfs op de populairste wandelroutes nooit echt druk wordt.

De wandelroutes strekken zich uit van de Brandberg-, Spitzkoppe-, Pondok- en Naukluftgebergten tot aan het Waterberg Plateau en de Fish River Canyon. Ze verschillen aanzienlijk in lengte, van korte wandelingen tot serieuze, achtdaagse trektochten door woest gebied waarbij u uw eigen uitrusting moet dragen.

Het is belangrijk dat u in goede conditie bent, voorbereid bent op de hoge temperaturen, genoeg water bij u hebt en geschikt schoeisel draagt. Verder dient u een wandeltocht vooraf te boeken bij het ministerie van Milieu en Toerisme (MET) in Windhoek.

Het granieten Brandbergmassief bereikt zijn hoogste punt in de Königstein, die met 2574 m ook meteen de hoogste berg van Namibië is. Een inspannende wandeling van drie uur (heen en terug) wordt beloond met de bekende rotstekening 'Witte Dame van de Brandberg', maar u kunt ook een andere route over het netwerk van wandelpaden uitstippelen. Lokaal kunt u een gids inhuren. Verder biedt het gebergte een aantal technische

beklimmingen voor de doorgewinterde bergbeklimmer.

Ook in het Spitzkoppe- en Pondokgebergte kan een aantal zware rotsbeklimmingen worden uitgevoerd. De hoogste top, de Grott Spitzkoppe (1728 m), wordt wel 'de Matterhorn van Namibië' genoemd.

In het Naukluftgebergte kunt u een van Afrika's zwaarste trektochten maken: de 120 km lan-

ge, achtdaagse Naukluft Trail. De route volgt enige tijd de rivier de Naukluft en voert dan omhoog de steilte op, vanwaar u prachtige uitzichten over de vlakten hebt. Verder hebt u in dit gebied nog de keuze uit twee rondwandelingen - de Waterkloof Trail (17 km) en de Olive Trail (10 km) - die beide in een dag kunnen worden gedaan. De steile beklimmingen en de rotsige ondergrond zijn fysiek inspannend. De wandelroutes zijn dan ook niet aan te bevelen voor onervaren wandelaars of mensen met een matige tot slechte conditie.

De wandelroute door de Fish River Canyon wordt gerekend tot een van de vijf beste routes in zuidelijk Afrika. Over een afstand van 85 km. wordt een gedeelte van de rivier gevolgd, van Hÿker's Point tot Ai-Ais, waarbij afgerekend moet worden met zware omstandigheden. U wordt ver-

---

Blz. 94-95: Kamperen in de Namibwoestijn.
Links: Wandelaars beklimmen een duin in de Sossusvlei.
Rechts: Kanoën op de Oranjerivier is een must voor liefhebbers van extreme sporten.

ondersteld over rotsen te klauteren, door mul zand te ploeteren en hoge temperaturen te doorstaan. De eenzaamheid, het spectaculaire landschap en de prachtige kleuren van de kloof doen deze inspanningen echter snel vergeten. Onderweg is er geen enkele faciliteit, dus wandelaars zijn compleet op zichzelf aangewezen.

Het Waterberg Plateau Park biedt negen korte wandelroutes door de wildernis, die het hele jaar door toegankelijk zijn. De langere routes dient u vooraf te boeken bij het MET *(zie hiervoor)*. Een van die routes is een 42 km lange, vierdaagse trektocht zonder gids rond zandstenen kopjes (verspreid gelegen heuveltjes) aan de zuidkant van het plateau.

De trekpleister van het park is echter de Okara-kuvisa Trail, een drie- of vierdaagse trektocht met gids. Tijdens deze tocht door de ongerepte wildernis, ver weg van wegen en andere mensen, worden de sporen van dieren gevolgd (zoals de zwarte en witte neushoorn en de paard- en sabelantilope). Door de eenzaamheid kunt u zich volledig overgeven aan de wetenswaardigheden over het wild en hun natuurlijke leefomgeving. Onderweg overnacht u in kampen tussen de zandstenen rotsen.

Vlucht naar het water

Een kanotocht op de Oranjerivier aan de grens met Zuid-Afrika is een heel andere ervaring dan kanoën op de Zambezi. U kunt hier reserveren voor een vijfdaagse tocht in een tweepersoons-

SANDBOARDEN

Swakopmund heeft zich ontwikkeld tot een ontmoetingsplaats van liefhebbers van avontuurlijke woestijnsporten. Zo kunt u in de zandduinen van de Namibwoestijn gaan sandboarden, een opwindende variant van snowboarden, waarbij van vrijwel dezelfde technieken gebruik wordt gemaakt. De meeste sandboarders zijn te vinden in het duinengebied tussen Swakopmund en Walvisbaai, waar de zandhopen hoogten van wel 120 m bereiken.

Ook quadbiken is bijzonder populair. Met deze gemotoriseerde vierwielers kunt u in de woestijn gaan picknicken of er bij zonsondergang een aperitiefje gaan drinken. Blijf echter op de gebaande paden, want in sommige gebieden nestelen vogels.

kano (Mohawk), waarbij een afstand van circa 75 km wordt afgelegd. Er zijn hier geen nijlpaarden of krokodillen, zodat u zich op het heetst van de dag uit de kano kunt laten glijden om u simpelweg door de stroming van de rivier te laten meevoeren. De rivier kronkelt door een verlaten en droog landschap en ontaardt op diverse plaatsen in een stroomversnelling. Ongehinderd door kunstlicht kunt u 's avonds van een schitterende sterrenhemel genieten en de angstaanjagende stilte van de woestijn ervaren.

Op de noordelijke rivieren worden daarentegen excursies per *mokoro* (boomstamkano) georganiseerd om wild te gaan spotten. Langs de kust kan rond Walvisbaai worden gekajakt tussen zeehonden en dolfijnen en worden boottochten georganiseerd om dolfijnen, zeehonden en zeevogels van dichtbij te gaan bekijken. Voor wie behoefte heeft aan wat adrenalinestoten is het wildwatervaren op de rivier de Kunene, aan de grens met Angola, aan te bevelen. Er wordt hier geraft tussen Ruacana en de Epupa-watervallen, een afstand van ongeveer 120 km.

Paardrijden

Door de vele boerengemeenschappen heeft Namibië een rijke traditie op het gebied van paardrijden. Bij veel lodges en boerderijen zijn dan ook paarden te huur. Vaak worden tijdens een tocht wilde dieren gespot, zoals spiesbokken en koedoes.

Een van de opwindendste en interessantste tochten is de Namib Desert Ride, die georganiseerd wordt door Reit Safaris en een goede indruk

karakoelschapen scherp daalden, zijn veel boeren hun boerderijen gaan aanbieden als uitvalsbasis voor jachtpartijen. Nog altijd trekken ze daarmee grote aantallen internationale bezoekers, vooral Duitsers en Amerikanen *(zie blz. 127)*. Gelukkig hanteert de Namibische Vereniging van Professionele Jagers een strenge ethische code. Alle jagers op trofeeën dienen in het gezelschap te zijn van een ervaren professionele jager of een geregistreerde gids.

Vissen

Vissen is een populair tijdverdrijf in Namibië. U hebt de keuze uit diepzeevissen en brandingvissen in de Atlantische Oceaan en vliegvissen in de zoete wateren van de noordelijke rivieren Zambe-

geeft van de uitgestrektheid en de veelzijdigheid van het Namibische landschap. Het is een negendaagse tocht van 400 km, die begint in de relatief groene hooglanden van het Khomas Hochland, afdaalt naar het droge landschap van de Namibwoestijn met zijn kiezelvlakten en zandduinen, en eindigt bij de kust.

Jagen

Jagen maakt deel uit van het dagelijkse leven van veel Namibische boeren, die regelmatig wild voor eigen gebruik afschieten. In de jaren tachtig van de vorige eeuw, toen de prijzen van rundvee en

Links: Een trektocht door de Fish River Canyon biedt een panorama van bergen, zee en lucht.
Boven: In afwachting van de wind.

ONDERWATERATTRACTIES

Voor duikers zijn de talloze scheepswrakken in de Atlantische Oceaan voor de Geraamtekust de grootste attractie. De beste duiklocaties bevinden zich tussen Lüderitz en het noordelijker gelegen Spencer Bay, waar het zicht onder water goed is (tussen de 3 en 10 m). De periode tussen december en mei leent zich het beste voor een duik. Voor informatie kunt u terecht bij de Namibian Underwater Federation (NUF) in Windhoek.

Verder kunnen ervaren grotduikers hun hart ophalen in twee ondergrondse meren in het binnenland van Namibië. In de pas in 1986 ontdekte Dragon's Breath Cave strekt zich het grootste ondergrondse meer ter wereld uit.

zi, Chobe, Kunene en Kwando of in de stuwmeren.

De beste locaties voor het brandingvissen bevinden zich langs de winderige Atlantische kustlijn tussen Swakopmund en de monding van de rivier de Ugab. Vanuit Swakopmund zijn er mogelijkheden om te gaan diepzeevissen. De lokale haaienvisserij behoort tot de beste ter wereld; er worden hier koperhaaien van wel 180 kg binnengebracht. Ook vissoorten als de steenbrasem, de kabeljauw, de *blacktail* en de witte stompneus worden regelmatig gevangen, maar hetgeen u aan de haak slaat is sterk afhankelijk van het soort aas dat u gebruikt. Goede keuzes zijn mestpieren en verse pelsers (grote sardines), die voor vrijwel elke vissoort geschikt zijn. Als u echter op galjoen

vist, kunt u beter witte mosselen (of ook mestpieren) gebruiken. Steenbrasems zijn verzot op garnalen, en kabeljauw (hier ook wel *kabeljou* genoemd) vindt witte mosselen een lekker hapje. Het visseizoen loopt van november tot maart.

Veel vliegvissers worden aangetrokken door de rivieren Chobe en Zambezi in de oostelijke Caprivistrook, omdat daar de ultieme uitdaging van de zoetwatervisserij huist: de tijgervis. Voor een serieuze zoektocht naar grote exemplaren - van meer dan 9 kg - gaat u in een boomstamkano *(mokoro)* naar een van de stroomversnellingen. Op vissers ingestelde lodges organiseren bootexcursies, compleet met gidsen en vistuig. Voor het vissen op tijgervis is de periode tussen augustus en december het geschiktst.

In de Namibische wateren komen 81 verschil-

lende soorten vis voor, waaronder brasem, barbeel, Afrikaanse snoek, meerval en *nembwe*. Een belangrijk deel van de aantrekkingskracht van de vissport in Namibië wordt bepaald door het prachtige vogelleven langs de rivieren en het wild dat naar het water komt.

Avontuur in de lucht
Dankzij de vrijwel perfecte atmosferische omstandigheden in Namibië is het land een populaire bestemming voor luchtsportenthousiastelingen.

Een ballonvaart over de Namibwoestijn bij zonsopgang, gevolgd door een traditioneel champagneontbijt, is een uitstekende manier om de uitgestrektheid en de leegte van de woestijn te ervaren. Een recreatievlucht over de Sossusvlei vanuit Swakopmund biedt een panoramisch uitzicht over het stroomgebied van de rivier de Kuiseb, de ster- en halvemaanvormige duinen die zich tot aan de horizon uitstrekken, de pan bij Sossusvlei en het wrak van de *Eduard Bohlen*, die hier in 1909 aan de grond liep.

Bitterwasser, dat ten zuidoosten van Windhoek nabij Uhlenhorst ligt, staat bekend om de uitstekende omstandigheden voor zweefvliegers. De lokale thermiek is een van de beste ter wereld. Rond Windhoek, de Brandberg en de kust wordt met ultralichte vliegtuigjes gevlogen. Het seizoen loopt doorgaans van oktober tot januari, wanneer de thermiek het gunstigst is.

Off the road
Het ruige landschap van Namibië heeft altijd al liefhebbers van terreinrijden getrokken, die zich in deze wildernis de koning te rijk voelen en graag hun krachten en de prestaties van de auto met de elementen willen meten. Door de toename van het aantal verenigingen trekken jammer genoeg steeds meer mensen naar de afgelegen gebieden, waar ze in hun enthousiasme niet altijd evenveel rekening houden met het milieu. Vooral de kiezelvlakten zijn kwetsbaar, omdat de sporen van de terreinwagens daar eeuwenlang kunnen blijven bestaan.

Er is een aantal officiële routes voor terreinwagens in Namibië. Zo kunt u bijvoorbeeld kiezen voor de Windhoek-Okahandja Trail, die langs verschillende boerderijen in het Khomas Hochland voert. Een andere mogelijkheid is de Dorsland Trail, die het Namibische gedeelte van de Dorsland Trek (vanuit Zuid-Afrika via Namibië naar Angola) uit 1878 volgt. Een derde optie is de Kalahari-Namib Trail, die in 1999 werd opengesteld. De routes zijn een uitdaging, maar beslist niet aan te bevelen voor mensen die geen ervaring hebben met terreinrijden in Afrika. ❑

Links: Veel afgelegen gebieden kunnen alleen maar met een terreinauto worden bereikt.

DE AVONDLUCHT

De sterrenhemel boven Namibië - en de rest van Afrika - behoort tot de mooiste ter wereld. Het lijkt wel alsof het hier Atlas zelf is die de sterren op zijn schouders draagt. Voor wie de Afrikaanse sterrenpracht voor het eerst ziet, is het een onvergetelijke ervaring.

De ligging van Namibië op de steenbokskeerkring betekent dat het snel donker wordt in het land. De sterren zijn dus vanaf kort na zonsondergang tot vlak voor zonsopkomst te zien. Aan de prachtige Namibische avond- en nachthemel, die gelukkig nog altijd gespeend blijven van luchtvervuiling, zijn met het blote oog sterren tot de zesde magnitude (een classificatie van helderheid) te onderscheiden. Op een heldere nacht zijn circa 2500 sterren en tot wel vijf planeten zichtbaar.

De melkweg, het sterrenstelsel waartoe ook onze zon behoort, omvat circa honderd miljard sterren, die als een wazige band aan de hemel staan. De Namibische Bosjesmannen noemen de melkweg de 'ruggengraat van de nacht'.

Ook een groot aantal sterrenbeelden is eenvoudig te herkennen. Met zijn drie sterren op één rechte lijn (de gordel) is Orion een van de meest karakteristieke. De helderste ster van Orion is de Betelgeuze, een rode reuzenster die ongeveer 300 tot 400 keer de diameter van de zon meet (die op zijn beurt 100 keer groter is dan de aarde). Het is een van de grootste bekende sterren.

Van november tot mei is het sterrenbeeld Stier duidelijk zichtbaar. Maagd is van maart tot augustus te zien, Waterman van augustus tot januari en Leeuw van februari tot juli. De helderste ster in het sterrenbeeld Leeuw is Regulus, een ster van de eerste magnitude. Van mei tot november is Schorpioen, het helderste sterrenbeeld van de dierenriem, te zien.

Sirius, de Hondsster, is de helderste ster aan de hemel en vormt een deel van de hondenkop van het sterrenbeeld Grote Hond. Het Zuiderkruis, dat genoemd is naar het figuur dat zijn vier helderste sterren maken, fungeert al sinds mensenheugenis als kompas voor de karavanen die door de woestijn trekken. De twee heldere sterren die in de richting van het Zuiderkruis lijken te wijzen, zijn de alfa (de helderste ster van een sterrenbeeld) en de bèta (de op een na helderste ster) van Centaur, waarvan de alfa het dichtst bij de aarde staat.

Ook sommige sterren van het noordelijk halfrond kunnen vanuit Namibië worden gezien: Capella (december-maart), Arcturus (juni-augustus) en Altaïr (juli-oktober). Verder zijn zo nu en dan de planeten Saturnus, Jupiter, Mars, Mercurius en Venus (de helderste van allemaal en daarom ook wel Ochtend- of Avondster genoemd) te zien, hoewel hun zichtbaarheid varieert omdat ze zich met verschillende snelheden en in verschillende banen door de ruimte bewegen. Op heldere avonden zijn tevens 'vallende sterren' en satellieten zichtbaar.

Met het blote oog zijn ook 'Messier-objecten' te onderscheiden, die genoemd zijn naar de Franse astronoom Charles Messier (1730-1817): clusters van sterren, nevels en melkwegstelsels als Hercules en Omega. Verder zijn soms de Magelhaense Wolken, twee sterrenstelsels die genoemd zijn naar de Portugese zeevaarder Fernão de Magalhães, te zien. De Grote Magelhaense Wolk is een cluster van circa vijf miljoen sterren

dat op bijna 160.000 lichtjaren van de aarde staat; de Kleine staat zelfs nog verder weg en omvat circa twee miljard sterren.

In februari 1986 kon in Namibië met het blote oog de komeet van Halley worden ontwaard, en gedurende een aantal maanden in 1997-1998 was de komeet Hale-Bopp duidelijk aan het firmament van zuidelijk Afrika te zien.

De grootste meteoriet die ooit in Namibië is gevonden, is de 55 ton zware 'Hoba', die genoemd werd naar de boerderij waarvan het land was waarop het gevaarte neerkwam.

De overweldigende afmetingen van de hemel boven Namibië lijken op het land te worden weerspiegeld, want zowel het firmament als de woestijn eronder strekt zich schijnbaar tot het oneindige uit. ❑

Rechts: De zuidelijke hemel.

OP SAFARI

Het spectaculaire landschap en de uitgestrekte natuurreservaten van Namibië maken een safari tot een unieke en gedenkwaardige belevenis.

De glinsterende witte zoutvlakten van de Etosha Pan, de abrikoos- en koraalkleurige duinen in de Namibwoestijn, de groene rivieren van de Caprivistrook, de verlaten en gebleekte stranden van de Geraamtekust, de woeste, terracottakleurige bergen in Damaraland, de okerkleurige rotspartijen van de Fish River Canyon en de wolkeloze, azuurblauwe lucht leveren allemaal een bijdrage aan het levendige totaalbeeld van het Namibische landschap, dat nog lang op uw netvlies gebrand zal blijven staan.

Het land is groot, ruig, wild en vaak kaal. Het gevoel van ruimte, oneindigheid en een altijd verre horizon is overweldigend. Namibië is een woestijnland van extremen, waar zelfs tijdens de wintermaanden - van april tot oktober - de temperatuur midden op de dag nog regelmatig tot 30° C oploopt en 's nachts tot dicht bij het vriespunt daalt.

Het observeren van wild tegen deze achtergrond is een heel andere ervaring dan die elders in Afrika wordt opgedaan. Wat Namibië vooral bijzonder maakt, is het aantal grote zoogdieren dat in het woestijnlandschap voorkomt en het gegeven dat de dieren niet alleen in bepaalde parken leven, maar ook in de 'vrije natuur' voorkomen. Vooral buiten de parken is het een fantastische ervaring om een woestijnolifant, een Hartmann-zebra of een zwarte neushoorn te spotten (de laatste laat zich overigens maar zelden zien).

Het beroemde Etosha National Park in het noorden van het land behoort tot de beste wildparken in Afrika en is het leefgebied van omvangrijke kudden van de inheemse zwartkopimpala. De clownesk ogende spiesbok (ook wel oryx of gemsbok genoemd) met zijn opvallende zwart met witte masker en degenachtige hoorns is een woestijnspecialist die zich vaak in de zandduinen ophoudt.

Dankzij een breed scala aan habitats is het Namibische vogelleven met 620 geregistreerde soorten verrassend gevarieerd. Roofvogels komen op grote schaal voor; een havik op een telefoonpaal langs de kant van de weg of een adelaar die op de middagthermiek zweeft is een vertrouwd gezicht. In de droge gebieden van Damaraland weerkaatst 's morgens vroeg in de dalen de kwakende roep van het Rüppell-korhoen en klinkt het gekrijs van langbekleeuweriken.

Ook de Namibische flora is intrigerend en vaak bizar, zoals de wonderlijke *Welwitschia mirabilis* (een ondergrondse 'boom' met 'dennenappels'), de olifantsvoet en de flessenboom (die zijn naam beslist eer aandoet).

Namibië is ook vanuit geologisch oogpunt een rijk land. Veel van zijn oude geschiedenis is goed

bewaard gebleven. Het land biedt pootafdrukken van dinosaurussen, fossiele resten van bomen en prachtige rotskunst uit de steentijd (de beroemdste locatie daarvan bevindt zich bij Twyfelfontein). Opvallend genoeg wonen de afstammelingen van deze eerste kunstenaars, de San (ook wel de Bosjesmannen genoemd), vandaag de dag nog altijd in de Kalahariwoestijn. Ook de andere inheemse bevolkingsgroepen, zoals de Himba-herders van het Kaokoveld, houden er nog altijd een traditionele levensstijl op na.

Een safari kiezen

Namibië heeft geen traditie op het gebied van safari zoals sommige andere landen in Afrika, maar is er wel in geslaagd een karakteristieke safaristijl te ontwikkelen. Deze stijl wordt gekenmerkt door

---

Links: Een toeristenkaravaan in de duinen nabij Swakopmund.
Rechts: Expeditie naar de 'Witte Kastelen' in de Hoarusib Canyon, Skeleton Coast National Park.

een goede organisatie en een breed scala aan mogelijkheden, variërend van goedkopere tochten met bussen en minibusjes waarbij een aantal vaste locaties wordt aangedaan, tot duurdere opties. Voorbeelden van de laatste zijn thema-excursies, kampeersafari's in het gezelschap van kundige gidsen, vliegsafari's met een piloot-gids, safari's met eigen vervoer of safari's per trein.

In combinatie met de activiteiten die in het vorige hoofdstuk de revue zijn gepasseerd, kan een Namibische safari worden toegesneden op de wensen en het budget van vrijwel elke bezoeker. In de koelere maanden oktober en november is een safari aangenamer voor uzelf, maar als u pasgeboren dieren of trekvogels wilt zien, zijn de zomermaanden de beste optie.

De excursies naar de vaste locaties omvatten doorgaans de populairste en toegankelijkste hoogtepunten van het land. Zo gaat er een tiendaagse tocht vanuit Windhoek naar de Sossusvlei, Swakopmund, Damaraland en het Etosha National Park, om vervolgens weer terug te keren naar Windhoek. Thema- en kampeersafari's bieden de flexibiliteit van het reizen via verschillende routes en in een wat lager tempo. Bij dit soort safari's hebt u de tijd om van het landschap te genieten en meer te weten te komen over de omgeving.

Als u van plan bent om naar de meer afgelegen gebieden te reizen, houd dan in gedachten dat zelfs de betere organisators niet de kampeerluxe bieden die in landen als Tanzania of Kenia veelal geboden wordt; logistiek gezien is het onprak-

DE NATIONALE PARKEN VAN NAMIBIË

Namibië biedt een grote verscheidenheid van twintig (nationale) parken en wildreservaten, die in grootte variëren van 25 ha (het Popa Falls Game Reserve) tot 50.000 km² (het Namib-Naukluft National Park).

Het bekendste en meest bezochte park is het Etosha National Park, dat in 1907 werd geopend en inmiddels 22.270 km² beslaat. In het park leven 114 soorten zoogdieren en 340 soorten vogels. De beste periode voor het spotten van wild is mei tot september. Dan hebt u de meeste kans om antilopen, olifanten, neushoorns, giraffen en leeuwen te zien.

Het uitgestrekte Namib-Naukluft National Park is een van de grootste wildreservaten van Afrika. Het biedt kiezelvlakten, woeste bergen (de Naukluft), rivierkloven, de zandduinen van de Namibwoestijn en de lagunes van Sandwich en Walvis.

Het Skeleton Coast National Park is een echte wildernis, die zich over een oppervlakte van 16.390 km² van de rivier de Ugab tot aan Angola uitstrekt.

De kleinere parken van Namibië zijn beslist niet minder bijzonder. De Fish River Canyon moet wat betreft het visuele spektakel alleen de Amerikaanse Grand Canyon voor zich dulden. In het Waterberg Plateau Park, dat speciaal voor bedreigde diersoorten is gecreëerd, leven onder andere de witte en de zwarte neushoorn en de paard- en sabelantilope.

tisch om met zoveel uitrusting te reizen, dus het kamperen is hier eerder comfortabel dan luxueus. Verwar mobiele tentenkampen (waar de tenten met u meereizen) echter niet met permanente kampen, want de laatste behoren tot de beste van Afrika. Verder zijn er in gebieden als Damaraland en het Kaoko-veld op sommige plekken nau-welijks wegen te ontdekken, dus in deze contreien is een safari al-leen geschikt voor avontuurlijk ingestelde mensen.

Vliegsafari's zijn ideaal voor mensen die in korte tijd veel willen zien. Een safari vanuit de lucht is een prachtige manier om de veelzijdig-

VEILIGHEID VOOROP

Als u op eigen gelegenheid op sa-fari gaat, houd u dan aan de maximumsnelheden, zelfs als er geen ander verkeer is. Te hard rij-den op grindwegen veroorzaakt veel ongelukken.

(CDW), de verzekering voor schade bij een aan-rijding, is van belang.

Namibië biedt een ruime keuze aan accommo-datie, van internationale hotels tot lodges, tentenkampen, gas-tenboerderijen, pensions, *rest camps* en campings. Bij het ma-ken van een keuze uit het aanbod ter plaatse dient u er rekening mee te houden dat de standaard meer gebaseerd is op de fysieke infrastructuur - het aantal kamers en de geboden faciliteiten - dan op de sfeer of de kwaliteit van de service.

Het eten dat in de diverse accommodaties wordt geserveerd, is doorgaans van een zeer ac-

heid van Namibië te bewonderen en bij helder weer de beste manier om de uitgestrektheid en de geologische complexiteit van het land te ervaren.

Een safari met eigen vervoer is eenvoudig te re-gelen, want het land beschikt over een uitstekend wegennet met goed onderhouden asfalt- en kie-zelwegen. In elke regio is toeristische informatie over de belangrijkste attracties ruimschoots voor-handen. Bij uw keuze voor een autoverhuurbe-drijf voor een safari loont het de moeite om de dekkingen van de verschillende vormen van ver-zekering aan een nauwkeurig onderzoek te onder-werpen. Vooral de *Collision Damage Waiver*

Links: De waterpoel bij *rest camp* Okaukuejo in het Etosha National Park.
Boven: Uitleg in het Etosha National Park.

ceptabel niveau, behalve misschien in een aantal van de *rest camps*. In de belangrijke centra zijn er uitstekende restaurants, waar gerechten met Na-mibisch rund, schaap, spiesbok, koedoe, struisvo-gel en sappige vis op tafel komen. Een specialiteit zijn de oesters uit Walvisbaai. Verder hebt u hier de keuze uit een brede selectie Zuid-Afrikaanse wijnen en in Namibië gebrouwen bieren.

Met de introductie van de Desert Express in 1998 is ook het treinvervoer voor toeristen tot ontwikkeling gekomen. De luxueuze trein rijdt tussen Windhoek en Swakopmund. Onderweg wordt verschillende keren gestopt, onder meer om een excursie te maken naar de Moon Valley in de Namibwoestijn om van de zonsopgang te ge-nieten. Andere treinen zijn de Shongololo Ex-press en de Rovos Rail. ❑

DE ROOFDIEREN

Katachtigen, hondachtigen, marterachtigen en tal van andere dieren blijven in leven door te jagen en te doden.

Ondanks het wrede regime dat de natuur in dit grotendeels droge land voert, weten de wilde dieren van Namibië nog altijd te overleven. In de 14 grote vegetatiegebieden hebben minstens 134 soorten wilde zoogdieren een eigen leefgebied, waar ze hun voedsel bijeengaren, hun territorium afbakenen en zich voortplanten. De meeste hebben zich op unieke en interessante wijze aangepast aan de droge en warme omstandigheden.

Naast alle leden van de Afrikaanse 'Big Five' (olifant, neushoorn, buffel, leeuw en luipaard) en andere bekende roofdieren zult u in Namibië zoogdieren aantreffen die alleen in dit land voorkomen.

Leeuwen en luipaarden

De **leeuw** *(Panthera leo)* is verreweg het grootste Afrikaanse roofdier: een volwassen mannetjesleeuw kan tot wel 240 kg wegen. Leeuwen onderscheiden zich van de andere katachtigen omdat ze in troepen leven die gezamenlijk op jacht gaan en ook een veel groter seksueel dimorfisme (verschillen tussen de mannetjes en de vrouwtjes) kennen.

Een troep bestaat uit een paar mannetjes die een verbond hebben gesloten - doorgaans twee of mogelijk zelfs drie broers die een territorium verdedigen - en verder uit tot wel 15 vrouwtjes die onderling verwant kunnen zijn en een aantal welpen. De vrouwtjes houden zich bezig met de jacht en komen thuis met prooidieren met soms wel de afmetingen van een buffel of met moeilijk te vangen dieren als een jonge olifant.

Net als andere grote katachtigen jagen leeuwinnen door hun prooi te besluipen en deze vervolgens achterna te sprinten. Omdat een leeuwin maar weinig uithoudingsvermogen heeft, is het belangrijk dat ze zo dicht mogelijk bij de beoogde prooi komt voordat ze uit haar dekking komt. Als de afstand te groot is, is de kans op succes tamelijk klein. Hoewel de leeuwinnen het werk doen, zijn het de mannetjes en de welpen die zich als eerste te goed doen aan het gedode prooidier.

Zo nu en dan trekken leeuwen in hun zoek-

Blz. 106-109: Steppenzebra's bij een waterpoel; struisvogels aan de rand van de woestijn.
Links: Een leeuw bewaakt een gedode giraffe.
Rechts: Een bruine hyena met het karkas van een haai op een strand langs de Geraamtekust.

tocht naar voedsel via de rivierdalen naar het Skeleton Coast National Park, waar ze in leven proberen te blijven door de kustlijn af te stropen en op zeehonden te jagen. Vaak worden ze doodgeschoten als ze het park weer verlaten.

Leeuwen kunnen uren achtereen uitrusten zonder ook maar een staart of poot te bewegen. Overdag valt er vaak alleen wat activiteit te bespeuren als u toevallig langs een aantal speelse

welpen of een parend stel komt. Na het invallen van de duisternis zijn leeuwen actiever. Een avondexcursie naar een waterpoel is een goede gelegenheid om de dieren te spotten.

De op een na grootste Afrikaanse katachtige is de **luipaard** *(Panthera pardus)*, die van neus tot staart circa 2 m meet. Een mannetjesluipaard weegt 60 kg of meer. Dit gespierde en solitair levende roofdier jaagt alleen 's nachts en is een van de geheimzinnigste katachtigen.

Luipaarden besluipen hun prooi in de duisternis en zetten pas op het laatste moment een sprint in. Om te voorkomen dat leeuwen of hyena's er met hun prooi vandoor gaan, slepen deze krachtige dieren hun voedsel een boom in om het daar in de schaduw van het dichte gebladerte op een tak te verbergen. Ook nemen de luipaarden hun prooi soms mee het ondoordringbare hoge gras in.

Wie in het Etosha National Park overdag een luipaard weet te spotten, heeft erg veel geluk. 's Avonds wordt geduld bij een waterpoel soms beloond met een luipaard die komt drinken. Kijk altijd goed in de bomen: een luipaard verraadt zijn aanwezigheid soms met zijn staart, die als een klokkentouw naar beneden hangt.

Zowel de luipaard als de derde grote katachtige, de **cheeta** of **jachtluipaard** *(Acinonyx jubatus)*, schroomt niet om vee van het land te roven en is daarom een doelwit van Namibische boeren. De dieren worden gevangen en doodgeschoten, wat vooral voor cheeta's een serieuze bedreiging is. De circa 2500 cheeta's in Namibië vormen weliswaar de grootste populatie van deze diersoort ter wereld, maar omdat ze zich voornamelijk rond boerderijen ophouden, komen ze constant in botsing met de mens.

De cheeta is het snelste landzoogdier. Eenmaal uit zijn dekking kan deze circa 50 kg zware kat over korte afstanden snelheden tot wel 100 km per uur bereiken.

Net als bij leeuwen verdedigt een bondgenootschap van broers het territorium. Ze trekken echter niet met de vrouwtjes op, behalve om met hen te paren, en bemoeien zich ook niet met het grootbrengen van de welpen. Het vrouwtje doet dit alleen. Ze beschermt en voedt haar kroost totdat de welpen bijna volgroeid zijn en geleerd hebben hoe ze zelf moeten jagen.

DE KLEINERE KATACHTIGEN VAN NAMIBIË

De lynxachtige **caracal** *(Felis caracal)* komt overal in Namibië voor, behalve in de kuststrook van de Namibwoestijn. Deze robuust gebouwde katachtige is meer dan 1 m lang, weegt circa 16 kg en varieert in kleur van zandbruin tot zilvergrijs. Karakteristiek zijn de oorwastjes en de vrij korte staart. De caracal is een solitair nachtdier en een bijzonder behendige jager, die zelfs opvliegende vogels weet te vangen. Hij eet voornamelijk loopvogels, maar ook zoogdieren die niet groter zijn dan een impala.

De **serval** *(Felis serval)* is vrijwel even groot als de caracal, maar tengerder. Het dier weegt slechts ongeveer 11 kg, heeft lange poten, een kleine kop, rechtopstaande oren en een mooie zwartgevlekte vacht met een goudgele grondkleur. De meeste servals leven in het noorden van Namibië. Ze jagen 's nachts, alleen of met z'n tweeën, en eten voornamelijk kleine zoogdieren. Maar ook een vogel of reptiel wordt niet versmaad.

De **Afrikaanse wilde kat** *(Felis lybica)* lijkt erg veel op onze eigen cyperse kat, maar heeft opvallende roodbruine oren. Het dier komt overal in het land voor, behalve in de kuststrook van de Namibwoestijn. Het voedt zich met zoogdieren die niet groter zijn dan een springhaas en verder met vogels, reptielen en ongewervelde dieren. Hoewel deze kat een nachtdier is, trekt hij overdag soms naar de rustigere waterpoelen van het Etosha National Park om op duiven te jagen.

Een cheeta legt grote afstanden af en heeft een extreem groot territorium, dat meestal geconcentreerd is rond een aantal 'speelbomen' waarop hij met zijn uitwerpselen en urine geursporen achterlaat.

Hyena's

De **gevlekte hyena** (*Crocuta crocuta*) is de op een na grootste carnivoor van Afrika. Het vervaarlijk uitziende dier meet 90 cm, weegt ongeveer 65 kg en heeft een krachtige voorhand en een imposante en gespierde kop. Zijn vacht is gevlekt en zijn staart is vrij kort. Hoewel hyena's vaak alleen, in twee- of in drietallen worden gezien, leven ze in grotere groepen die een territorium verdedigen.

De gevlekte hyena heeft de reputatie van aaseter, maar is zelf ook een bijzonder competent jager. Het dier beschikt over een groot uithoudingsvermogen en achtervolgt zijn prooien, waartoe bijvoorbeeld ook de gnoe behoort, vaak over lange afstanden. Hierbij wordt over het algemeen in groepsverband gewerkt. Verder steelt de hyena de prooi van andere roofdieren, waaronder solitaire leeuwen, en eet alle denkbare aas. Het dier maakt efficiënter gebruik van prooidie-

> ### EEN HELE KLUIF
>
> Met zijn sterke kaken kan de gevlekte hyena grote botten kraken, die een bron van voedzaam merg zijn. Zijn ontlasting is veelal wit, vanwege al het calcium in de botten van zijn prooi.

ren dan welke andere carnivoor ook. Gevlekte hyena's komen voornamelijk voor in het Etosha National Park en in de Caprivistrook.

De **bruine hyena** (*Hyaena brunnea*) is veel kleiner dan de gevlekte en weegt slechts circa 40 kg. Deze specialist in droge gebieden komt overal in de West-Namibische Namibwoestijn voor. Het dier heeft vrijwel dezelfde vorm als de gevlekte hyena, maar zijn lichaam is bedekt met lange licht- of donkerbruine haren. De bruine hyena is een nachtdier en jaagt alleen. Hij eet voornamelijk kleine zoogdieren, vogels, insecten, reptielen en wilde vruchten.

Vaak laat de bruine hyena duidelijke sporen achter, waaruit is op te maken welk traject het dier in de nacht heeft afgelegd. Ondanks zijn solitaire aard leeft deze hyena ook in groepen van mannetjes en vrouwtjes in een territorium.

De hondachtigen

De **Afrikaanse wilde hond** of **hyenahond** (*Lycaon pictus*) komt in het noordoosten van Namibië voor. Het is een zwerflustig dier, dat qua grootte te vergelijken is met onze Duitse herdershond. De vacht van korte haren vertoont zwarte, witte en goudgele vlekken. De Afrikaanse wilde hond leeft in een hechte troep van 10 tot 15 honden, die een bijzonder groot territorium van wel 2000 km² doorkruisen. De dieren leiden een nomadisch bestaan, tenzij ze puppy's grootbren-

Links: Een woestijngoudmol met een sprinkhaan.
Boven: Een leeuwin begluurt zebra's in het Etosha Park.

gen. De troep is een zeer gespecialiseerd en efficiënt team van jagers, dat zelfs op prooidieren ter grootte van een buffel jaagt.

De populatie van wilde honden is overal in Afrika aan het slinken. Het dier heeft te lijden onder dezelfde fatale ziekten als onze eigen honden (vooral hondenziekte en hondsdolheid), is vaak een verkeersslachtoffer en wordt zwaar bejaagd door boeren. Pogingen in het verleden om de honden in het Etosha National Park uit te zetten zijn jammer genoeg mislukt. Met een wereldpopulatie die geschat wordt op nog geen 5000 (exclusief de dieren die in dierentuinen in gevangenschap zitten) wordt de Afrikaanse wilde hond inmiddels als bedreigde diersoort beschouwd.

UITSTEKEND GEHOOR

De grootoorvos heeft een buitengewoon goed gehoor: het dier kan uiterst nauwkeurig termieten onder de grond lokaliseren, waarna het als een bezetene begint te graven.

Park. De dieren worden vaak gezien bij verlichte waterpoelen, maar ook rond de zeehondenkolonies langs de kust zijn grote aantallen jakhalzen te vinden. Daar lijden ze overigens van tijd tot tijd aan schurft. De jakhals is een omnivoor die insecten, kleine zoogdieren, vruchten en noten eet en vaak rond kampen aan het scharrelen is. Zijn schelle kreet is een van de karakteristieke geluiden van de Afrikaanse nacht.

De kleine **grootoorvos** *(Octocyon megalotis)* heeft een dikke vaalgrijze vacht, maar zijn poten en snoet en de punt van zijn dikke staart zijn zwart. Door zijn enorme ronde oren is

De zwarte rug en de dikke zwarte staart maken de **zadeljakhals** *(Canis mesomelas)* tot een onmiskenbare verschijning. De flanken en de lange poten zijn kastanjebruin en de oren zijn puntig. De jakhals heeft een schofthoogte (de hoogte gemeten van de grond tot het hoogste deel van de rug, veelal de schoudertoppen) van circa 38 cm en weegt ongeveer 8 kg. Het dier komt overal in het land voor, van de Namibwoestijn tot de Caprivistrook.

De zadeljakhals is de carnivoor die u tijdens uw bezoek aan Namibië waarschijnlijk het meest zult zien. Hij doorkruist alleen of met een 'maatje' nationale parken zoals het Etosha National

het dier uit duizenden te herkennen. De grootoorvos heeft lange klauwen aan zijn voorpoten, waarmee hij naar insecten graaft. Deze vormen zijn belangrijkste voedingsbron, maar hij haalt zijn neus ook niet op voor andere ongewervelde dieren, kleine zoogdieren, vogels en reptielen. Hoewel de grootoorvos zowel een nacht- als een dagdier is, wordt hij in de wintermaanden vaker overdag gezien omdat in de koude woestijnnachten de insecten inactief zijn.

De zilvergrijze **Kaapse vos** *(Vulpes chama)*, ook wel bekend als kamavos, is een kleine vos (3 kg) met een dikke, donkere staart. Dit nachtdier leeft doorgaans solitair en ligt gedurende de dag

Boven: De vertederende grootoorvos.
Rechts: Een honingdas kruipt uit zijn hol.

ergens in de schaduw of in een hol onder de grond. Het is een omnivoor, die zich voedt met kleine prooidieren en vruchten.

Net als sommige andere vossen slaat de Kaapse vos voedsel op een geheime plaats op. Mogelijk ziet u overdag een hongerig exemplaar dat een verborgen 'provisiekast' aan het blootleggen is. De vos bewoont de drogere streken van Namibië. Rond zonsondergang komen veel Kaapse vossen uit hun holen, soms alleen, maar soms ook met z'n tweeën.

Van otters tot bunzingen

In Namibië leven twee soorten otters. Beide zijn veroordeeld tot de Caprivistrook, omdat er elders in het land maar weinig permanente wateropper-

vlakten zijn. De grotere van de twee, de **Kaapse otter** *(Aonyx capensis)* met zijn karakteristieke witte kin, kan een lengte van 160 cm bereiken en 18 kg zwaar worden. Het is een typische otter met een dichte, donkerbruine vacht, een platte, gestroomlijnde kop en een brede, taps toelopende staart. De poten van het dier zijn elk van vijf tenen voorzien; de tenen aan de achterpoten hebben rudimentaire klauwen met zwemvliezen. De Kaapse otter kan voedsel met zijn poten naar zijn bek brengen. Hoewel het grootste deel van zijn dagelijkse kost uit waterdieren bestaat, eet hij ook tal van andere prooidieren, zoals insecten, reptielen en zelfs vogels.

De **vlekhalsotter** *(Hydrictis maculicollis)* is veel kleiner (1 m lang en 4,5 kg zwaar). Ook deze

otter is chocoladebruin, maar zijn hals en het bovenste gedeelte van zijn borst zijn witgevlekt. Net als bij de Kaapse otter hebben de achterpoten van de vlekhalsotter zwemvliezen. Bij deze soort zijn de klauwen echter wit.

De vlekhalsotter eet vaker waterdieren dan zijn Kaapse soortgenoot, omdat hij meer gebonden is aan het water. Bij het zwemmen ligt het dier laag in het water en als het onderduikt, komt de staart vaak omhoog.

De **honingdas** of **ratel** *(Mellivora capensis)* is wat groter en zwaarder dan de gewone das: 1 m lang en ongeveer 12 kg zwaar. Het dier is zwart en heeft een brede, zilvergrijze vachtstrook op zijn rug, die vanaf zijn kop naar het uiterste puntje van zijn staart loopt. Deze uiterlijke kenmerken zorgen ervoor dat het dier 's avonds een vrij spookachtige verschijning is: de zwarte poten en onderzijde zijn dan vrijwel onzichtbaar, waardoor de das lijkt te zweven.

De honingdas is bijzonder krachtig gebouwd en heeft lange, scherpe klauwen aan zijn voorpoten. Het is een nachtdier, dat doorgaans alleen of in koppels wordt gezien en zich voedt met kleine zoogdieren, ongewervelde dieren, vogels, reptielen, bijenlarven en honing. De stevige, dikke huid biedt een uitstekende bescherming, waardoor de das andere dieren in de wildernis onverschrokken en agressief benadert.

De **gestreepte bunzing** of **zorilla** *(Ictonyx striatus)* is net als de honingdas een nachtdier. Het dier heeft zwarte en witte strepen, weegt minder dan 1 kg en komt in heel Namibië voor.

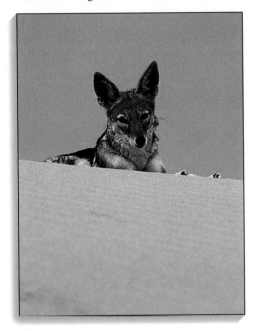

Als deze solitaire insecteneter in het nauw gedreven wordt, scheidt hij uit zelfverdediging een onaangename geur uit zijn anale klieren af. Mogelijk ziet u de gestreepte bunzing 's avonds langs de kant van de weg scharrelen, wanneer hij op zoek is naar voedsel.

Genetkatten en mangoesten

De Zuid-Afrikaanse **genetkat** *(Genetta felina)* weegt nog geen 2 kg. Zijn bruingele lichaam is bedekt met donkere vlekjes en zijn zwartgeringde staart heeft een witte punt. De genetkat komt overal in Namibië voor, behalve in de woestijngebieden, en jaagt op knaagdieren, kleine vogels, ongewervelde dieren en reptielen, maar ook vruchten zal hij niet versmaden. Dit solitaire dier jaagt alleen 's nachts en voelt zich het

meest thuis in een bosrijke omgeving, waar het bij dreigend gevaar in een boom kan klimmen.

Namibië telt diverse soorten mangoesten, waarvan de bekendste het **stokstaartje** of de **soerikate** *(Suricata suricatta)* is. Deze kleine mangoest weegt minder dan 1 kg en heeft een zilverachtige vacht met donkere strepen op de rug. Verder draagt het diertje een donker 'inbrekersmasker' en heeft het ronde oren aan weerszijden van zijn kop. Het stokstaartje is een dagdier en leeft met maximaal dertig soortgenoten in een hol met een groot aantal ingangen.

's Ochtends na het ontwaken nemen de stokstaartjes eerst wat tijd om op te warmen, waarbij ze op hun achterpoten in de zon gaan zitten. De groep gaat doorgaans gezamenlijk op zoek naar voedsel en jaagt op ongewervelde dieren en kleine reptielen. In het hol blijft een aantal 'babysitters' achter om op de jongen te letten en er worden wachtposten uitgezet om de rest van de groep te waarschuwen als er gevaar dreigt.

De **rode mierkat** *(Cynictis penicillata)* leeft soms zij aan zij met het iets grotere stokstaartje. Deze mangoest is bruingeel tot oranje en heeft een staart met een witte punt, die in het noorden van het land wat grijzer is. Ondanks het feit dat dit dagdier samenleeft met soortgenoten, gaat het solitair op zoek naar voedsel. De rode mierkat jaagt op kleine zoogdieren, ongewervelde dieren en soms ook op vogels. Het diertje wordt vaak gezien als het de weg oversteekt en ook wel eens bij de waterpoelen van het Etosha National Park. Hier deelt het soms een hol met grondeekhoorns.

Van de **rode ichneumon** *(Herpestes sanguinea)* vangt u vaak slechts een glimp op wanneer hij op zoek is naar dekking. Het ogenschijnlijk zwarte dier is in werkelijkheid roodbruin. Het heeft korte poten, een lang en lenig lichaam en een staart met een zwarte punt. De rode ichneumon is net als de rode mierkat een solitair dier, dat voornamelijk overdag op insecten jaagt en vaak wordt gezien als het de weg oversteekt.

Zowel de **zebramangoest** *(Mungos mungo,* met een gewicht van 1,4 kg) als de **dwergmangoest** *(Helogale parvula,* 250 g) leeft in groepen in het noorden van het land. De zebramangoest is grijs en heeft donkere strepen op zijn rug. Hij jaagt overdag en speurt vaak onder boomstammen naar ongewervelde dieren en wilde vruchten. Dwergmangoesten zijn zwart of heel donkerbruin en leven meestal in oude termietenheuvels. Net als veel andere soorten mangoesten voeden ze zich met ongewervelde dieren, reptielen en kleine zoogdieren. ❏

Links: Een zadeljakhals op een duin.
Rechts: Luipaarden laten zich overdag nauwelijks zien.

GRAZERS EN ANDERE HERBIVOREN

Tot de planteneters van Namibië behoren het grootste landzoogdier en
het langste dier ter wereld, knaagdierachtige dieren die verwant
zijn aan de zeekoe, en waterliefhebbers.

Ondanks de droogte van Namibië bieden de graslanden en struikgewassen voedsel voor een grote verscheidenheid aan herbivoren. Wildspotters beleven in Afrika waarschijnlijk het meeste plezier aan de **Afrikaanse olifant** *(Loxodonta africana)*. Vanwege zijn slurf, waarmee hij bijzonder bedreven is, zijn hoge intelligentieniveau, zijn ingewikkelde sociale structuur en zijn lange levensduur is dit het dier waartoe veel mensen zich aangetrokken voelen.

De olifant is het grootste landzoogdier. Een volwassen stier (mannetjesolifant) kan wel 6 ton wegen en een schofthoogte van 4 m hebben. Door op zijn achterpoten te gaan staan - iets wat maar zelden wordt gezien - kan een grote stier hoger reiken dan een giraffe. De grote oren zijn rijk aan bloedvaten en hebben dezelfde functie als een radiateur van een auto. Door zijn oren heen en weer te bewegen kan de olifant zijn lichaamstemperatuur aanzienlijk verlagen.

Met zijn slurf kan de olifant vrijwel alle delicate taken uitvoeren die een mens met zijn handen kan doen, maar ook voor zwaardere arbeid zoals het optillen van een boomstam of het afscheuren van boomschors is de slurf uitermate geschikt. Verder gebruikt de olifant zijn slurf om water op te zuigen en dat in zijn bek te spuiten of er zich mee te 'douchen'. Vrijwel alle Afrikaanse olifanten hebben slagtanden. Deze snijtanden bestaan geheel uit dentine (tandbeen) en blijven tot aan de dood van de olifant doorgroeien.

Olifanten leven in familiekudden die geleid worden door een oudere matriarch. Verder bestaat de kudde uit zussen, dochters, kleindochters en hun kroost. Mannetjesolifanten leven vaak solitair of in kudden zonder sociale structuur. Ze zijn doorgaans veel rustiger en daarom eenvoudiger te benaderen dan vrouwtjeskudden met kwetsbare kalveren. Alleen wanneer een mannetjesolifant paringsdrift heeft (een toestand die *musth* wordt genoemd en vergelijkbaar is met de bronstigheid van vrouwtjes), is hij vaak onvoorspelbaar. Stieren die in deze toestand verkeren, zijn meestal rond de vrouwtjeskudden te vinden, op zoek naar een ontvankelijk vrouwtje.

Olifanten eten vrijwel al het plantaardige voedsel dat ze kunnen vinden. Vaak houden de kudden zich rond het water op, waar ze zich te goed doen aan sappige waterplanten. Het spijsverteringsstelsel van olifanten is bijzonder inefficiënt, dus daarom moeten ze zo veel mogelijk voedsel naar binnen zien te proppen. Soms eten ze maar liefst 16 uur per dag. Verder drinken olifanten veel. Een stier drinkt 230 l water per dag en kan 100 l per drinkbeurt naar binnen slurpen.

Normaal gesproken zult u in het Etosha National Park wel olifanten spotten, vooral rond een van de vele waterpoelen. Wees echter ook in de Caprivistrook alert, want daar zou u wel eens een van de grote kudden kunnen tegenkomen waarom Botswana en Zimbabwe bekendstaan. In Damaraland en langs de Geraamtekust leven olifanten die zich hebben aangepast aan de omstandigheden in de woestijn. Ze zijn zo goed ingesteld op een bestaan in de woestijn, dat ze soms wel vier dagen zonder water kunnen.

Bedreigde kolos

Een ander groot zoogdier dat zich heeft aangepast aan de omstandigheden in de woestijn is de **zwarte neushoorn** *(Diceros bicornis)*, die een schofthoogte van 1,5 m heeft en een lichaamsgewicht

---

Blz. 118-119: Woestijnolifanten in Damaraland.
Links: Een kudde gemsbokken op de vlucht.
Rechts: Olifanten leven in familiekudden.

van maar liefst 1 ton kan bereiken. Het dier is grijs (en niet zwart, zoals de naam zou doen vermoeden) en heeft twee hoorns en trechtervormige oren. De hoorns zijn huiduitwassen die niet direct verbonden zijn met de schedel. De neushoorn is een planteneter, die met zijn bovenlip voedsel kan vastpakken om dat vervolgens met zijn voorkiezen van de struiken af te scheuren. De struiken die zich in zijn habitat bevinden, zijn vaak helemaal rond gegeten. De zwarte neushoorn is over het algemeen zeer kort aangebonden. De aanval is vaak zijn eerste instinct.

READ MY LIPS

De zwarte neushoorn is niet zwart, net zo min als de witte neushoorn wit is. De moderne zoöloog gebruikt liever de term 'puntlipneushoorn' voor de zwarte en 'breedlipneushoorn' voor de witte neushoorn.

gorokrater in Tanzania is het Etosha National Park de beste locatie ter wereld om zwarte neushoorns in het wild te zien. Ze worden vaak gespot bij de verlichte waterpoelen in de *rest camps*, maar soms ook bij het ochtendgloren of tijdens de schemering wanneer ze van de koelte gebruikmaken om zich van en naar het water te verplaatsen.

Zebra's en giraffen

De **Hartmann-zebra** (*Equus zebra hartmannae*), een ondersoort van de bergzebra, is inheems in Namibië en heeft het uitstekend naar zijn zin in een woestijnomgeving. Hij komt voornamelijk

In het verleden is er veel op neushoorns gejaagd. De hoorns van de dieren werden gebruikt bij de bereiding van traditionele Aziatische medicijnen, maar deden ook dienst als heft van Jeminitische dolken. Gelukkig is de laatstgenoemde handel in omvang afgenomen omdat er andere materialen in de mode zijn gekomen, maar het stropen op neushoorns gaat onverminderd voort. De populatie van zwarte neushoorns is wereldwijd teruggelopen tot ongeveer 2500 exemplaren.

In Namibië heeft het *Save The Rhino Trust Fund* projecten opgezet die het stropen moeten terugdringen. De neushoorns worden nauwlettend in de gaten gehouden en de lokale bevolking helpt een handje mee in de bescherming van de dieren door de hoorns af te snijden en daarmee de verleiding voor stropers weg te nemen. Na de Ngoron-

voor in het bergachtige achterland tussen de kustwoestijn en het plateau in het binnenland. Dit grote en lenige dier heeft een schofthoogte van 1,5 m en kan een lichaamsgewicht van 300 kg bereiken. Deze zebra heeft echter niet de karakteristieke 'schaduwstrepen' van de steppenzebra en houdt er een meer nomadische levensstijl op na. Als het voedsel in zijn leefomgeving schaars wordt, trekt hij naar een ander gebied.

De **steppenzebra** (*Equus burchelli*), ook bekend als de Burchell-zebra, is met zijn schofthoogte van 1,3 m wat kleiner, maar kan wel tot 315 kg wegen. De zwarte strepen zijn breder dan bij de Hartmann-zebra en ertussen lopen witte tot grijze 'schaduwstrepen', vooral op de flanken en de achterhand. Deze zebrasoort leeft in het noorden van Namibië en dan voornamelijk op met gras begroeide open terreinen in gebieden met veel bossen en struiken. De dieren komen in grote aantallen naar de waterpoelen in het Etosha National Park en in de Caprivistrook.

Het is onmogelijk om de **giraffe** *(Giraffa camelopardalis)* met enig ander dier in Namibië te verwarren. Het mannetje meet 5,5 m tot de top van zijn hoorns - en is daarmee het langste wezen op aarde - en kan tot wel 1200 kg wegen. Giraffen houden zich op in het noorden van het land, waar er voldoende savannebos is om in hun dagelijkse levensonderhoud te voorzien, maar ze worden ook wel op enige afstand van de bomen waargenomen.

TONGLENGTE

De zwarte tong van de giraffe is de langste van alle zoogdieren (45 cm) en flexibel genoeg om rond takjes te worden gekruld.

die een gewicht van 240 kg kan bereiken. Het bovenste gedeelte van zijn lichaam is bruingeel en zijn buik is wit. De delen worden gescheiden door een brede, zwarte streep. Verder heeft de spiesbok een zwarte streep op het midden van zijn rug en een zwarte staart. De karakteristieke kop is zwart met een breed wit masker en ook de neus is wit. Beide seksen hebben lange hoorns die in een V-vorm op de kop staan. De spiesbok heeft de woestijn als habitat en wordt soms ook op zandduinen gezien, met geen strookje groen in de buurt. In de woestijn komen alleen kleine groepen voor. In het Etosha National Park daarentegen vormen ze bij

Giraffen leven in kudden zonder sociale structuur en zijn vanwege hun enorme lengte in staat om over veel grotere afstanden dan andere zoogdieren visueel contact met elkaar te houden. In het Etosha National Park leven grote aantallen van deze dieren, maar ook in de Caprivistrook worden ze regelmatig gespot.

Antilopen en gazellen
De **spiesbok** of **oryx** *(Oryx gazella)* wordt ook vaak aangeduid met zijn Afrikaanse naam: **gemsbok**. Het is een zwaargebouwde antilope,

Links: Giraffen op de savanne in het regenseizoen.
Boven: De springbok is de meest voorkomende antilope in Namibië.

DROOG RANTSOEN

Net als veel andere Namibische woestijnbewoners is de spiesbok goed ingesteld op droge omstandigheden. Hoewel het dier vooral een grazer is, graaft het ook sappige wortels op en eet het wilde meloenen voor het vocht dat ze bevatten. De spiesbok graast 's nachts, wanneer de lagere temperaturen het watergehalte in de vegetatie doen stijgen (zelfs dood gras kan 's nachts 40 procent van zijn gewicht aan luchtvochtigheid opnemen). Verder maakt het dier gebruik van elke beschikbare waterbron, scheidt het een geconcentreerde urine af om zo veel mogelijk vocht te bewaren en kan zijn lichaamstemperatuur stijgen zonder dat dit leidt tot zweten. Kortom, de spiesbok kan overleven zonder te drinken.

de waterpoelen vrij grote kudden en daar komt het regelmatig tot een vechtpartij tussen de mannetjes.

De **springbok** *(Antidorcas marsupialis)* is een gazelle die zich in de woestijn ophoudt. Het dier bereikt een schofthoogte van 75 cm en weegt rond de 35 kg. De springbok heeft een kastanjebruine rug en een witte buik, waartussen een donkerbruine band loopt. De kop is grotendeels wit, met aan weerszijden een zwarte streep die door de ogen naar de bek loopt. De oren zijn lang en beide seksen hebben liervormige hoorns.

Springbokken eten zowel takjes en gebladerte als gras. Ze drinken alleen als er water voorhanden is, anders leven ze op het vocht dat in hun voedsel zit. In het Etosha National Park vormen

MOEDERS MOOISTE

Een bezoek aan Afrika is niet compleet zonder op zijn minst één **knobbelzwijn** *(Phacochoerus aethiopicus)* te hebben gezien. Dit grijze en borstelige dier weegt ongeveer 100 kg en heeft grote wratachtige uitwassen aan weerszijden van zijn kop. Bij een volwassen exemplaar ontwikkelen de hoektanden zich tot gebogen slagtanden.

Een groep knobbelzwijnen bestaat doorgaans uit enkele zeugen en hun jongen of uit alleenstaande vrijgezellen. Het zijn dagdieren, die zich voeden met gras en wortels. Ze grazen vaak geknield, maar draven bij het minste of geringste met omhoogstaande staartjes weg. De nacht brengen ze onder de grond door, vaak in het hol van een aardvarken.

ze vaak bijzonder grote kudden, die vooral op het heetst van de dag gespot kunnen worden. Op dat tijdstip zijn ze het minst actief en drommen ze samen in het kleine beetje schaduw dat de doornbomen te bieden hebben.

De goedgebouwde **grote koedoe** *(Tragalaphus strepsiceros)* heeft een schofthoogte van 1,4 m en bereikt een gewicht van wel 250 kg. Het dier heeft een geelbruine vacht met een paar verticale, gebroken witte strepen, een witte V-vormige tekening op de kop en grote, dooraderde oren. Het mannetje heeft twee spiraalvormige hoorns. Grote koedoes leven tussen de struiken en bosjes op de savanne en worden wel eens de grijze spoken van de wildernis genoemd omdat ze zich achter de kleinste bosjes kunnen verstoppen. Deze sierlijke dieren zijn zo atletisch dat ze een 2 m hoog hek met gemak kunnen bedwingen. Ze leven vaak in kleine groepen van maximaal twaalf dieren en zijn het actiefst op de koelere tijdstippen van de dag.

De **impala** *(Aepyceros melampus)* is een elegante, lichtgebouwde antilope, die zijn habitat in de Caprivistrook heeft. Hij heeft een schofthoogte van 90 cm en weegt circa 50 kg. Zijn roodbruine vacht kleurt naar reebruin op de flanken en wit op de buik, met een zwarte tekening rond de staart en op de hielen. Het mannetje heeft twee sierlijk gebogen, liervormige hoorns.

Een opvallende ondersoort, de **zwartkopimpala** *(Aepyceros melampus petersi)*, komt alleen rond het Etosha National Park voor. Dit dier is zwaarder en donkerder dan de gewone impala en heeft, zoals de naam al deed vermoeden, een zwarte bles op zijn kop.

Het **hartebeest** *(Alcelaphus buselaphus)*, een kastanjekleurige antilope met witachtige flanken, heeft een schofthoogte van 125 cm en weegt ongeveer 150 kg. Beide seksen hebben hoorns die eerst omhoog en daarna naar achteren groeien. Hartebeesten komen zowel in het noorden als in het oosten van Namibië voor. Ze houden zich liever op in tamelijk open gebieden dan in dichte vegetatie en laten zich regelmatig zien bij een van de waterpoelen aan de westkant van de Etosha Pan.

De **klipspringer** *(Oreotragus oreotragus)*, een bewoner van rotsachtige gebieden, is een kleine, gedrongen dwergantilope, die een schofthoogte van slechts 60 cm bereikt. Het dier loopt op de punten van zijn hoeven als een danser op zijn tenen. Dankzij deze tred kan de klipspringer zich sierlijk en met gemak binnen zijn habitat verplaatsen. Hij leeft doorgaans in koppels en wordt zo nu en dan gespot in de rivierkloven van het Namib-Naukluft National Park.

Een nog kleinere antilope, de **Kirk-dik-dik** *(Madoqua kirkii)*, is met een schofthoogte van slechts 38 cm niet groter dan de gemiddelde hond. Deze dwergantilope bereikt een lichaamsgewicht van circa 5 kg. Het geelgrijze dier heeft een kwastje haar op zijn kop, een lange, spitse snuit en grote klieren onder de ogen. De soort is inheems in Namibië en houdt zich op in de dichte struikgewassen van de centrale en noordelijke gebieden. De Kirk-dik-dik komt veel voor in het Etosha National Park, maar laat zich niet gemakkelijk spotten.

Eekhoorns en muizen

De **Afrikaanse grondeekhoorn** *(Xerus inauris)* is een vertrouwd gezicht in de meeste droge gebieden van Namibië. Zijn nieren behoren tot de efficiëntste van het dierenrijk,

NACHTELIJKE BEZOEKERS

Als u de nacht in het bos doorbrengt, let dan eens op of u boommuizen ziet. Deze nachtdieren houden zich doorgaans in de buurt van kampen op, maar worden vaak over het hoofd gezien.

mangoest een alert roofdier is dat een hekel heeft aan slangen en die ook onverschrokken zal aanvallen. Zo zorgt de eekhoorn voor onderdak voor de mangoest, die op zijn beurt indringers buiten de deur houdt.

De **boommuis** *(Thallomys paedulcus)* is een klein, grijsgeel knaagdier met een wit onderlichaam en donkere ringen rond de ogen. Een ander kenmerk is dat de staart van deze muis langer is dan zijn kop en lichaam samen. De boommuis houdt zich, zoals de naam al doet vermoeden, op in bomen en leeft in boomholten of verlaten vogelnesten. Hoewel deze muizen de voorkeur geven aan acaciabo-

want ze springen erg zuinig met water om. Hierdoor kan de eekhoorn zonder te drinken het droge seizoen, dat in de woestijn wel een jaar kan duren, overleven. Dit kleine grijze knaagdier heeft een dunne witte streep aan weerszijden van zijn lichaam en een pluimstaart die hij zo nodig als parasol tegen de zon kan gebruiken. Het leeft in kolonies van maximaal 30 andere eekhoorns en graaft legers die het soms met leden van de mangoestenfamilie deelt. Deze samenwerking heeft voordelen voor beide partijen: de vegetarische grondeekhoorn is een ondernemend type dat verslaafd is aan het graven van holen, terwijl de

Links: Grondeekhoorns leven in holen.
Boven: De timide Kirk-dik-dik is een van de kleinste antilopen ter wereld.

APENSTREKEN

De **Kaapse baviaan** *(Papio ursinus)* is een behendige primaat die behalve in de woestijn overal in Namibië voorkomt, op alle plekken waar drinkwater voorhanden is en er steile rotsen of hoge bomen zijn waar hij zich bij gevaar kan terugtrekken. Een mannetje weegt circa 32 kg en heeft krachtig gebouwde schouders; het vrouwtje is veel lichter en kleiner. De Kaapse baviaan leeft in groepen van wel honderd exemplaren, met aan het hoofd een dominant mannetje. Hij voedt zich voornamelijk met fruit, zaden, bladeren en bloemen. Verder graaft hij wortels en bollen op en is hij ook niet afkerig van insecten en andere ongewervelde dieren. Zelfs een knaagdier of vogel zal hij niet versmaden.

men, komen ze overal in de Namibische savanne-bossen voor.

De **Kaapse klipdas** *(Procavia capensis)* is een wonderlijk bruin dier dat lijkt op een groot exemplaar van een Guinees biggetje. Hij is ongeveer 60 cm lang en weegt zo'n 4 kg. Wetenschappers wisten zich geen raad met de classificatie van dit aparte diertje en hebben de Kaapse klipdas en zijn naaste verwanten uiteindelijk maar in een eigen orde ondergebracht, de *Hyracoidea*. De evolutionaire ontwikkeling van klipdassen is heel anders verlopen dan bij de knaagdieren waar ze op lijken. En hoe ongeloofwaardig het ook mag klinken,

MINUSCULE MUIS

Het kleinste knaagdier van Namibië is de **dwergwoestijnmuis** *(Mus indutus)*, die van kop tot staart slechts 10 cm meet en maar 6 g weegt.

hun naaste, nog levende familieleden zijn waarschijnlijk de olifant en de zeekoe.

Klipdassen leven in kolonies tussen de rotsen en voeden zich met allerlei vegetatie. U hebt goede kans klipdassen te spotten in de rotsachtige gebieden in het zuiden van Namibië, zoals rond de Hardap Dam. Wit uitgeslagen urinesporen op de rotsen zijn de overduidelijke sporen van de aanwezigheid van deze diertjes.

Liefhebbers van water

Een aantal Namibische zoogdieren komt alleen voor in de Caprivistrook. Veelal zijn dit dieren die behoefte hebben aan vochtigere omstandigheden dan elders in Namibië voorhanden is en die regelmatig de grens overtrekken naar de Okavango-delta in Botswana.

De grootste en opvallendste exponent van deze dieren is het **nijlpaard** *(Hippopotamus amphibius)*, een minstens 1,5 ton zware herbivoor. Hij brengt de dag half onder water door, bij voorkeur in rivieren en waterpoelen die zo diep zijn dat hij zich onder het wateroppervlak kan laten glijden zodra er gevaar dreigt. Nijlpaarden komen 's avonds het water uit om te grazen en keren bij het krieken van de dag weer terug naar het veilige water. Dominante stieren bakenen hun territorium af door hun ontlasting met krachtige zwiepen van hun staart te verspreiden. Nijlpaarden liggen in 'scholen' van ongeveer 12 of meer dieren in de rivieren van de Caprivistrook.

De **Kaapse** of **kafferbuffel** *(Synceros caffer)* is een groot zwart dier dat lijkt op een os en waarvan vooral het mannetje indrukwekkende hoorns heeft. De Kaapse buffel weegt ongeveer 750 kg en heeft veel gras, schaduw en water nodig om te kunnen overleven. Het dier leeft in grote kudden van soms wel een paar honderd exemplaren. Kaapse buffels blijven overdag in de schaduw en trekken bij het ochtendgloren en tijdens de schemering van en naar het water. Ze vinden het heerlijk om zich in het water te wentelen, vooral de oude mannetjes. De laatste leven vaak solitair en zijn berucht vanwege hun blinde aanvallen als ze per ongeluk worden gestoord.

De **lechwe** of **litschie-waterbok** *(Kobus leche)* komt alleen bij de Okavango en de omliggende gebieden voor. Deze kastanjekleurige antilope is gek op water, bereikt een schofthoogte van circa 1 m en weegt ongeveer 100 kg. Het mannetje heeft sierlijke, liervormige hoorns, maar kan nog beter herkend worden aan zijn verlengde hoeven, waarmee hij goed uit de voeten kan in modderige gebieden. De lechwe ligt overdag meestal op een droge ondergrond te rusten, maar zoekt zijn voedsel in ondiep water. Bij gevaar zal hij ook altijd het water in vluchten.

Een nog grotere waterspecialist is de **sitatoenga** of **moerasantilope** *(Tragelaphus spekei)*. Hij is wat groter dan de lechwe en houdt zich in nagenoeg hetzelfde geografische gebied op. Dit dier heeft een ruige, bruinachtige vacht met witte tekeningen op de snuit, de nek, de borst en de poten. Het mannetje heeft spiraalvormige hoorns.

De sitatoenga is van alle antilopen het meest op het water gericht. Meestal houdt hij zich op in water van maximaal 1 m diepte, te midden van dichte rietkragen. Met zijn wijd gespleten hoeven stampt hij het riet en andere vegetatie plat om een rustplaats te creëren. ❑

Links: Nijlpaarden zijn de hele dag in het water te vinden.

VERANTWOORDE JACHT

Sinds het begin van de jaren zeventig van de vorige eeuw is Namibië de belangrijkste jachtbestemming van Afrika, vooral voor Duitsers. De Vereniging van Professionele Jagers, waarbij vrijwel elke professionele jager of jachtgids van Namibië is aangesloten, stelt alles in het werk om de hoge ethische standaard en de eerlijke jachttechnieken te handhaven.

Meer dan 90 procent van het wild dat jaarlijks wordt gedood, komt voor rekening van de plaatselijke bevolking. Het vlees is voor eigen gebruik of wordt verkocht. De andere 10 procent wordt gedood door trofeeënjagers uit het buitenland. Er zijn circa 300 jachtboerderijen met vergunning in Namibië, die doorgaans over meer dan 5000 ha jachtterrein beschikken. De wildstand, de eisen waaraan de accommodatie dient te voldoen en de jachtreglementen zijn wettelijk geregeld. Buiten deze boerderijen mogen bezoekers alleen wild doden als ze in het gezelschap van een professionele jager zijn. Voor beide jachttypen hebt u een vergunning van de staat nodig, die vergezeld gaat van een catalogus van de diersoorten die u mag schieten. In de officiële documenten staan ook de voorwaarden voor de export van de trofeeën.

De jachtboerderijen zijn de ruggengraat van de jacht in Namibië. De gast verblijft op het land van de boer en zijn familie. Bij het ochtendgloren gaat men in open jeeps op zoek naar wild. Als het dier eenmaal gespot is, gaat de jacht te voet verder; deze kan minuten, uren of zelfs de hele dag duren en is afhankelijk van de wensen en het uithoudingsvermogen van de gast en de kansen op een goed resultaat. Tussen de middag gaat men vaak terug naar de boerderij om te lunchen of wordt er wat in de wildernis gegeten. Nadat op het heetst van de dag een siësta gehouden is - een tijdstip waarop ook het wild zich in de schaduw terugtrekt - gaat de jacht soms nog tot zonsondergang door.

Een safari annex jacht staat onder leiding van een professionele jager, die wordt bijgestaan door lokale assistenten. Het grote voordeel van een dergelijke safari is dat de jager zijn gasten mag begeleiden naar gebieden die geen deel uitmaken van een geregistreerde boerderij. De uitvalsbasis voor de jacht is vaak een permanent basiskamp. Wie van wat meer avontuur houdt, kan bij sommige organisaties een *adventure trip* boeken. Hierbij slaapt u in tenten of rond een kampvuur onder de sterrenhemel, te midden van het jachtterrein: een onvergetelijke belevenis!

Rechts: Een spiesbok is een indrukwekkende trofee.

Het jachtseizoen voor buitenlandse jagers loopt van februari tot eind november. In het regenseizoen (februari tot april) en een poosje daarna is het land weliswaar mooi groen, maar het is dan moeilijker om dieren op te sporen. Rond augustus begint de fauna uit te dunnen en te verdrogen.

Door de onvoorspelbaarheid van de regen en door de regionale verschillen varieert de wildpopulatie in de diverse jachtgebieden aanzienlijk. Een boerderij die normaal gesproken rijk is aan wild, kan na een droog jaar vrijwel alle dieren zien vertrekken. Het is dus belangrijk om actuele informatie in te winnen als u van plan bent om een jachtexcursie te gaan maken. Op boerderijen die omheind zijn of bij safari-organisaties die een

jachtvergunning voor heel Namibië hebben, is dit minder belangrijk.

De invoer van wapens (geen volautomatische) levert niet al te veel problemen op: bij binnenkomst van Namibië geeft u deze aan bij de douane of de politie, waarna u een wapenvergunning voor een bepaalde periode verleend wordt. Bij het verlaten van het land geeft u de wapens weer aan bij de douane en de vergunning wordt ingetrokken.

De prijzen van een dagje jagen, de accommodatie, de gidsen en het vervoer en de tarieven voor de geschoten dieren worden jaarlijks door de Vereniging van Professionele Jagers vastgesteld. Hoewel de prijzen de laatste jaren steeds gestegen zijn, behoren ze nog altijd tot de laagste van Afrika. ❑

DE VOGELS

Van de kust tot de droge woestijn en van de savanne tot de rivierbossen: het gevarieerde landschap biedt een grote verscheidenheid aan vogels.

De verscheidenheid aan habitats in Namibië wordt weerspiegeld in het aantal vogels dat hier te vinden is. Tot op heden zijn 620 van de 887 in zuidelijk Afrika geregistreerde vogelsoorten hier waargenomen. Ongeveer 500 soorten hiervan broeden ook in Namibië, de rest bestaat uit trekvogels.

De habitats langs de kust bestaan onder andere uit rots- en zandkusten, lagunes en zouttuinen (de laatste zijn in alle grote kustplaatsen van Namibië te vinden en hebben een groot effect op de lokale vogelpopulatie). Deze leefgebieden trekken een aantal opvallende vogels. Zo vindt u hier bijvoorbeeld de **witte pelikaan** *(Pelecanus onocrotalus)*, die een vertrouwd gezicht langs deze kustlijn is, maar ook de **gewone** (of **roze**) en de **kleine flamingo** *(Phoenicopterus ruber roseus* en *Phoeniconaias minor)*, die hier in zeer grote aantallen voorkomen. Soms kan het sonore gegak de hele nacht door worden gehoord; het getijde noopt de flamingo's dan tot een nachtelijke zoektocht naar voedsel.

Wie in deze kustgebieden vogels gaat observeren, kan ook rekenen op grote vluchten **aalscholvers** (vier soorten) en **Kaapse genten** voor de kust. Dichter bij de kust worden enthousiastelingen vaak getrakteerd op diverse soorten sternen en meeuwen, waarvan de **Dominicaner meeuw** *(Larus dominicanus)* en de **Hartlaubmeeuw** *(Larus hartlaubii)* de meest voorkomende zijn.

Een van de interessantste vogels die langs de Namibische kust voorkomen is de kleine **Damara-stern** *(Sterna balaenarum)*, waarvan er wereldwijd slechts ongeveer 7000 exemplaren zijn. 's Zomers nestelt hij langs de kust en in de herfst trekt hij noordwaarts naar Nigeria. Het nest bestaat uit een ondiepe holte ergens op de kiezelvlakten van de woestijn, doorgaans een paar kilometer landinwaarts. De Damara-stern legt maar één ei. Korte tijd na het uitkomen verlaat het jonge vogeltje het nest al, mogelijk om roofdieren als de hier veelvoorkomende zadeljakhals geen kans te geven. De ouders en hun kroost houden via hun roep contact met elkaar. De belangrijkste bedreiging van de Damara-

stern zijn de vele onbezonnen terreinwagenchauffeurs, die de eieren met hun auto's vermorzelen.

Vlak bij de kust worden zo nu en dan ook **zwartvoet-** of **brilpinguïns** *(Spheniscus demersus)* gezien, maar deze prachtige vogels foerageren het liefst op zee en broeden op de eilanden voor de kust. Hun roep lijkt op het balken van een ezel.

Woestijnhabitats

De kiezelvlakten ten noorden van de rivier de Kuiseb en de zandduinen ten zuiden ervan vormen het leefgebied van een kleine, maar karakteristieke populatie vogels. De opvallendste van deze vogels is de grootste vogel ter wereld, de **struisvogel** *(Struthio camelus)*, die zelfs in de onvruchtbaarste habitats in grote aantallen voorkomt. Vaak zult u ze vanuit de verte sierlijk door de woestijn zien rennen. Struisvogels leven doorgaans in koppels of in groepen en soms houden ze ook toezicht op een grote crèche jonge vogels.

Een even gedenkwaardige belevenis is een ontmoeting met het **Nama-zandhoen** *(Pterocles namaqua)*, ook al is hij veel kleiner dan de struisvogel. Dagelijks strijken enorme zwermen

---

Blz. 128-129: Een enorme zwerm kleine flamingo's in de Etosha Pan.
Links: De opvallende goochelaar.
Rechts: Het prachtige verenkleed van de roodbuikklauwier.

van deze hoendersoort neer bij de verschillende waterpoelen in de woestijn: een werkelijk spectaculair gezicht. De kleine vogel is verwant aan de duif, maar heeft een langere staart en prachtige lichtbruine spikkeltjes.

Tot de andere vogels die in deze gebieden voorkomen, behoren ook de statige trappen en korhoenders. In het Etosha National Park wordt regelmatig de **reuzen-** of **koritrap** *(Ardeotis kori)* gespot, die de zwaarste vliegende vogel ter wereld zou zijn. Echt happig is deze vogel er echter niet op om het luchtruim te kiezen, tenzij er acuut gevaar dreigt. In het broedseizoen vertoont het mannetje een bijzonder baltsgedrag (voortplantingsgedrag). Het blaast zijn keel op om de witte nekveren uit te zetten, richt zijn staart op langs zijn rug en laat een diep *'oem-oem-oem'* horen.

Het **Rüppell-korhoen** *(Eupodotis rueppellii)*, dat vrijwel uitsluitend in de Namibwoestijn voorkomt, heeft vanwege zijn wonderlijke, kwakende roep de bijnaam 'woestijnkikker' gekregen.

Ook een aantal roofvogels - waaronder het prachtige **roodkopsmelleken** *(Falco chicquera),* een vogeltje dat tot de familie van de valken behoort - doet dit gebied aan. Verder is dit een habitat voor verschillende soorten leeuweriken, gorzen en tapuiten, die vooral voor hartstochtelijke vogelaars interessant zijn omdat veel van deze vogels zich bijzonder hebben ontwikkeld en ook maar weinig voorkomen.

VOCHTTRANSPORTEUR

Het Nama-zandhoen heeft zich goed aangepast aan de droge omstandigheden, want de vogel heeft een methode ontwikkeld waardoor hij water voor zijn jongen kan bunkeren en dat over grote afstand kan vervoeren (het zandhoen haalt maar weinig vocht uit zijn gebruikelijke voedsel van droge zaden).

De borstveren van een volwassen zandhoen kunnen vocht absorberen en vasthouden. De vogel vliegt 's ochtends vroeg naar een waterpoel en steekt daar zijn borst in het water. Met zijn lading kostbaar vocht vliegt hij daarna terug naar zijn nest, waarvoor hij soms wel 50 km moet overbruggen. De jonge vogeltjes drinken het vocht door aan de borstveren van de ouder te sabbelen.

De halfwoestijn

Er zijn 15 soorten vogels die inheems of nagenoeg inheems zijn in Namibië ('inheemse soorten' komen nergens anders ter wereld voor, terwijl van de 'nagenoeg inheemse soorten' 80 procent van de geregistreerde vogels binnen de grenzen van één land voorkomt). Een belangrijk gebied voor de inheemse vogels van Namibië is de overgangszone tussen de woestijn en de droge savannen.

Een van de vogels die hier voorkomen is een klein, groen met roze lid van de papegaaienfamilie dat populair is bij liefhebbers van kooivogels: de **perzikkopdwergpapegaai** *(Agapornis roseicollis),* die door de Engelsen ook wel *lovebird* wordt genoemd. Deze papegaai leeft over het algemeen in kleine en tamelijk luidruchtige groepen, die zich nooit al te ver van het water begeven. De vogeltjes moeten namelijk regelmatig hun vochtbalans op peil houden.

Kijk ook uit naar de **witstaartklauwier** (*Lanioturdus torquatus*), een opvallend en zelfverzekerd harlekijntje, en de **roodstuitrotszanger** (*Achaetops pycnopygius*), een klein, bruin vogeltje met een prachtige melodieuze roep dat als een muisje rond rotspartijen scharrelt en bij het minste of geringste dekking zoekt in het hoge gras. Andere vogelsoorten die u hier kunt tegenkomen zijn onder an-

GOOCHELAAR

Een van de opvallendste roofvogels die in de halfwoestijn voorkomen is de **goochelaar** *(Terathopius ecaudatus)*. De vogel heeft de kortste staart van alle arenden en slingert daarom tijdens het vliegen heen en weer. Aan deze acrobatische toeren dankt hij ook zijn naam.

wordt gedomineerd door acacia's. Een van de opvallendste vogelsoorten die in deze streken voorkomen is de **republikeinwever** (*Philetairus socius*). Deze soort is vooral interessant omdat de vogels gemeenschappelijke nesten maken. De enorme bouwwerken worden gemaakt van takjes en hebben de vorm van een koepel. Als het omhulsel klaar is, worden de gaatjes met stro gedicht en worden er aparte ruimten in het gemeenschappelijke nest gemaakt. Tijdens uw bezoek aan Namibië zult u deze nesten regelmatig zien; ze zijn op brede takken van

dere de **bergfrankolijn** (*Francolinus hartlaubi*), die zich vaak in kleine groepen op de rotsen ophoudt, de **Damara-gierzwaluw** (*Apus bradfieldi*), de **Damara-kakelaar** (*Phoeniculus damarensis*) - die zijn naam beslist eer aandoet - en de kleine **Herero-tapuit** (*Namibornis herero*).

De droge savanne
Een aantal vegetatiegebieden in de zuidelijke Kalahari, de centrale hooglanden en het centrale noorden - tot het Etosha National Park aan toe -

stevige bomen of zelfs op telefoonpalen gebouwd. Sommige van de nesten zijn al wel honderd jaar doorlopend in gebruik.

Deze nesten kunnen ook krakers trekken. Andere vogelsoorten die van de bouwwerken gebruikmaken zijn bijvoorbeeld de perzikkopdwergpapegaai en de kleine, grijze **Afrikaanse halsbandvalk** (*Polihierax semitorquatus*). Als de laatste het nest bewoont, zijn de ingangen bedekt met witte uitwerpselen.

Telefoonpalen zijn ook een favoriete stek van de **zanghavik** (*Melierax canorus*), een lichtgrijze vogel met lange, oranje poten en een oranje bovensnavel. Zanghaviken gebruiken de telefoonpalen als uitkijkpunt voor de jacht.

Kijk ook uit naar de prachtig gekleurde **roodbuikklauwier** (*Laniarius atrococcineus*). Deze

---

Links: Aan de kust leven veel witte pelikanen.
Boven: De vechtarend, een van de grootste roofvogels.
Rechtsboven: Sint-helenafazantjes.

vogel heeft een zwart met witte bovenzijde en een onwaarschijnlijk scharlakenrode borst (er bestaan ook klauwieren met een boterbloemgele borst, maar die worden maar zeer zelden gespot). Een al even opvallende verschijning is de sierlijke **granaatastrild** *(Uraeginthus granatinus)* met zijn violette vlekken aan weerszijden van de kop.

Andere gevederde bewoners van deze streken zijn het **helmparelhoen** *(Numida meleagris)*, een luidruchtige grijze vogel met een blauw gezicht en een rode kap die in groepen leeft waarvan de vogels komisch genoeg in één lange rij achter elkaar aan vliegen, en de betoverende **vorkstaart-** *(Coracias caudata)* en **witnekscharrelaar** *(Coracias naevia)*. De eerste trekt meer aandacht dan

bied kunt u een aantal interessante roofvogels spotten, van de **shikra** *(Accipiter badius)* tot zijn soortgenoten de **gabarhavik** *(Micronisus gabar)* en de **donkere zanghavik** *(Melierax metabates)*.

Verder vindt u hier **ijsvogels**, waaronder de **Senegalese ijsvogel** *(Halcyon senegalensis)* en de **grijskopijsvogel** *(Halcyon leucocephala)*; de vleugels van de laatste zijn tijdens de vlucht net zo prachtig van kleur als die van de Europese ijsvogel. Vaak zult u compleet overrompeld zijn door hun aanwezigheid in dit waterloze gebied.

In bosrijke gebieden vertrouwen vogels vaak blindelings op hun roep om soortgenoten te lokaliseren. Sommige vogels in deze droge bossen hebben een bijzonder mooie roep, zoals bijvoor-

zijn wat meer teruggetrokken levende soortgenoot, maar beide voeren spectaculaire, acrobatische en luidruchtige vluchten uit.

In deze gebieden komen ook veel **tokken** voor, waaronder de **grijze tok** *(Tockus nasutus)*, de **roodsnaveltok** *(Tockus erythrorhynchus)*, de **geelsnaveltok** *(Tockus flavirostris)* en de **Monteiro-tok** *(Tockus monteiri)*. Al deze vogels hebben een lange, zware en gekromde snavel, die bij sommige (zoals de grijze tok) van een helm is voorzien.

De droge bossen

Het noordoosten van Namibië vormt een van de kleinste habitats van het land, maar biedt wel vele grote en spectaculaire loofbomen die op een diepe ondergrond van zand groeien. In dit ge-

SCHUILPLAATS VAN DE TOK

Tokken hebben aparte nestelgewoonten. Het vrouwtje legt haar eieren in een boomholte en sluit zichzelf daarna op het nest op achter een mengsel van modder en twijgjes dat ze met speeksel aan elkaar kleeft - waarschijnlijk om tijdens het broeden de maximale veiligheid te garanderen. In die periode moet ze volledig vertrouwen op het mannetje, dat haar door een smalle spleet voedsel aanreikt. Tijdens het broeden verliest ze alle veren van haar vleugels en staart.

Nadat de eieren zijn uitgekomen, verlaat het vrouwtje het nest. De jongen repareren het gat en blijven opgesloten tot ze kunnen vliegen. Het vrouwtje en het mannetje brengen de jonge vogels samen groot.

beeld de melodieuze fluittonen van de **Afrikaanse wielewaal** *(Oriolus auratus)* en de **maskerwielewaal** *(Oriolus larvatus)* en het muzikale gekwetter van de **oranje bosklauwier** *(Telephorus sulfureopectus)*.

De rivierbossen
De wetlands in de binnenlanden van Namibië bestaan uit een verscheidenheid aan systemen, variërend van rivieren die permanent stromen tot waterwegen die periodiek opdrogen en van grote, door de mens aangelegde stuwmeren tot bekkens waar kortstondig water in staat en kleine bronnen. De ri

de **Knysna-toerako** *(Tauraco corythaix)*, de **Kaapse** of **bruinnekpapegaai** *(Poicephalus robustus)* en de **zwarthalsbaardvogel** *(Lybius torquatus)*, en een aantal aantrekkelijk getekende insecteneters als de **roodkaplawaaimaker** *(Cossypha natalensis)*, de **moerasfiscaal** *(Laniarius bicolor)*, de **spookklauwier** *(Malaconotus blanchoti)* en de spectaculaire, rood met groene **narinatrogon** *(Apaloderma narina)* met zijn krassende roep.

Een andere opvallende vogel is de prachtige **Afrikaanse schaarbek** *(Rynchops flavirostris)*, een grote, sternachtige vogel met een donker

vierbossen vormen het overgangsgebied naar de tropische oostelijke gebieden, waar meer regen valt.

In dit watergebied zijn talloze grote en goed zichtbare vogels te vinden: kolossen als de **reuzenreiger** *(Ardea goliath)*, kleinere, maar prachtig gevederde reigers zoals de **grote zilverreiger** *(Egretta alba)* en wonderlijk uitziende exemplaren als de **hamerkopvogel** *(Scopus umbretta)*, die als nest een soort hooiberg van 2 m doorsnede bouwt.

Voor de rivierbossen karakteristieke vogels zijn onder andere felgekleurde vruchteneters als

bruine bovenzijde, een witte onderzijde en een grote oranjerode snavel. De schaarbek vliegt vaak laag over het water, met langzame en ontspannen vleugelslagen.

Wie geluk heeft, krijgt tijdens een observatie de fantastische **Afrikaanse visuil** *(Scotopelia peli)* in het vizier. Deze vriendelijk ogende reus voedt zich met vis en krabben, maar is ook niet vies van kleine zoogdieren. Kijk in de buurt van rivieren goed in de bomen of u er misschien een ziet zitten.

Dit overzicht zou niet compleet zijn zonder ook de **Afrikaanse zeearend** *(Haliaeetus vocifer)* te noemen. Deze vogel komt in heel zuidelijk Afrika voor in de omgeving van water. De spookachtige schreeuw van de zeearend is karakteristiek voor de hele regio. ❑

Links: Een perzikkop-dwergpapegaai.
Boven: Deze Kaapse papegaai heeft zich net tegoed gedaan aan een clementine.

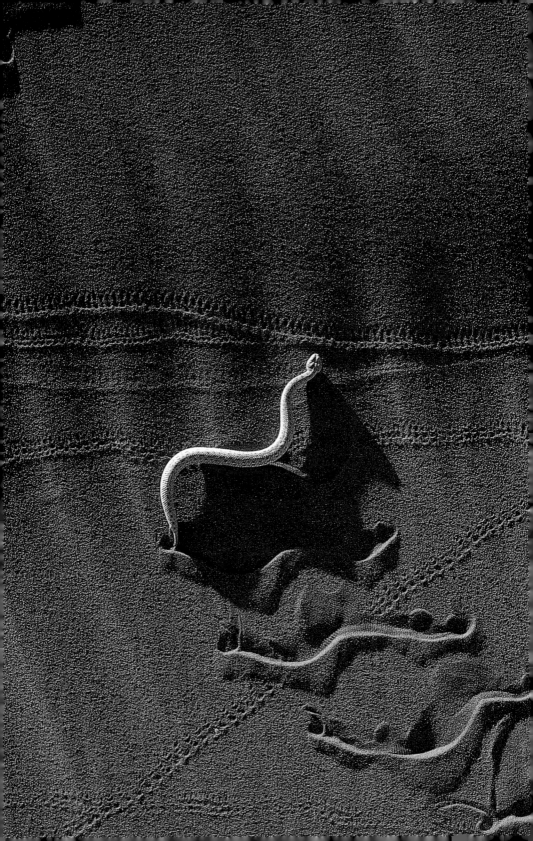

AMFIBIEËN EN REPTIELEN

Van grote krokodillen tot kleine zandkikkers en van opvallende schildpadden tot giftige slangen: Namibië heeft geen gebrek aan koudbloedige inwoners.

De grote verschillen in hoogte, de geomorfologie (de wijze waarop bepaalde vormen van de aardbodem zijn ontstaan), de regenval en de gevarieerde vegetatie als gevolg van deze omstandigheden worden weerspiegeld in de diversiteit van de reptielen en amfibieën in Namibië. In de Kunene en de Okavango, de noordelijke grensrivieren, komen diersoorten voor die normaal gesproken geassocieerd worden met de tropen. Een van die dieren is de indrukwekkende **nijlkrokodil** *(Crocodylus niloticus)*, die zich in zijn jonge jaren voornamelijk voedt met vis, maar daarna zijn aandacht richt op de grote zoogdieren. Een grote nijlkrokodil kan wel 6,5 m lang worden en een lichaamsgewicht van 1 ton bereiken.

De **nijlvaraan** *(Varanus niloticus)* is met een lengte van 2 m de grootste Afrikaanse hagedis. De varaan heeft veelal dezelfde habitat als de nijlkrokodil en staat erom bekend het nest van de krokodil op te graven en zich te goed te doen aan de eieren. De **Afrikaanse drieklauw** *(Trionyx triunguis)*, een schildpad, komt voor in de rivier de Kunene, en **soepschildpadden** *(Chelonia mydas)* verzamelen zich in het warme water van de riviermonding om te ontsnappen aan de koude Benguelastroom.

De gemiddelde bezoeker zal de meeste reptielen en amfibieën bij toeval spotten, vaak onderweg vanuit de auto. Vooral na regenval komt het regelmatig voor dat er ineens grote **panterschildpad** *(Geochelone pardalis)* op de weg zit. Stop dan even om het beest van de weg af te halen. De beste optie is om de schildpad in het gras langs de kant van de weg te zetten, waar hij niet goed zichtbaar is: voor veel Namibiërs is dit dier namelijk een absolute delicatesse. De panterschildpad komt vrijwel overal in zuidelijk Afrika voor, maar de **Nama-'padloper'** *(Homopus sp. nov.)* is - als enige van de zes in het land voorkomende soorten schildpadden - in Namibië inheems.

Als u geluk hebt, ziet u een rennende kameleon. De **woestijnkameleon** *(Chamaeleo namaquensis)* is een van de 55 inheemse reptielensoorten en heeft zich aangepast aan de omstandigheden in de Namibwoestijn en de aangrenzende droge gebieden. Deze kameleon leeft uitsluitend op de grond en voedt zich met torren en andere insecten, maar ook met hagedissen. Het feit dat het dier een korte

afstand rennend kan afleggen, is slechts een van zijn eigenaardigheden.

Vooral de droge streken van Namibië zijn rijk aan amfibieën en reptielen die zich aan de omstandigheden hebben aangepast. U vindt hier onder andere een groot aantal gekko's, waarvan er vele elders maar bijzonder weinig voorkomen. De opvallendste is waarschijnlijk de **woestijngekko** *(Palmatogekko rangei)*, die de door de wind opgeblazen zandvlakten van de Namibwoestijn bewoont. De tenen van dit prachtig getekende nachtdier hebben vliezen, vergelijkbaar met die van een eend. Hiermee kan hij zich behendig verplaatsen op het gladde zand van de zich verplaatsende duinen en, belangrijker nog, holen in het fijne zand graven om te ontsnappen aan de hitte van de dag. Verder komen in de Namibwoestijn zes soorten gekko's voor die overdag actief zijn. Dankzij hun perfecte camouflage kunnen ze meestal onopgemerkt blijven. Als ze echter worden ontdekt, schieten ze vaak razendsnel weg onder een rots voor dekking.

In deze habitat komen ook andere dieren voor die in Namibië inheems zijn, waaronder de **dwergpofadder** *(Bitus perinqueyi)*. Deze slang heeft een aantal eigenschappen ontwikkeld waar-

Links: De dwergpofadder beweegt zich zijwaarts voort en laat karakteristieke sporen achter.
Rechts: Een blauwkopagame op een rots.

mee hij in een woestijnlandschap kan overleven. Zijn ogen bevinden zich bijvoorbeeld boven op zijn kop; zo kan de slang als hij onder het zand glijdt - bij gevaar of om te ontsnappen aan de hitte van de dag - nog altijd zien wat er boven de grond gebeurt. Verder heeft hij een zijwaartse manier van voortbewegen ontwikkeld, waardoor hij tot wel 45 graden steile zandduinen kan beklimmen. Ook andere soorten van de pofadder komen hier voor. Sommige, zoals de **gehoornde pofadder** *(Bitis caudalis)*, hebben een hoornachtig schubje boven de ogen. Geen van deze slangen is levensbedreigend giftig. Onder

LAMA-SLANG

Bij dreigend gevaar richt de spugende cobra zijn gif op de ogen van zijn belager. Het gif is bijzonder pijnlijk en kan permanente schade aan het gezichtsvermogen toebrengen.

slangenliefhebbers zijn ze bijzonder gewild als verzamelobject voor hun terrariums.

In Namibië leven ook slangen waarvan het gif gevaarlijker of zelfs fataal voor de mens kan zijn. Zo is het land het leefgebied van onder andere de **gewone pofadder** *(Bitis arietans)*, de **Egyptische cobra** *(Naja annulifera)*, de **gestreepte spugende cobra** *(Naja nigricincta)* en de **zwarte mamba** *(Dendroaspis polylepis)*, maar deze slangen zult u maar zelden tegenkomen. De laatste drie zullen zich doorgaans uit de voeten maken als u bij ze in de buurt komt. De gewone pofadder ligt vaak op of naast een wandelpad en vertrouwt volledig op zijn camouflage. Let dus altijd goed op tijdens een wandeling; als u te dicht in de buurt komt, zou de slang zich wel eens bedreigd kunnen voelen! Net als panterschildpadden worden ook slangen

vaak op wegen gezien. Ze steken snel over of liggen 's avonds opgerold op het warme asfalt. Veel slangen vinden hierbij de dood. De geplette lichamen langs de kant van de weg zijn echter een uitgelezen kans om de vaak prachtig getekende reptielen veilig van dichtbij te bekijken. Blijf echter op een veilige afstand totdat u zeker weet dat het dier dood is!

Een slang die niet vaak wordt gezien, is de **Angolese python** *(Python anchietae)*. Hij houdt zich op in het bergachtige gebied dat zich ten noordwesten van Windhoek tot Angola uitstrekt. In dezelfde habitat leeft een inheems nachtdier dat erg actief is: de **Damara-** of **Namibische rotsagame** *(Agama anchietae)*. Het mannetje heeft een oranje kop en staart en een zwart of blauw lichaam en zit vaak boven op een rots. Vanaf die plek speurt hij met een op en neer bewegende kop zijn territorium af naar een vrouwtje (dat een gele kop heeft) of naar andere mannetjes die hem mogelijk willen uitdagen.

Snel veranderende kunstenaars

Het woestijnklimaat geeft amfibieën doorgaans maar weinig tijd om hun eieren in water te leggen, want eventuele poelen zijn meestal in een mum van tijd weer opgedroogd. Ook kikkervisjes wordt nauwelijks tijd gegund om de vorm van een volwassen kikker aan te nemen. Daarom verlopen die processen bijzonder snel, geholpen door de hoge temperatuur van het door de zon verwarmde, ondiepe water. Al in een heel pril stadium verlaten jonge kikkertjes en padjes, zoals kleine **Afrikaanse brulkikkers** *(Pyxicephalus adspersus)*, het water om in het omliggende gras te verdwijnen. De jonge kikkertjes verspreiden zich over de omgeving van de geboortepoel en moeten daarbij vaak ook wel een pad of een weg oversteken. Helaas is het voor passerende voertuigen meestal ondoenlijk om ze allemaal te ontwijken.

De melodieuze roep van de **Lelande-zandkikker** *(Tomoptema delelanii)* in combinatie met het regelmatige, op gesnurk lijkende gekwaak van de **keelpad** *(Bufo gutturalis)* vormt de passende achtergrondmuziek tijdens een zomerse avond rond een Namibisch kampvuur. Bij zonsondergang voegt het klikkende koor uit de holen van de **fluitgekko's** *(Ptenopus garrulus)* zich daar nog bij: zo'n avond onder het Zuiderkruis zult u waarschijnlijk uw leven lang niet meer vergeten. ❏

Links: Een Damara-rotsagame koestert zich in de zon.
Rechts: De meeste kameleons zijn boomdieren en vangen hun prooi met hun lange tong.

DE FLORA

In de verschillende habitats van Namibië groeit een keur aan zeldzame gewassen, waaronder soorten die maar weinig water nodig hebben.

In het droge seizoen zou een bezoeker van Namibië de indruk kunnen krijgen dat het land vrijwel onvruchtbaar is en dat er maar één soort - namelijk kleurloze - vegetatie bestaat. Brede stroken geelbruin gras, woeste berghellingen en vlakten waarop hier en der een struikje groeit zijn karakteristiek voor veel gebieden in dit woestijnland. Maar zodra in augustus en september de lente begint, dossen acacia's als de **kameeldoorn** *(Acacia erioloba)* zich uit met mimosa-achtige bloemen. Na maanden zonder regen is deze herontwaking altijd weer een wonderbaarlijke gebeurtenis.

Bij de eerste regenval, doorgaans in oktober, worden stoffige vlakten in één nacht van een groene, donzen deken voorzien. Binnen een paar dagen ontwikkelt deze deken zich tot een geel tapijt van **morgensterren** of **duivelsdoornen** *(Tribulus zeyheri)*, dat meestal in enigszins omgewoelde aarde - zoals langs wegen en rond waterpoelen - ontrolt. Verder ontvouwen talloze bollen en knoppen hun prachtig gekleurde bloemen en verschijnen plotseling overal ook de eenjarige planten met bloemen in elke denkbare kleur. De grauwe vlakten veranderen in één grote bloemenzee. In Namibië zijn circa 2400 bloeiende gewassen en 345 verschillende grassoorten geregistreerd.

De koude Benguelastroom langs de Namibische kust zorgt ervoor dat er vanuit het westen geen neerslag het land kan binnendringen. Hierdoor is er in West-Namibië een woestijnstrook ontstaan, die zich uitstrekt vanaf de Oranjerivier aan de zuidgrens tot aan de rivier de Kunene aan de grens met Angola. Deze strook - de zuidelijke, centrale en noordelijke Namibwoestijn - kan verder worden onderverdeeld in de Buiten-Namibwoestijn, een 56 km brede strook langs de kust waar vrijwel geen regen valt en die het meeste vocht onttrekt aan de mist die langs de kust ontstaat, en de halfwoestijn ten oosten ervan, met een magere 50 tot 100 mm neerslag per jaar.

In het overgangsgebied tussen deze twee stroken is het zand bezaaid met de beroemde **welwitschia** *(Welwitschia mirabilis)*, waarvan de tweelingbladen gehavend zijn door de wind. Sommige van deze levende fossielen zijn al meer dan duizend jaar oud. Andere woestijnbewoners zijn bijvoorbeeld de verschillende soorten **levende steentjes** *(Lithops-*soorten*)*, die ook wel *Bushmen's buttocks* ('achtersten van de Bosjesmannen') worden genoemd en als twee druppels water op stenen lijken, totdat ze hun prachtige bloemen tonen.

Een bescheidener gewas, dat echter van groot belang is voor het ecosysteem in de woestijn, is het

loogkruid. Er zijn twee soorten: *Salsola aphylla* groeit voornamelijk in de bedding van rivieren die in het droge seizoen opdrogen en *Salsola nollothensis* vindt de duinen de aangenaamste leefomgeving. Hoewel het lijkt alsof de laatste het liefst op de top van een duin groeit, is het gewas er als eerste en vormt het duin zich eromheen. Het zand houdt vocht vast en beschermt het loogkruid tegen de wind.

In de duinengebieden, en dan vooral rond de Sossusvlei, hebt u verder grote kans om een van de belangrijkste gewassen van de Namibwoestijn tegen het lijf te lopen: de **!nara-meloen** *(Acanthosicyos horrida)*, die inheems is in Namibië. Dit gewas heeft een beschermende stengel met lange en dreigend uitziende doornen, maar op de een of andere manier weten de spiesbok, de bruine hyena en

Links: De vruchten van de *Welwitschia mirabilis*, een plant die al eeuwenlang in de woestijn groeit.
Rechts: De bloem van het wonderlijke ijsplantje, waarvan de stengel voorzien is van met water gevulde papillen.

het stekelvarken deze verdediging te omzeilen en de waterrijke meloen te bereiken.

Een stukje verder landinwaarts zijn nog twee interessante planten te vinden. De ene is de **olifantsvoet** *(Adenia pechuelii)*, die tussen de rotsen groeit en een dikke, circa 1 m lange, grijsgroene stengel heeft die uitmondt in verhoute twijgjes. De andere is de *Euphorbia damarana*, een behoorlijk grote plant met een groot aantal grijswitte stengels waarvan het witte melksap giftig is voor de mens. De zwarte neushoorn en de spiesbok lijken het melksap echter zonder schadelijke gevolgen tot zich te kunnen nemen.

PALMPRODUCTEN

De harde vruchten van de makalanipalm staan bekend als plantenivoor. Er worden vaak ornamenten met diermotieven van gemaakt.

makkelijk een hoogte van 15 m kunnen bereiken.

Tussen de donkerrode rotsen en kopjes in dit gebied groeien veel **sterculia's** *(Sterculia quinqueloba)*. De dunne, lichtgrijze bast van deze bomen wordt nog lichter gemaakt door een wit waas dat de boom mede beschermt tegen de droge omstandigheden. De sterculia's vormen een opvallend contrast met de donkere en rotsige achtergrond. In dezelfde habitat groeien wat op het oog kleine baobabs (apebroodbomen) lijken. In werkelijkheid zijn het echter **moringa's** *(Moringa ovalifolia)*. De opgezwollen ogende stam en takken van deze bomen zien er hetzelfde uit als die

In het noorden van Namibië maakt de halfwoestijn plaats voor de mopane-savanne, die kenmerkend is voor het bergachtige Kaokoland en de westelijke helft van Ovamboland. De **mopane** *(Colophospermum mopane)* verschijnt hier in zowel de gedaante van struik als die van boom. Hoewel dit gewas op het heetst van de dag welkome schaduw lijkt te bieden, wordt de nietsvermoedende reiziger vaak in de maling genomen: de mopane vouwt zijn paarsgewijze bladeren samen om vocht te besparen en biedt op die manier dus maar heel weinig bescherming tegen de zon. Daarbij komt nog dat kleine, zwarte mopanebijen op al het beschikbare vocht afkomen en zich dus ook rond uw ogen en neus verzamelen. De droge rivierbeddingen *(arroyos)* zijn omzoomd met **anabomen** *(Faidherbia albida)*, die witte bloemetjes maken en ge-

van de baobab. Wie de boom van dichtbij bekijkt, ziet dat de stam en takken eenzelfde patroon maken als wortels dat over het algemeen doen. Dit verklaart het ontstaan van de legende dat de bomen feitelijk ondersteboven geplant zouden zijn.

In veel gebieden waar genoeg water voorhanden is, vooral rond de rivier de Kunene, sieren hoge **makalanipalmen** *(Hyphaene petersiana)* het landschap. De palmen scheiden een vreemde, maar wonderlijk genoeg aantrekkelijke geur af. In het regenseizoen is dit gebied regelmatig het decor van overstromingen en ontspruiten hier diverse prachtige waterplanten, waaronder waterlelies, verschillende soorten van het geslacht *Aponogeton* en de gevoelige, mimosa-achtige *Neptunia oleracia*, die zijn veerachtige bloembladen al bij de geringste aanraking sluit.

De noordelijke Kalahari bestaat grotendeels uit droog en open bosgebied, dat zich helemaal tot aan de Caprivistrook uitstrekt. In de regio Okavango gebruikt de plaatselijke bevolking het hout van de **schijnmopane** *(Guibourtia coleosperma)* en andere bomen om er houtsnijwerken van te maken.

In de Caprivistrook zelf groeit een grote verscheidenheid aan bomen. Een van de interessantste is de zogenaamde **worstenboom** *(Kigelia africana)*. De boom is genoemd naar de grote, worstachtige vruchten die aan lange stengels aan de boom hangen en zo nu en dan spontaan op de grond vallen. Daar worden ze gegeten door dieren als de neushoorn en de baviaan. Verder maakt de boom bloedrode, fluweelachtige bloemen die eveneens uit eigen beweging op de grond vallen en her en der verspreid onder het weelderige groene bladerdak liggen.

Ten zuiden van Ovamboland ligt het Etosha National Park, dat een oppervlakte van 22.270 km² heeft. In het park bevindt zich een 5000 km² grote laagte of pan, die geclassificeerd is als zoutwoestijn en vrijwel geen vegetatie herbergt. Alleen in het westen is de pan na het regenseizoen spaarzaam bedekt met een grassoort die van een zoutige omgeving houdt. In het noorden en het westen wordt de pan begrensd door grasvlakten en in het zuiden ligt een savanne met kleine struikjes die overgaat in een mopane-savanne.

Hier zorgen **omupararabomen** *(Pettophorum africanum)* aan het begin van het regenseizoen voor een ware explosie van gele bloesem. In de herfst laat de **terminalia** *(Terminalia prunioides)* grote rode vlekken op het landschap achter. **Marulabomen** *(Sclerocarya birrea)* produceren de vruchten die bijzonder in trek zijn bij olifanten. Het verhaal dat de dieren dronken worden van de vruchten als deze gaan gisten, berust waarschijnlijk op een mythe, hoewel de marulavruchten wel als basis voor een romige likeur dienen.

Verder naar het oosten in het land van de Bosjesmannen ziet u mogelijk de **giftige larvenboom** *(Commiphora africana)*, waaronder de giftige larven van de Diamphibia-torren gevonden worden. De Bosjesmannen steken de schacht van hun pijlen in het dodelijke sap van deze insecten, maar zorgen ervoor dat de punt schoon blijft voor het geval ze zichzelf er per ongeluk mee steken.

In dit gebied zult u waarschijnlijk ook wel een paar grote **baobabs** of **apebroodbomen** *(Adanso-*

Links: De !nara-meloen wordt veel gegeten door de Topnaar.
Rechts: Levende stenen lijken meer op kiezels dan op planten - totdat ze in het regenseizoen gaan bloeien.

GEURIGE STRUIK

De meeste acacia's zijn bomen, maar de **klieracacia** *(Acacia nebrownii)* groeit in kleine groepjes struiken. De gele bloesembollen van de acacia scheiden 's avonds een zoete geur af.

---

nia digitata) zien. Deze oude bomen met hun bijzonder dikke stam beschikken over broodvormige vruchten waarvan het vruchtvlees eetbaar is. Olifanten zijn gek op het sappige vlees en scheuren de enorme vruchten soms letterlijk aan stukken. De geheel holle bomen weten op de een of andere manier toch altijd te overleven, hierbij geholpen door hun stevige bast.

De centrale hooglanden, waar de toppen tot 2000 m hoogte reiken, vormen het dak van Namibië. Karakteristieke planten zijn hier onder andere de **bergdoorn** *(Acacia hereroensis)* en de **wilde salie** *(Pechuela loschea-lubnitzia)*. In de lente is

de **albizia** *(Albizia anthelmintica)*, een boom waarvan de bast een geschikt medicijn tegen lintworm zou zijn, overdekt met grote, gele bloesems die op donzige kuikentjes lijken.

Als u ten zuiden van de hooglanden bij Rehoboth de bergen verlaat, komt u op een uitgestrekte struiksavanne. Hier zijn niet meer dan een paar kleine groepjes hoge bomen te vinden in drooggevallen rivierbeddingen. De **kokerboom** *(Aloe dichotoma)* is de uitzondering die de regel bevestigt. Hoewel dit meer een aloë is dan een echte boom, bereikt de kokerboom een behoorlijke hoogte. De holle takken werden door de lokale Bosjesmannen als pijlkoker gebruikt. De kokerboom groeit op vlakten en op stenige hellingen en is goed te herkennen aan zijn karakteristieke paddestoelvorm en in mei aan de prachtige gele bloesems. ❑

REIZEN DOOR NAMIBIË

Een gedetailleerde gids van het hele land, waarbij de belangrijkste bestemmingen met een cijfer (of letter) zijn aangegeven op de kaartjes (bijvoorbeeld ❶).

Namibië heeft een landschap van extremen. Het land is genoemd naar de oude woestijn die zich langs zijn Atlantische kustlijn uitstrekt en die gedomineerd wordt door duizenden vierkante kilometers zand en rotsen. Namibië mag dan niet beschikken over het kosmopolitisme van Zuid-Afrika of de overvloed aan wilde dieren in Botswana, het is de Namibwoestijn met zijn buitengewone flora en fauna, moedige bewoners en immense afstanden die bezoekers keer op keer laat terugkeren voor een hernieuwde kennismaking met een ongerepte wildernis.

Maar dit enorme land (dat bijna net zo groot is als Frankrijk en Italië samen) heeft beslist meer te bieden dan slechts woestijn. Langs de noordelijke grenzen stromen rivieren, terwijl het landschap in andere delen van het land uit spectaculaire woeste bergen, diepe ravijnen en uitgestrekte vlakten bestaat.

Het Namibische avontuur begint over het algemeen in Windhoek, een stad die nog altijd gedomineerd wordt door de sierlijke gebouwen die rond het einde van de 19e eeuw gebouwd zijn. In die tijd bracht de wedloop op Afrikaans grondgebied een toevloed van Duitse missionarissen en kolonisten naar dit onherbergzame land. De hoofdstad is een handige uitvalsbasis voor verscheidene intrigerende tochten het binnenland in, waaronder bezoeken aan de majestueuze (en verrassend genoeg weinig bezochte) Fish River Canyon in het zuiden en de mysterieuze Geraamtekust in het westen. De kust is een begrip onder sportvissers, maar de verraderlijke mist en de hoge golven hebben deze wateren in het verleden al voor menige onvoorzichtige zeeman tot een laatste rustplaats gemaakt.

Liefhebbers van safari's zullen waarschijnlijk al wel eens gehoord hebben van het Etosha National Park, dat tot de beste wildreservaten ter wereld behoort. Hier kunt u de vele verschillende wildsoorten van zuidelijk Afrika van dichtbij bekijken, waaronder alle leden van de zogenaamde 'Big Five' (olifanten, neushoorns, buffels, leeuwen en luipaarden).

Voor onverschrokken personen die op zoek zijn naar een echt avontuur in de wildernis, heeft Namibië buiten de gebaande paden veel te bieden. Het Kaokoveld in het noordwesten is het woongebied van de trotse Himba en het leefgebied van bijzondere flora en fauna die zich aan de woestijnomstandigheden hebben aangepast. Verder is er nog het afgelegen Damaraland, dat bezaaid is met archeologische vondsten die teruggaan tot de steentijd. Deze gebieden zijn alleen bereikbaar met terreinwagens, maar de weelderige wildernis van de Caprivistrook is eenvoudig per gewone auto te doorkruisen.   ❏

Blz. 144-149: Elk gekleurd steentje is een unieke creatie; de halfwoestijn van de Kalahari biedt verrassend veel flora; het uitgestrekte landschap van het onherbergzame Damaraland.
Links: Op safari in de Caprivistrook.

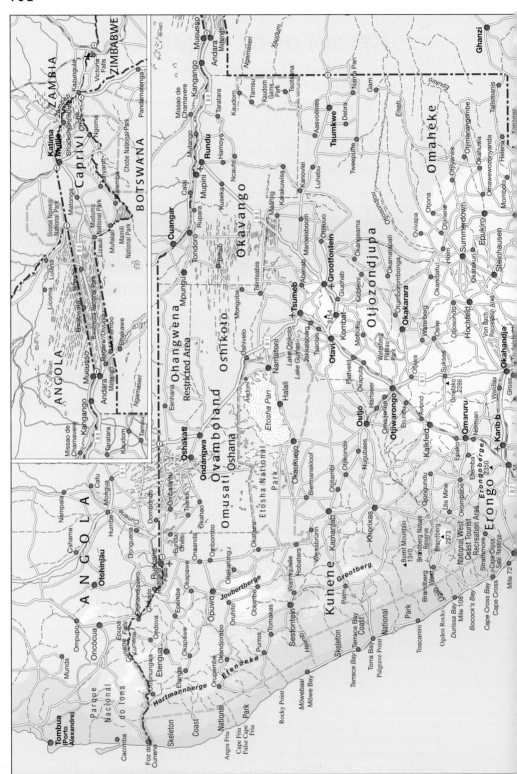

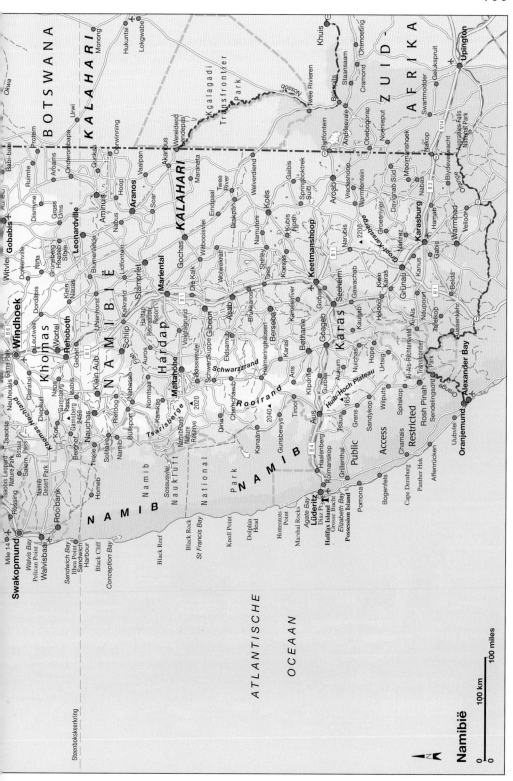

Namibië

WINDHOEK

Kaart
blz. 158

De kosmopolitische hoofdstad van Namibië ligt in de glooiende centrale hooglanden in het geografische hart van het land en ademt een onmiskenbaar Duitse sfeer.

Windhoek ligt in een dal dat in het zuiden begrensd wordt door het Auas-gebergte, in het noordoosten door het **Erosgebergte** en in het westen door de heuvels van het **Khomas Hochland**. De hoofdstad van Namibië is tevens het commerciële, financiële en bestuurlijke centrum van het land. Voor toeristen fungeert Windhoek niet alleen maar als drukke doorvoerplaats, want de stad en haar omgeving hebben bezoekers meer dan genoeg te bieden.

Op het eerste gezicht lijkt Windhoek ongewoon klein voor een hoofdstad, maar schijn bedriegt: in de omliggende dalen gaan verscheidene buitenwijken verscholen. De stad heeft tussen de 280.000 en 300.000 inwoners, een kleurrijke etnische mix van Europeanen, Ovambo, Herero, Damara en kleinere aantallen Nama, San en halfbloeden.

Ondanks de naam is het niet opvallend winderig in Windhoek. De stad is relatief hoog gelegen (op circa 1650 m) en heeft daardoor gedurende een groot deel van het jaar een droog en aangenaam hooglandklimaat. In hartje zomer (januari-februari) kan het hier echter bijzonder warm en vochtig zijn. De temperatuur bereikt dan vaak waarden van 35° C of meer. Verder valt bijna twee derde van de gemiddelde jaarlijkse neerslag (365 mm) in de eerste drie maanden van het jaar, waarna in november en december nog zo nu en dan een bui valt. Tuinen kunnen er hier 's zomers dan ook spectaculair uitzien.

Blz. 154-155:
De skyline van Windhoek.
Links: Herero te over bij deze souvenirverkoper in het centrum.
Onder: De sierlijke Christus-kirche, een van de bekendste gebouwen van Windhoek.

Een stad met vele namen

Hoewel Windhoek zelf niet veel ouder is dan een eeuw, trekken de warme bronnen in dit gebied al vele duizenden jaren kolonisten aan. De oorspronkelijke locatie (in het dal waar het huidige Klein Windhoek ligt) werd door de Nama *Aigams* ('Vuurwater') en door de Herero *Otjimuise* ('Plaats van rook') genoemd, en heeft sinds die tijd ook bekendgestaan als Elbersfeld, Concordiaville, Esek en zelfs Queen Adelaide's Bath, hoewel het onwaarschijnlijk is dat de echtgenote van de Britse koning Willem V hier ooit geweest is. Rond 1840 vestigde Nama-opperhoofd Jan Jonker Afrikaner zich met zijn volgelingen bij de bronnen en herdoopte de locatie in Wind Hoock, waarschijnlijk een verbastering van de naam Winterhoek, het Zuid-Afrikaanse gebergte waar hij geboren was. Deze naam bleef hangen en rond 1850 werd 'Windhoek' algemeen gebruikt.

In 1890, tijdens de Duitse koloniale overheersing, werd in de stad het hoofdkwartier van de Duitse *Schutztruppe* (koloniaal leger) gevestigd. Dit leger stond onder bevel van kapitein Curt von François, wiens opdracht het was om een bestand tussen de oorlogvoerende Nama en Herero te bewerkstelligen. In datzelfde jaar werd Windhoek uitgeroepen tot administratieve hoofdstad van Duits Zuidwest-Afrika en

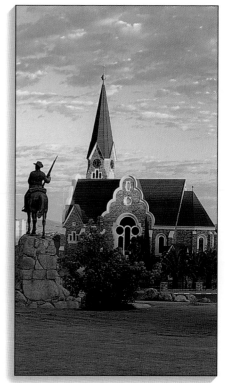

begon de stad zich te ontwikkelen tot het drukke commerciële en financiële centrum dat het vandaag de dag is, hoewel Windhoek pas in 1956 officieel werd gesticht.

Een wandeling

Dankzij de compacte afmetingen van de stad kunt u alle belangrijke bezienswaardigheden eenvoudig op eigen gelegenheid bezichtigen. Trek voor een wandeltocht tussen de twee en drie uur uit. Begin vroeg in de ochtend of laat in de middag om het heetst van de dag te mijden, trek stevige wandelschoenen aan en bescherm uzelf goed tegen de zon met een hoed en zonnebrand.

De wandeling begint bij het busstation op de hoek van de **Fidel Castro Street** en de drukke **Independence Avenue**. De laatste doorsnijdt het centrum van noord naar zuid (het Kalahari Sands Hotel dat hier de skyline domineert, is een nuttig oriëntatiepunt). Hier vlakbij bevindt zich de nieuwste aanwinst van Windhoek: een millenniumklok. De klok staat op 13 palen, die de 13 regio's van Namibië vertegenwoordigen, en wordt bekroond met een metalen versie van de aloë, het symbool van de stad.

Net ten noorden van de Fidel Castro Street ligt het vredige **Zoo Park Ⓐ**, pal achter een drukke straatmarkt waar Namibische kunst en kunstnijverheid wordt verkocht. Vandaag de dag zult u in het park geen dieren meer vinden, maar vanaf het Duitse koloniale tijdperk tot aan het begin van de jaren zestig van de vorige eeuw bevonden zich hier een kleine dierentuin en een elegant café waar een orkest klassieke muziek ten gehore bracht. In het park staat een zuil die herinnert aan een olifantenjacht die hier ongeveer 5000 jaar geleden in de steentijd plaatsvond (op deze plek werden in 1962 de fossiele resten van een olifant en kwartsge-

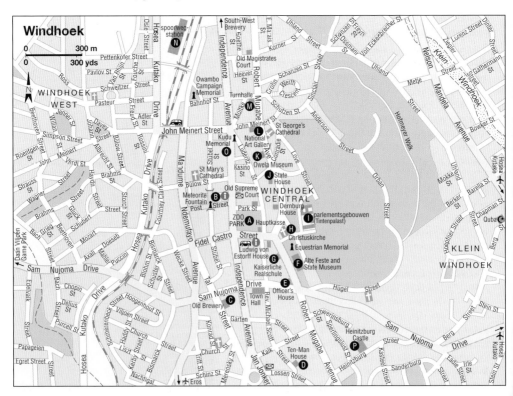

reedschap gevonden). Een stukje zuidelijker vindt u het **Kriegerdenkmal** (Oorlogsmonument), dat opgericht is ter herinnering aan de Duitse soldaten die vielen in de Nama-oorlogen tussen 1893 en 1898.

Vanuit het park hebt u ook goed uitzicht op drie mooie, koloniale gebouwen die aan de overkant van de Independence Avenue staan. Het Erkrat Haus (1910), het Gathemann Haus (1913) en de Kronprinz (dat in 1902 als hotel werd gebouwd) zijn alledrie ontworpen door de bekende lokale architect Willi Sander en staan gezamenlijk bekend als de **Old Business Façades**.

Kaart
blz. 158

Rond Independence Avenue

Een stukje noordelijker op de Independence Avenue komt u bij het hoofdpostkantoor van Windhoek, net voorbij de aan uw linkerhand gelegen **Post Street Mall** (de opvallende klokkentoren in deze straat is een replica van een vroeg-20e-eeuwse toren die ooit de Deutsche-Afrika Bank sierde). Het winkelcentrum zelf herbergt talloze curiositeitenwinkeltjes, kraampjes met kunstnijverheid en filialen van bekende ketens, en biedt dus een ideale gelegenheid om op souvenirjacht te gaan. Het pronkstuk hier is het wonderlijke **Gibeon Meteorite National Monument** ❸, een openluchtexpositie van 33 overblijfselen van de - voor zover bekend - grootste meteorietenregen die de aarde ooit heeft getroffen. Brokstukken ervan kwamen 500 miljoen jaar geleden neer in een gebied van 360 bij 110 km, met als middelpunt het huidige stadje Gibeon. Al in 1838 documenteerde de onderzoeker J.E. Alexander de meteorietenregen, maar de nu tentoongestelde stenen werden pas in de jaren 1911 tot 1913 bijeengebracht. Lokale jager-verzamelaars gebruikten de metaalhoudende stenen (nikkelijzer) vroeger om er werktuigen van te maken.

In de Post Street Mall bevindt zich een van de grootste collecties meteorieten ter wereld.

Loop hierna terug naar de Independence Avenue. Sla rechtsaf en loop zuidwaarts tot aan de Sam Nujoma Drive. Sla ook hier rechtsaf en ga vervolgens linksaf de Tal Street in. Hier vindt u de **Old Brewery** ❹, waar ooit het populaire Windhoek Lager gebrouwen werd. Tegenwoordig is hier een goedlopend kunstencentrum gevestigd, met onder andere het trendy Warehouse Theatre, het Namibian Craft Centre en de Tower of Music.

Onder:
Straatkapper in de wijk Katutura.

Houd desgewenst even pauze in het kleine café van het Centre en sla daarna linksaf de Garten Street in om weer op de Independence Avenue uit te komen. Steek over en loop één blok oostwaarts naar de Rev. Michael Scott Street, die zuidwaarts naar het H-vormige, fortachtige **Ten-Man House** ❺ voert. Dit pand werd in 1906 door Adolf Matheis ontworpen als huisvesting voor ongetrouwde ambtenaren en is een mooi voorbeeld van de lokale koloniale stijl.

Historisch centrum

Het volgende deel van de wandeling voert u langs een aantal van de interessantste bouwwerken uit het Duitse tijdperk die Windhoek te bieden heeft, maar ook mooie stadsgezichten staan op het programma. Loop via de Rev. Michael Scott Street terug naar de Sam Nujoma Drive, sla rechts- en daarna linksaf de Robert Mugabe Avenue in. Hier bent u in het koloniale hart van de stad. Het **Officer's House** ❻ (gesloten

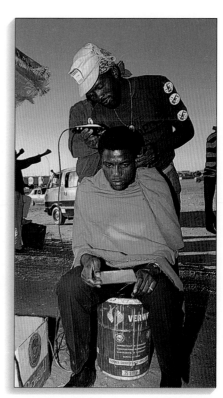

In de Werhill Mall is inheemse kunstnijverheid als dit soort trommels te koop.

Onder: De Alte Feste, het oudste gebouw van Windhoek.

voor publiek), op de hoek, met zijn sierlijke metselwerk werd tussen 1906 en 1907 gebouwd als huisvesting voor bejaarde ambtenaren. Een stukje verder staat rechts het oudste gebouw van Windhoek, de witgekalkte **Alte Feste ❻**. Dit pand werd in 1890 gebouwd als hoofdkwartier van de *Schutztruppe* van kapitein Von François en maakt tegenwoordig deel uit van het State Museum. Binnen treft u een interessante tentoonstelling over de onafhankelijkheidsstrijd van Namibië.

Net ten noorden van de Alte Feste staat een **ruiterstandbeeld**, dat in 1912 opgericht is ter herinnering aan de Duitse soldaten die vielen in de Herero- en Nama-oorlogen tussen 1904 en 1909 (u zult het niet snel over het hoofd zien). Het bouwwerk met de torentjes ertegenover is de **Kaiserliche Realschule ❼**. In 1907 was dit de eerste Duitse basisschool in Windhoek, die later ook de eerste Duitse middelbare school van de stad werd. Daarna deed het pand dienst als Engelse school en tegenwoordig zijn hier overheidskantoren ondergebracht.

Pal ten noorden van het ruiterstandbeeld staat de sierlijke lutherse **Christuskirche ❽**. De kerk is een ontwerp van Gottlieb Redecker en een avontuurlijke mengeling van neogotiek en art nouveau (Jugendstil). Het godshuis werd tussen 1907 en 1909 opgetrokken van lokaal zandsteen en is nog altijd een van de bekendste gebouwen van Windhoek.

Aan de overkant van de straat ziet u het **Ludwig von Estorff Haus**, dat genoemd is naar een commandant van de *Schutztruppe* die hier tussen 1902 en 1910 woonde. Het huis werd oorspronkelijk gebouwd als kantine voor militaire kunstenaars en deed daarna dienst als woning voor bejaarde officieren als Von Estorff. Een blok noordelijker bevindt zich de even indrukwekkende **Hauptkasse**. Dit voormalige belastingkantoor van de koloniale regering huisvest tegenwoordig overheidskantoren van het ministerie van Landbouw.

Op de heuvel ten oosten van de Christuskirche staat een ander ontwerp van Gottlieb Redecker. De imposante **parlementsgebouwen** ❶ met hun prachtige tuinen waren ooit het bestuurlijke hoofdkantoor van de koloniale regering en hadden de bijnaam **Tintenpalast** (Inktpaleis), een pesterige verwijzing naar de grote hoeveelheden inkt die de zwoegende ambtenaren erdoorheen zouden jagen.

Kaart blz. 158

Een stukje noordelijker vindt u aan de Robert Mugabe Avenue het **Dernburg Haus**, dat speciaal werd gebouwd als huisvesting voor de Duitse Secretaris voor de Koloniën toen deze in 1908 een bezoek bracht aan Namibië (daarna werd het een overheidskantoor). Even verder staat het **State House** ❷, de officiële ambtswoning van de president van Namibië. Het sierlijke koloniale herenhuis van de gouverneur dat hier ooit stond, moest in 1958 wijken voor dit moderne gebouw; een gedeelte van de tuinmuur is het enige wat er nog van over is.

Elders in het centrum

De hiervoor beschreven wandeling geeft u een eerste indruk van het oude Windhoek, maar er zijn nog meer dan genoeg andere interessante gebouwen in het centrum. Even ten noorden van het State House in de Robert Mugabe Avenue vindt u het **Owela Museum** ❸, waar de natuurhistorische afdeling van het State Museum gevestigd is. Het museum biedt informatie over de culturen van Namibië, maar de trekpleister is de uitstekende tentoonstelling over de bescherming van cheeta's. Ga ook even kijken bij de kerk in Love Street, iets ten oosten van het museum: de **St. George's** is de kleinste kathedraal in zuidelijk Afrika.

Loop terug naar de Robert Mugabe Avenue en sla rechtsaf. Al snel komt u bij de **National Art Gallery of Namibia** ❹, die beslist een bezoek waard is. De galerie biedt een permanente collectie die een groot aantal stijlen en tijdperken beslaat, maar er worden ook tijdelijke tentoonstellingen georganiseerd. Hoogtepunten zijn de fantastische linoleumsneden van John Muafangejo en schilderijen van de koloniale kunstenaar Adolph Jentsch.

Onder: Bonte muurschildering op het Namibian Craft Centre.

Op de hoek van de Robert Mugabe Avenue en de Bahnhof Street staat de **Turnhalle** ❺, die in 1909 gebouwd werd als sportzaal. In de jaren zeventig werd de zaal omgebouwd tot conferentiecentrum, dat in 1975 beroemd werd toen de Zuid-Afrikaanse regering er de eerste constitutionele conferentie voor de onafhankelijkheid van Zuidwest-Afrika organiseerde. Deze historische vergadering, die de geschiedenis zou ingaan als de 'Turnhalle-conferentie', bracht voor het eerst vele blanke en zwarte Namibische politieke leiders en groeperingen bij elkaar om van gedachten te wisselen over de toekomst van het land.

Kastelen en koedoes

Als u de Bahnhof Street (Stationsstraat) in westelijke richting volgt, komt u bij het oude en sierlijke **spoorwegstation** ❻ van Windhoek. De Duitsers bouwden het in 1912, waarna het door de Zuid-Afrikaanse regering in dezelfde bouwstijl werd vergroot. Liefhebbers van treinen kunnen hun hart ophalen in het **TransNamib Transport Museum** op de bovenste verdieping, waar de geschiedenis van het treinvervoer in Namibië aanschouwelijk wordt gemaakt.

Schuin tegenover het station staat bij de ingang van

DE HERERO

De Herero (*OvaHerero*) zijn een herdersvolk dat ongeveer vijfhonderd jaar geleden naar het gebied trok dat nu Namibië is. Volgens de overlevering kwamen de herders bij de grote meren van Oost-Afrika vandaan en reisden ze via het huidige Zambia en Zuid-Angola naar de rivier de Kunene, waar ze zo rond 1550 aankwamen.

Na een verblijf van ongeveer tweehonderd jaar in Kaokoland trokken velen van hen verder zuidwaarts. Halverwege de 18e eeuw bereikten de eersten het dal van de rivier de Swakop en aan het begin van de 19e eeuw hadden de Herero zich definitief gevestigd in Centraal-Namibië. Tegenwoordig zijn er ruim 100.000 Herero, die nog altijd beschouwd worden als uitstekende veefokkers.

Het Herero-volk is onder te verdelen in een aantal subgroepen:
- De eigenlijke Herero, onder wie de traditionele stammen Maherero (regio Okahandja), Zeraua (Omaruru), Kambazembi (Waterberg).

Ook de Ndamuranda en de Tjimba Herero in Kaokoland behoren tot deze subgroep.
- De Mbanderu in het oosten van Namibië (vooral in het district Gobabis).
- De Himba en andere kleinere stammen in Noord-Kaokoland en Zuidwest-Angola.

Een opvallend kenmerk van hun samenleving is het systeem van de dubbele afstamming. Elke Herero behoort tot zowel een matrilineaire (*eandag*) als een patricische (*oruzo*) clan. Van oudsher oefent de *eandag* controle uit over de bezittingen - vooral vee - en ziet ze toe op de toepassing van het traditionele erfrecht. De patriciërs hebben een palet aan verantwoordelijkheden, zoals de gewijde voorwerpen en het heilige vee (*ozohivirikwa*), de uitoefening van autoriteit binnen het gezin, de opvolging van opperhoofden, het priesterdom en de voorouderlijke vuren.

De traditionele cultuur heeft zwaar te lijden gehad onder de koloniale oorlogen door een sterke afname van de bevolking, de confiscatie van land, een verbod op het fokken van vee en een beperkende arbeidswetgeving. Maar zelfs in deze bittere perioden probeerde men de banden van het familieleven en de onderlinge solidariteit intact te houden.

Aanvankelijk hielden de Herero contact met hun stamgenoten via de christelijke gemeenten. Later richtten ze eigen organisaties op, waaronder begrafenisverenigingen, religieuze broederschappen en paramilitaire gezelschappen. De begrafenis van het in ballingschap overleden opperhoofd Samuel Maherero in Okahandja in 1923 was een demonstratie van het onaangetaste nationale bewustzijn van de Herero.

Vóór de onafhankelijkheid in maart 1990 speelde een groot deel van het politieke leven van de Herero zich af rond de zogenaamde Herero-reservaten, waar de hoofdmannen en de raadsleden werden gekozen. Sinds 1950 worden jaarlijks 'stambijeenkomsten' gehouden onder voorzitterschap van een 'Raad van het opperhoofd'. Decennialang stond deze onder leiding van het geliefde opperhoofd Hosea Kutako, die de Verenigde Naties bestookte met petities voor de onafhankelijkheid van Namibië.

Links: De opvallende kleding van de Herero-vrouwen is afgeleid van die van de missionarissenvrouwen.

de parkeerplaats een grote stenen obelisk. Deze **Ovambo Campaign Memorial** werd in 1917 opgericht ter nagedachtenis aan de Zuid-Afrikaanse en Britse soldaten die vielen in de strijd tegen de Kwanyama. Ook het opperhoofd van deze grootste Ovambo-stam, Mandume, vond bij deze gevechten de dood.

Kaart blz. 158

Andere interessante gebouwen in de buurt zijn de **Kaiserliche Landesvermessung** op de hoek van de Independence Avenue en de John Meinert Street. De oude kantoren van de koloniale landmeters zijn nu in gebruik bij een lokale touroperator. Er schuin tegenover staat het bronzen **Kudu Memorial O**. Dit monument is een geschenk van een rijke Namibische zakenman en herinnert aan de vreselijke runderpestepidemie van 1896, waarbij duizenden koedoes (maar ook rundvee en schapen) de dood vonden.

De drie kastelen van Windhoek, **Heinitzburg P**, **Schwerinsburg** en **Sanderburg**, bevinden zich nog net op loopafstand van het centrum. De kastelen zijn een vroeg-20e-eeuws ontwerp van de onvermoeibare Willi Sander en staan hoog boven de stad. Alleen Heinitzburg is open voor het publiek (het huisvest een hotel); de andere twee zijn particulier eigendom. Hotel Heinitzburg Garni is vanwege zijn uitgebreide high teas bijzonder populair bij de lokale bevolking en een bezoek beslist waard. Volg de Robert Mugabe Avenue zuidwaarts tot aan de Heinitzburg Street, vanwaar een korte, steile klim u bij het kasteel brengt (nr. 22).

De historische Turnhalle, waar nu de Nationale Raad zetelt.

De buitenwijken in

Goedkoop en betrouwbaar openbaar vervoer is er vrijwel niet in Windhoek, wat een bron van frustratie kan zijn voor bezoekers die de stad buiten het centrum willen verkennen. Vele bedrijven bieden echter stadsrondritten aan en ook taxi's zijn er meer dan genoeg, maar de laatste zijn wel tamelijk prijzig.

Onder:
Sfeerimpressie van het jaarlijkse WIKA-carnaval.

Welke vorm van vervoer u ook kiest, als u de stad echt wilt leren kennen is een tocht naar de buitenwijken aan te bevelen. **Katutura**, in het noordwesten van Windhoek, is een bruisende woonwijk waarvan de naam in het Herero 'de plek waar we niet naartoe willen gaan' betekent. Het is een verwijzing naar het vorige leven van de wijk als zwarte township, die in 1960 door de Zuid-Afrikaanse regering werd gesticht. De Zuid-Afrikanen dwongen de zwarte inwoners van Windhoek hun huizen in de Old Location (het huidige **Hochland Park**) te verlaten en zich hier te vestigen. Met de onafhankelijkheid kwam er een einde aan deze apartheidspolitiek. De verschillen tussen de woonwijken van Windhoek zijn nu eerder economisch dan raciaal van aard.

De **Old Location Cemetery** van Hochland Park - een nationaal monument - is een interessante en aangrijpende locatie. U vindt hier onder andere een massagraf met 13 personen die tijdens de protesten tegen de gedwongen verhuizing naar Katutura op 10 december 1959 door de Zuid-Afrikaanse politie werden doodgeschoten. Deze dag staat nog altijd bekend als *Human Rights Day* en is een nationale feestdag.

Een wat luchtiger tijdverdrijf is de **Hofmeyer Walk**, een wandeling van een uur die u zuidwaarts door het ongerepte berglandschap tussen Windhoek en het dal van Klein Windhoek voert. Vooral in maart en april is dit een aangename wandeling: de bergaloë

Kaart
blz. 158

(*Aloe littoralis*) staat dan in bloei en de felrode bloemen trekken tal van vogels. In de rest van het jaar moet u het doen met een fantastisch uitzicht over de stad. U kunt de wandeling beginnen in de Orban Street of de Anderson Street ten oosten van de parlementsgebouwen. Vanaf hier volgt u de bordjes naar het eindpunt in de Uhland Street (let op: recentelijk zijn er meldingen geweest van wandelaars die overvallen zijn; neem dus geen waardevolle spullen mee).

Feesten

Een uitstekend tijdstip voor een bezoek aan Windhoek is tijdens de viering van het carnaval (ook wel WIKA genoemd), in de laatste week van april en de eerste week van mei. Het is het knalfeest van de stad, dat nadrukkelijk een Duitse sfeer ademt. Het einde van de zomer wordt geheel in Duitse stijl gevierd met hoempa-orkesten en grote hoeveelheden bier.

Wie meer geïnteresseerd is in Afrikaanse feesten, moet een bezoek brengen aan het **Enjando Street Festival**. Dit straatfeest vindt doorgaans in november plaats en biedt kunst, muziek, dans en drama. Het gedeelte van de Independence Avenue tussen de Fidel Castro Street en het hoofdpostkantoor wordt dan afgesloten voor verkeer.

Onder: Dit imposante kantoorgebouw domineert het stadscentrum. **Rechts**: Een bruisende markt.

Wild

Net als de meeste Afrikaanse steden staat Windhoek niet bekend om haar goede mogelijkheden voor wildobservaties, maar rond de stad bevindt zich een aantal aantrekkelijke opties die eenvoudig via een dagtocht kunnen worden aangedaan. De beste keuze is het **Daan Viljoen Game Park**, dat 20 km ten westen van Windhoek ligt en bereikbaar is via een goede asfaltweg. Hoewel dit bergachtige park wellicht geschikter is voor wandelaars (er is een netwerk van wandelroutes aangelegd) dan voor wild-spotters, kunt u hier toch oog in oog komen te staan met een Hartmann-zebra, een giraffe of een grote antilope als een koedoe, een spiesbok of een gestreepte gnoe. Omdat u overal uit uw auto mag stappen en vrij kunt rondlopen is dit park ook uitermate geschikt voor het spotten van nagenoeg inheemse vogels als de Monteiro-tok, de roodstuitrotszanger, de witstaart-klauwier, de opvallende roodbuikklauwier, de koningswida en de granaatastrild. Voor wie buiten de bruisende hoofdstad wil overnachten, is er een klein kamp met eenvoudige accommodatie en kampeerfaciliteiten. Verder vindt u hier ook een restaurant.

Voor de wat grotere dieren kunt u terecht op de enigszins gekunstelde - maar evengoed aantrekkelijke - **Okapuka Ranch**, een particuliere wildlodge die ongeveer 40 km ten noorden van Windhoek aan de verharde weg naar Okahandja ligt. De lodge is vooral gericht op mensen op doorreis (het is een ideale eerste stopplaats onderweg naar het Etosha National Park of de Caprivistrook), maar ook dagjesmensen zijn - tegen betaling - welkom. In de vrije natuur rond de lodge leven onder andere giraffen, spiesbokken, koedoes, gestreepte gnoes en sabelantilopen (de laatste komen elders in Namibië maar zelden voor). Ook vogelaars komen hier aan hun trekken met een vergelijkbare selectie als in het Daan Viljoen Game Park. ❏

CENTRAAL-NAMIBIË

Kaart
blz. 170

Deze streek wordt vanwege de nabijheid van het Etosha National Park vaak over het hoofd gezien, maar heeft in glooiende heuvels, rivierdalen en vele historische locaties zijn eigen bekoringen.

Windhoek

Maar al te vaak gebruiken bezoekers het gebied ten noorden van Windhoek alleen om erdoorheen te rijden naar de trekpleister van Noord-Namibië, het Etosha National Park. Het centrale noorden van het land heeft echter niet alleen veel bezienswaardigheden te bieden, het beschikt ook over de infrastructuur die een verkenning op eigen gelegenheid mogelijk maakt. De meeste wegen zijn voorzien van asfalt of goed ingereden grind en in alle grotere stadjes en de meeste *rest camps* kunt u terecht voor levensmiddelen, geldzaken en benzine. Houd er echter rekening mee dat veel van de attracties zich hier op particulier terrein bevinden en dat reserveren dus beslist noodzakelijk is.

Blz. 166-167: Red Flag Herero-processie in Okahandja. **Links**: De bewerkelijke Herero-kleding droogt maar langzaam. **Onder**: Duitse oorlogsbegraafplaats, Waterberg-plateau.

Een verkenning van de hooglanden

Als u vanuit Windhoek ❶ via snelweg B1 noordwaarts rijdt, komt u door het heuvelachtige boerenland van het **Khomas Hochland**. In het oosten wordt dit gebied begrensd door het Onyatigebergte. **Okahandja ❷**, dat 71 km ten noorden van Windhoek ligt, werd in 1849 gesticht door de Duitse missionaris Friedrich Kolbe. Maar na herhaalde aanvallen van de Nama, onder aanvoering van Jonker Afrikaner, werd de plaats in 1850 al weer verlaten. Het jaar daarop was de kleine **Blood Hill** (ten oosten van de B2) het toneel van een bloedbad waarbij de Nama circa 700 volgelingen van Herero-leider Tjamuaha afslachtten. Vandaag de dag ligt Jonker Afrikaner echter zij aan zij met verscheidene Herero-opperhoofden op een begraafplaats tegenover de Rhenish Church in Kerk Street (alleen op afspraak toegankelijk).

Okahandja is het belangrijkste bestuurlijke centrum van de Herero en ook een plaats van grote historische betekenis voor deze bevolkingsgroep. De **Green Flag Herero** of **Mbanderu** komen hier jaarlijks in juni bijeen om eer te betonen aan hun voorvader Kahimemua Nguvauva, die op 13 juni 1896 in Okahandja geëxecuteerd werd vanwege zijn betrokkenheid bij een opstand tegen het Duitse koloniale bestuur. Eind augustus is het dan de beurt van de **Red Flag Herero**, die met een kleurrijke processie hun gevallen opperhoofden herdenken. De mannen trekken voor deze gelegenheid militairachtige uniformen aan, de vrouwen gaan gekleed in rode jurken.

Langs de zuidelijke en noordelijke toegangswegen tot de stad staan kraampjes met curiositeiten van de in Rundu gevestigde *Namibian Carvers Association*. Ga beslist even kijken of er iets van uw gading bij is (dagelijks open). Verder bevindt zich 3 km ten noordwesten van Okahandja langs de D2110 de **Ombo Ostrich Farm**, waar u tijdens een rondleiding van drie kwartier van alles over struisvogels te weten komt. Andere attracties zijn er hier nauwelijks.

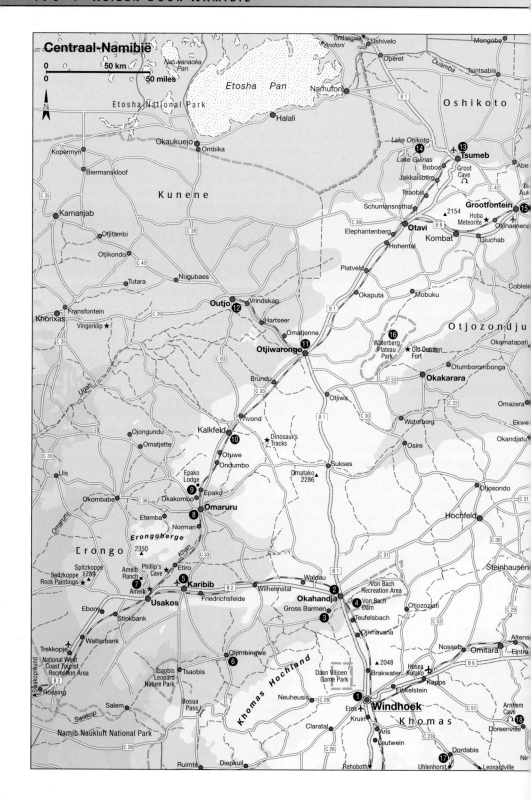

Centraal-Namibië

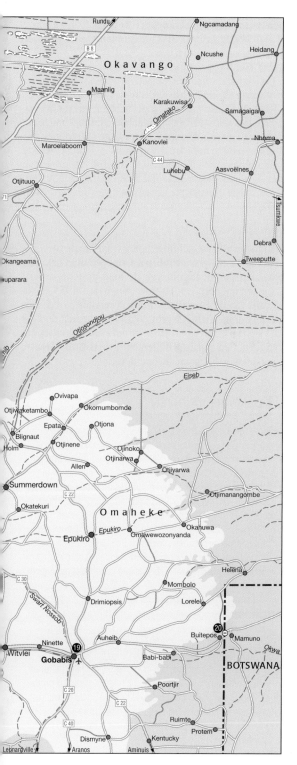

In Okahandja zelf vindt u een beperkt aantal hotels, maar net buiten de stad is er keuze genoeg in de vorm van jachtboerderijen. Hoewel deze omgeving over het beste boerenland van Namibië beschikt - dat vooral geschikt is voor veeteelt - hebben veel boeren in de voorbije jaren hun vee ingeruild voor wilde dieren om zich volledig op het toerisme te richten.

Een goede overnachtingsmogelijkheid is ook **Gross Barmen** ❸, een oude missiepost circa 24 km ten zuidwesten van Okahandja, vlak bij een stuwmeer in de rivier de Swakop. De trekpleister hier is een thermale bron die zowel een binnen- als een buitenbad voedt. Het water heeft een constante temperatuur van 65° C, maar wordt voor de baden afgekoeld naar een draaglijkere 40° C.

Dit kuuroord is bijzonder populair bij de lokale bevolking, die hier graag een weekendje doorbrengt, maar ook bij toeristen die onderweg zijn naar het Etosha National Park. De bosrijke heuvels in de omgeving zijn aantrekkelijk voor wandelaars en vogelaars.

Het stuwmeer **Von Bach Dam** ❹, dat net ten oosten van de B1 op ongeveer 3,5 km ten zuiden van Okahandja ligt, is rijk aan karpers, brasems, barbelen en baarzen. Het meer is een magneet voor watersportenthousiastelingen en hengelaars. In de omliggende bossen leven koedoes, Hartmann-zebra's, springbokken, elandantilopen en struisvogels, maar de mogelijkheden voor observatie zijn beperkt. Verder is de accommodatie hier vrij eenvoudig.

Net buiten Okahandja loopt de B2 westwaarts richting de kustplaatsen Swakopmund en Walvisbaai. Aanvankelijk rijdt u door saai boerenland, maar al snel doemt in het noorden de geel-roze granietmassa van het Erongogebergte op. Aan de voet van het gebergte, circa 110 km ten westen van Okahandja, ligt **Karibib** ❺. Dit boerenstadje is het bekendst vanwege het uitstekende marmer uit de groeve van de nabijgelegen Marmorwerke. Voorbeelden hiervan bevinden zich op de vloeren van de parlementsgebouwen in Kaapstad en op de muren van de luchthaven van Frankfurt.

Struisvogel op een stoffige landweg nabij Otjimbingwe.

Onder: Het gebied rond Dordabis is het hart van de Namibische karakoelindustrie.

Breng als eerste een bezoek aan het nuttige **Henckert Tourist Centre** in de hoofdstraat. Dit toeristenbureau begon in 1969 als curiositeitenwinkeltje, maar huisvest tegenwoordig ook een wisselkantoor en een cafeetje.

Vanuit Karibib kunt u naar Otjimbingwe rijden of verder via de B2 naar het 30 km westelijker gelegen Usakos voor een bezoek aan de Ameib-rotsschilde-ringen. Het slaperige **Otjimbingwe** ❻ ligt 51 km ten zuiden van Karibib aan de D1953. Het stadje werd in 1849 als Rijnse missiepost gesticht en was tot het be-gin van de jaren tachtig van de 19e eeuw een rustig plaatsje. Hierna fungeerde Otjimbingwe vanwege zijn strategische ligging halverwege Windhoek en Walvisbaai korte tijd als administratieve hoofdstad van Duits Zuidwest-Afrika. In 1890 werd Windhoek echter uitverkoren tot hoofdstad en zonk Otjimbingwe weer weg in de anonimiteit. U vindt hier een aantal interessante gebouwen, waaronder de Rijnse kerk (het oudste christelijke gebedshuis van de Herero) en een buskruitmagazijn uit 1872.

Rotskunst

Het Erongomassief staat bekend om zijn rotsschilderingen, waarvan de beroem-de inscriptie van een 'witte olifant' in de grote **Phillip's Cave** wellicht het inte-ressantst is. De grot bevindt zich op het terrein van de luxe gastenboerderij **Ameib Ranch** ❼, circa 27 km ten noorden van **Usakos** (neem de D1935 en sla na 11 km rechtsaf de D1937 op). Vanaf de boerderij brengen een korte rit en een wandeling van ongeveer veertig minuten u bij de grot. Verder kunt u hier diverse aangename wandelingen maken naar de wonderlijk gevormde rotsformaties die her en der rond de boerderij liggen. Een van de schilderachtigste is **Bull's Party**, een verzameling ronde granietkeien op 5 km van de boerderij.

KOSTBARE VACHTEN

Zacht, glad, zijdeachtig en soepel: de vachten van de kara-koelschapen zijn de 'Perzen van Namibië' en de kleden en jas-sen die ervan worden gemaakt brengen een hoge prijs op. Het gebied rond Dordabis in het oosten van Centraal-Namibië is het hart van de karakoelindustrie. In dit droge gebied aan de rand van de Kalahariwoestijn verdienen veel mensen dankzij de sterke karakoelschapen hun brood, waar dit an-ders misschien onmogelijk zou zijn geweest. De graasge-woonten van de schapen stimuleren de groei van veel planten en struiken. Verder voorkomen de kudden erosie door het gras te vertrappen, want de bovenlaag is normaal gesproken een prooi voor de wind.

Er is maar één ding dat mens noch dier bij de natuur kan afdwingen: regen. Wanneer regen uitblijft in dit toch al droge gebied, heeft dat grote consequenties voor de karakoelindu-strie. Door gebrek aan voedsel en water worden de kudden dan aanzienlijk uitgedund.

De eerste schapen werden in 1907 uit Duitsland geïmpor-teerd. Inmiddels zijn er meer dan 1 miljoen. In 1978 produ-ceerden circa 2500 karakoelfokkers 4,66 miljoen vachten, maar daarna raakte de industrie door droogte en een mindere vraag in verval. De jaarproductie is nu nog maar 120.000 vachten.

Kaart
blz. 170

Vanuit Karibib brengt een 65 km lange rit noordwaarts u door golvend boerenland naar het mooie plaatsje **Omaruru** ❽, dat op de oevers van de gelijknamige
rivier ligt (die echter het grootste deel van het jaar droogstaat). Deze voormalige
Rijnse missiepost werd rond het begin van de 20e eeuw herhaaldelijk aangeval-
len door Herero en in 1904 uiteindelijk belegerd. Dit kwam ter ore van de in
Zuid-Namibië gelegerde Duitse kapitein Victor Franke, die de toenmalige gouverneur toestemming vroeg om met zijn compagnie noordwaarts te marcheren
om de post te ontzetten. Na een tocht van 19 dagen arriveerde hij in Omaruru en
wist de Herero te verdrijven. De **Franke Tower** aan de oostkant van de plaats is
een eerbetoon aan de kapitein; de toren is doorgaans gesloten, maar u kunt de
sleutel gaan halen in het nabijgelegen **Hotel Staebe**.

In de taal van de Herero betekent Omaruru 'zure melk', naar de melk die de koeien gaven als ze van een struik hadden gegeten die lokaal bekendstaat als bitterbos.

Wie nog meer rotskunst wil zien, vindt buiten Omaruru op het terrein van de
Erongo Lodge (niet te verwarren met de Erongo Wilderness Lodge) bijzonder
goed bewaard gebleven schilderingen en inscripties (maak een afspraak voor bezichtiging!). U bereikt de lodge door 3 km ten zuiden van Omaruru de D2315 te
nemen en na 24 km de D2316 richting zuiden te volgen. Na 19 km bent u bij de
lodge. Trek voor deze rit een uur uit. Vanaf de lodge gaat u via een steil omhoog-
lopende weg over de dunbeboste flanken van het Erongogebergte naar de prehistorische locatie. Onderweg komt u langs moringabomen, waarvan de witte stam
scherp afsteekt tegen de okerkleurige rotsen.

Richting Etosha National Park

Net als rond Okahandja zijn er ook in de omgeving van Omaruru tal van gastenboerderijen, waarvan vele met wilde dieren op hun terrein. De luxe **Epako
Lodge** ❾, die 18 km ten noorden van Omaruru aan de C33 ligt, is een goede keuze als u geen tijd hebt om naar het Etosha National

Onder: Traditionele maskers.

Park te reizen. U vindt hier onder andere olifanten,
luipaarden, witte neushoorns, giraffen en meer dan
180 vogelsoorten. Verder heeft de lodge wat rotskunst te bieden, hoewel de schilderingen van mindere kwaliteit zijn dan die bij de Erongo Lodge.

Als u vanuit Omaruru via de C33 ongeveer 65 km
naar het noorden rijdt, komt u in het dorpje **Kalkfeld**
❿. De enige reden om hier te stoppen is voor een bezoek aan de fossiele pootafdrukken van dinosaurussen op een boerderij met de ingewikkelde naam
Otjihaenamaparero. De indrukwekkendste zijn de
afdrukken van een tweebenige dinosaurus met drie
tenen, die een spoor van ongeveer 25 m vormen. Volg
vanuit Kalkfeld de D2483 en sla na 19 km rechtsaf de
D2414 op; vanaf hier is het nog 10 km tot de afslag
naar de boerderij (aangegeven).

Circa 70 km ten noordoosten van Kalkfeld ligt
Otjiwarongo ⓫, een vrij oninteressant boerenstadje
dat echter over adequate faciliteiten voor toeristen
beschikt en een populaire uitvalsbasis voor de oostkant van het Etosha National Park is. Een nog popu-
lairdere stopplaats is de gastenboerderij **Okonjima**,
die ongeveer 35 km ten zuiden van het stadje vanaf
de B1 wordt aangegeven. Naast twee kleine, luxe
lodges is op het uitgestrekte en deels bergachtige terrein van de boerderij ook de **AfriCat Foundation**
(www.Africat.org) te vinden. Haar pionierswerk op

het gebied van het redden en uitzetten van grote katten heeft de stichting sinds 1997 diverse internationale ecologische prijzen opgeleverd.

Eén of twee overnachtingen in een van de buitengewoon comfortabele lodges van Okonjima zijn een ideale onderbreking van de reis van Windhoek naar het Etosha National Park. Tevens kunt u hier dan kennismaken met gedomesticeerde luipaarden, gevangengenomen leeuwen en rehabiliterende cheeta's. Een rondleiding door de kliniek en het informatiecentrum geeft u meer inzicht in deze veelzijdige organisatie, die in de eerste 13 jaar van haar bestaan meer dan 850 'probleem'cheeta's en -luipaarden redde en erin slaagde om liefst 86 procent van deze prachtige dieren weer uit te zetten. Verder brengt AfriCat de jeugd kennis bij over de grote katten en biedt de stichting ook onderdak aan dieren die om wat voor reden dan ook niet meer veilig in het wild kunnen worden uitgezet.

De meeste gastenboerderijen in Centraal-Namibië bieden vele soorten wild.

Het aantrekkelijke plaatsje **Outjo** ⑫, 68 km ten noordwesten van Otjiwarongo aan de C38, ligt te midden van grazige heuveltjes met uitzicht op het Paresisgebergte (*outjo* betekent 'heuveltjes' in het Herero). Het plaatsje werd in 1897 gesticht als controlepost van de *Schutztruppe*, maar de ontwikkeling ervan kwam tijdens de Herero-oorlog (1904-1905) vrijwel tot stilstand. Er is hier niet veel bijzonders te zien, maar Outjo ligt op slechts 96 km van de Andersson Gate van het Etosha National Park en is dus een geschikte stopplaats.

Naar het Otjikoto-meer

Onder: Het thermale buitenbad van Gross Barmen.

Wie onderweg is naar het Etosha National Park, kan voorbij Otjiwarongo ook op de B1 blijven en noordoostwaarts via **Otavi** naar **Tsumeb** ⑬ rijden. Dit charmante stadje ligt in een gebied dat rijk is aan mineralen. Er zijn hier grote hoeveelheden koper gevonden, naast meer dan 200 andere mineralen, waaronder

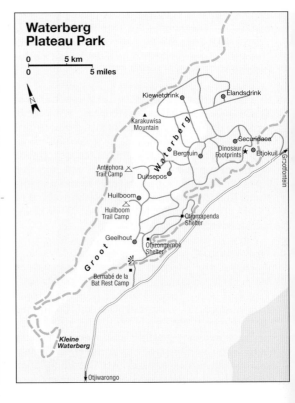

Waterberg Plateau Park

0 — 5 km
0 — 5 miles

N

Kiewietdrink
Elandsdrink
Karakuwisa Mountain
Securidaca
Bergtuin
Dinosaur Footprints
Etjokuil
Antephora Trail Camp
Duitsepos
Huilboom
Huilboom Trail Camp
Okomapenda Shelter
Geelhout
Otjozongombe Shelter
Bernabé de la Bat Rest Camp
Waterberg
Groot
Grootfontein

Kleine Waterberg

Otjiwarongo

zilver, lood, zink en cadmium. Het uitstekende **Tsumeb Museum**, dat is gevestigd in een oude Duitse school in de Main Street, biedt goed inzicht in de geologie en de cultuurgeschiedenis van dit gebied en verder vindt u hier een verzameling Duitse wapens die de terugtrekkende troepen in 1915 in het nabijgelegen **Otjikoto-meer** hadden gegooid. Voor kwalitatief goede kunstnijverheid kunt u terecht in het **Tsumeb Arts and Crafts Centre** op Main Street 18.

Het **Otjikoto-meer** ❶ (*otjikoto* betekent 'diep gat' in het Herero) ligt 24 km ten noordwesten van Tsumeb aan de B1. Dit fascinerende meer werd gevormd toen het dak van een enorme ondergrondse grot instortte en een circa 90 m diep gat achterliet. Het Otjikoto-meer en het nabijgelegen Guinas-meer zijn de enige bekende habitats van de kleine cichlide *Pseudocrenilabrus philander*, een vissoort uit het tilapiageslacht, waarvan de vertegenwoordigers opvallende kleuren vertonen, van donkergroen tot felgeel en blauw.

De laatste stopplaats langs de route naar het noorden is het boerenstadje **Grootfontein** ❶, 60 km ten zuidoosten van Tsumeb aan de C42. De meeste bezoekers gebruiken dit stadje als uitvalsbasis voor de Caprivistrook, maar het heeft ook één bezienswaardigheid te bieden: de **Hoba-meteoriet**, die met zijn 55 ton ijzer en nikkel de grootste meteoriet ter wereld is. De enorme steen sloeg 30.000 tot 80.000 jaar geleden in op aarde en werd in 1920 door een boer ontdekt. Dit nationale monument ligt 20 km ten westen van Grootfontein aan de B8.

Waterberg Plateau Park

Voor de parel van Centraal-Namibië, het **Waterberg Plateau Park** ❶, zult u weer terug moeten rijden in de richting van Otjiwarongo. Het park is een eiland van rode, zandstenen kliffen met een weelderige begroeiing dat majestueus bo-

Kaarten blz. 170 en 174

Onder: Cheeta bij de Mount Etjo Safari Lodge, nabij Otjiwarongo.

**Kaarten
blz. 170
en 174**

*Naar de markt, op
traditionele wijze.*

ven de omliggende savanne uittorent. Het werd in 1972 uitgeroepen tot reservaat voor bedreigde diersoorten, zoals de witte neushoorn, de paard- en de sabelantilope en de tsessebe. Andere dieren die u hier mogelijk ziet, zijn de luipaard, de bruine hyena, de caracal en meer dan 200 soorten vogels, van de Rüppell-papegaai en de zwarte adelaar tot de enige broedkolonie van Kaapse gieren.

Dit park kan niet met de eigen auto worden verkend. In plaats daarvan kunt u kiezen uit negen korte **natuurwandelingen** die rond het kamp zijn uitgezet of u inschrijven voor een van de **observatietochten per auto** die twee keer per dag georganiseerd worden. Maar misschien wel de beste manier om kennis te maken met het gevarieerde landschap van het park is door in het droge seizoen (tussen april en november) mee te gaan op een van de vierdaagse **wildernistochten**. Hierbij volgt u met een gekwalificeerde gids de sporen van wild en komt u van alles te weten over de ecologie en de dieren.

Het *rest camp* **Bernabé de la Bat** biedt accommodatie in bungalows van roze zandsteen die her en der op de beboste hellingen van het plateau staan. Verder vindt u hier een restaurant, winkels, een benzinestation en een zwembad. Vanuit Otjiwarongo bereikt u het park door via de B1 naar het zuiden te rijden, na 27 km de C22 in oostelijke richting te nemen en vervolgens na 58 km via de D2512 noordwaarts te rijden. Na 17 km bent u bij de ingang van het park.

Onder: Het Otjikoto-meer ontstond toen het dak van een ondergrondse grot instortte.

Ten oosten van Windhoek

In vergelijking met de rest van het land heeft het oosten van Centraal-Namibië maar weinig toeristische attracties te bieden. De trekpleister hier is het ongerepte landschap van acacia's op rood Kalaharizand. U kunt dit gebied het beste bezoeken via een dagtocht vanuit Windhoek of als onderdeel van een zuidwaartse tocht via de C15 en de C17 langs de rand van de Kalahari naar **Mariental** of **Keetmanshoop.**

Het kleine **Dordabis** ❼ is prachtig gelegen in een dal dat omgeven wordt door heuvels met ronde toppen. Dit is het hart van de Namibische karakoelindustrie, waarvan talloze schapenfokkerijen getuigen. In ateliers kunt u terecht voor vloerkleden en wandtapijten, zoals bij **Dorka Teppiche** in de Pepperkorrelboerderij aan de D1458 en bij **Ibenstein Weavers** aan de C15, 3 km ten zuiden van Dordabis.

In deze omgeving ligt ook de **Arnhem Cave** ❽, het grootste grottenstelsel van Namibië (4,5 km). Een ondergrondse route voert u langs verschillende soorten mineralen en zes soorten vleermuizen, waaronder de grootste insectenetende vleermuis ter wereld: de reuzenrondbladneus *(Hipposideros commerssoni)*. De grot is stoffig, dus trek oude kleren aan. Neem ook een goede zaklamp mee. Bij de grot is een klein *rest camp*. Om er te komen neemt u vanuit Windhoek de B6 naar de luchthaven, vervolgens de D1458 in zuidoostelijke richting en na 66 km de D1506 noordwaarts. Na 11 km komt u bij een T-splitsing; vanaf hier rijdt u nog 4 km via de D1808 naar het zuiden.

Het drukke **Gobabis** ❾ ligt 200 km ten oosten van Windhoek aan de B6 en is een florerend veeteeltcentrum. Voor wie richting Botswana rijdt, is dit een ideale stopplaats, want de grens bij **Buitepos** ❿ is hier nog maar 120 km vandaan. ❏

DE NAMA

D e Nama vormen een subgroep van de inheemse Khoi-Khoin (die vroeger ten onrechte 'Hottentotten' werden genoemd, een benaming die tegenwoordig als kleinerend wordt beschouwd). Nadat de snel oprukkende blanke boerengemeenschap hen steeds verder naar het noorden had gedreven, vestigden de Nama zich onder aanvoering van het legendarische opperhoofd Jan Jonker Afrikaner halverwege de 19e eeuw in het gebied rond Windhoek.

Bepaalde uiterlijke kenmerken maken de Khoi-Khoin gemakkelijk te herkennen. De slanke handen en voeten van de vrouwen zijn een favoriet thema in traditionele lofdichten, en de hoge en uitstekende jukbeenderen, de taps toelopende kin en de brede neuzen geven de meeste Nama een plat gezicht. Verder lijken de prachtige donkerbruine of zwarte ogen door een bepaalde plooiing van het bovenste ooglid amandelvormig te zijn. Ten slotte hebben vooral de vrouwen een sterk ontwikkelde vetlaag op de billen (steatopygie).

Vandaag de dag zijn er circa 90.000 Nama. Van oudsher heeft het rondtrekkende herdersvolk weinig behoefte aan permanente huisvesting; hun bijenkorfachtige huisjes passen dan ook uitstekend bij hun levensstijl. De meeste stammen hangen nog altijd het principe van het gemeenschappelijke landeigendom aan, behalve de Aonin of Topnaars. De !nara-velden van de laatsten behoren toe aan bepaalde geslachten.

De Nama-stammen die langs de kust wonen, hebben de zee altijd als belangrijke voedselbron beschouwd. Sommigen zijn echter gaan tuinieren of zelfs op kleine schaal gaan boeren. In onder andere Hoachanas, Gibeon en Berseba lopen gemeenschappelijke landbouwkundige projecten.

De beeldende kunst van de Nama is vrij slecht ontwikkeld. Zij hebben wel een natuurlijk talent voor muziek en poëzie; wie ooit in een Nama-dorp in het Sesfonteindal is geweest, zal nooit meer de zachte klanken van de rietfluiten vergeten. Het schrijftalent van

Rechts: Er zijn 14 Nama-stammen in Namibië, die vooral in het midden en zuiden wonen.

de Nama komt in zowel proza als poëzie tot uitdrukking. Talloze spreekwoorden, raadsels, legenden en gedichten zijn van generatie op generatie overgedragen en honderden volksverhalen - sommige in liefst veertig verschillende versies - doen nog altijd de ronde.

Interne conflicten en oorlogen tegen de oprukkende indringers hebben de Nama zwaar op de proef gesteld; onder de Zuid-Afrikaanse overheersing werd hun leefruimte geleidelijk beperkt tot een aantal reservaten. Ondanks hun heldhaftige verzet tegen het kolonialisme en hun onvermoeibare pogingen om hun identiteit te behouden, is de cultuur van de Nama grotendeels verdwenen. Maar hun helden leven voort in indrukwekkende verhalen en lofdichten over opperhoofden en andere prominenten.

Er zijn 14 Nama-stammen in Namibië, die vooral het midden en het zuiden van het land bevolken. Sinds de onafhankelijkheid in 1990 zijn de verschillende stammen meer geneigd tot samenwerking: een goede kans voor een renaissance van het unieke culturele erfgoed van het Nama-volk. ❑

NOORD-NAMIBIË

Kaart blz. 182

Het dichtbevolkte noorden is het landelijke hart van Namibië.
De dichte begroeiing rond de traditionele dorpjes en kralen
vormt een mooi contrast met het droge Bushmanland.

De vier noordelijkste regio's van Namibië - Oshikoto, Ohangwena, Oshana en Omusati - vormen het culturele hart van het land. Dit traditionele woongebied van de Ovambo, de grootste etnische bevolkingsgroep van Namibië (vóór de onafhankelijkheid heette dit gebied nog officieel Ovamboland), is het dichtst bevolkte deel van het land. De meeste mensen voorzien hier in hun levensonderhoud met de teelt van maïs en gierst en het fokken van rundvee en geiten.

Achter de geïsoleerd gelegen stadjes strekken zich met struiken begroeide vlakten uit, waarop her en der makalanipalmen, baobabs en een incidenteel groepje mopanen groeien. Traditionele dorpjes, veekralen, kunstnijverheidsmarkten en *cuca* (kruideniersstalletjes) maken het plaatje compleet.

De lijn over

De beste maand voor een bezoek aan het voormalige Ovamboland is mei, want net na het regenseizoen ziet het struikgewas er prachtig groen uit (in dit gebied valt de meeste regen van het land). In de zomer (november-februari) kan het hier onaangenaam broeierig zijn.

Als u vanuit **Tsumeb ❶** via de B1 naar het noorden rijdt, bereikt u na 91 km het kleine **Oshivelo ❷**. Hier passeert u de 'Rode Lijn', een afrastering die ervoor moet zorgen dat het vee uit het noorden niet de boerenbedrijven van Centraal-Namibië kan bereiken (en daarmee eventueel ziekten als mond- en klauwzeer kan verspreiden).

In het westen ligt de **Andoni-vlakte**, die tot 1960-1961 deel uitmaakte van het Etosha National Park en waar grote kudden zebra's, gnoes en spiesbokken leefden. Inmiddels is het wild vervangen door vee en heeft het struikgewas grotendeels plaats moeten maken voor velden met groenten en graan. Wilde dieren zijn hier nog maar nauwelijks te vinden, maar een schildraaf, een neushoornvogel, een ooievaar of een reiger zou u nog wel eens kunnen spotten.

Een deel van de route naar het noorden bent u in het gezelschap van een prominent aanwezige pijplijn, waardoor water uit de Culevai - de belangrijkste waterbron in deze omgeving - getransporteerd wordt. Verder bestaat het watervoorzieningsstelsel uit een netwerk van ondiepe waterlopen *(oshanas)*, die zich in het regenseizoen vullen met neerslag en de rest van het jaar grondwater vasthouden.

Net voor Ondangwa ziet u borden die verwijzen naar het dorpje **Olukonda ❸**, dat ongeveer 10 km zuidoostelijker aan de D3606 ligt. Hier staat het oudste gebouw van Noord-Namibië, een missiehuis dat rond 1880 door de Finse missionaris Martti Rauttanen gebouwd is. De lokale bevolking noemde hem *Nakambale*, oftewel 'die met die hoed'. Tegenwoordig is

Blz. 178-179: De meanderende Kunene voedde ooit de Ruacana-waterval.
Links: Ovambo-aardewerk is beroemd.
Onder: Met rivierwater weer terug naar huis.

het **Nakambale House** een museum, waarnaast zich een *rest camp* bevindt dat behalve accommodatie in een historisch missiehuisje en diverse traditionele Ovambo-hutten ook kampeerfaciliteiten aanbiedt. Rauttanen ligt begraven op het kerkhof van het kerkje met het rieten dak.

Als u vanuit Tsumeb komt, is **Ondangwa** ❹ het eerste flinke stadje dat u langs de B1 tegenkomt. Vóór de onafhankelijkheid was dit het bestuurlijke centrum van Ovamboland. Hoewel die rol inmiddels is overgenomen door Oshakati, gonst het hier nog altijd van de bedrijvigheid. Vanaf Ondangwa is het nog maar 60 km tot de Angolese grens bij **Oshikango**.

Oshakati

Vanuit Ondangwa voert de C46 in noordwestelijke richting naar Oshakati, de 'hoofdstad' van Ovamboland. Naarmate u dichter bij het stadje komt, neemt de bebouwing steeds meer toe en wordt het steeds drukker op de weg. In het kleine **Ongwediva**, circa 25 km van Ondangwa, staat het gerenommeerde Teacher's Training College, maar de meeste bezoekers zullen meer geïnteresseerd zijn in de winkel van de **Oshana Environment and Art Association** aan de hoofdstraat. Hier kunt u terecht voor kunst uit heel Noordwest-Namibië en een goede selectie kunstnijverheid, waaronder sieraden, aardewerk en manden.

In het kleine Ongwediva kunt u kwalitatief goede kunstnijverheid uit heel Noord-Namibië kopen.

Het snelgroeiende **Oshakati** ❺ ligt vlak bij een grote *oshana*, die na langdurige regen vaak overstroomt en daarbij huizen en infrastructuur verwoest, iets om in gedachten te houden als u hier in het regenseizoen bent. Oshakati is een grote, drukke stad, die echter maar weinig interessants te bieden heeft. Alleen de overdekte markt aan de westrand is de moeite waard; u vindt hier van alles, van kikkers uit de lokale *oshanas* tot gevlochten manden en gedroogde mopaniwormen.

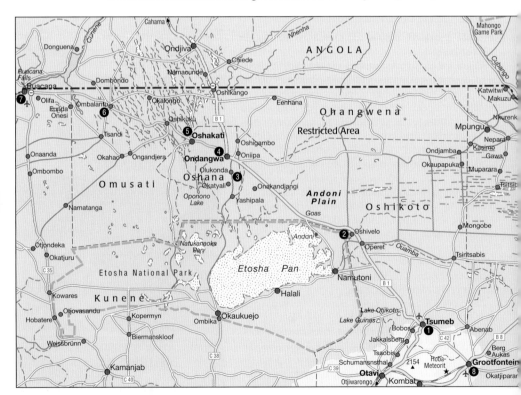

De weg loopt verder noordwestelijk door de regio Omusati (*omusati* betekent 'mopane' in het Ovambo). Hoe westelijker u komt, des te uitbundiger groeien de mopanen. Ongeveer 110 km na Oshakati komt u bij het stoffige dorpje **Ombalantu ❻**, waar de grootste attractie een enorme uitgeholde baobab is die in het verleden al eens dienst heeft gedaan als kerk, als school en zelfs als postkantoor. De apebroodboom staat op een voormalige Zuid-Afrikaanse legerbasis aan de hoofdstraat; vraag zo nodig de weg bij een winkel of een benzinestation.

Kaart blz. 182

Ruacana-waterval

Circa 40 km ten noordwesten van Ombalantu passeert u het agrarische gehucht **Mahanene** en weer 50 km verder komt u bij de afslag naar het slaperige **Ruacana ❼**. U vindt hier een benzinestation en een winkel, maar voor de rest is er weinig bedrijvigheid. Zo nu en dan komen groepjes Himba hier inkopen doen, om zich daarna weer diep in het Kaokoveld terug te trekken.

Vanuit Ruacana loopt een pittoreske weg noordwaarts over de rivier de Kunene het enige gebergte van Ovamboland in (met uitzicht op Angola). Na 25 km komt u bij de 85 m hoge **Ruacana-waterval**. Ooit was dit een fantastische attractie, maar door de aanleg van een groot stuwmeer 50 km stroomopwaarts staat de waterval met uitzondering van de natste periode van het regenseizoen (maart-april) droog. Verder wordt de waterstroom geregeld door een stuwdam pal boven de waterval, die het water naar de turbines van een ondergrondse waterkrachtcentrale aan de grens leidt.

Als u van plan bent om vanaf hier het Kaokoveld in te gaan, dan is Ruacana de laatste gelegenheid om benzine te tanken voor **Opuwo** (*zie Noordwest-Namibië, blz. 222*).

TIP

Het vroegere Ovamboland is malariagebied. Kijk op de site van het Landelijk Coördinatiecentrum Reizigersadvisering (www.lcr.nl) voor actuele adviezen over inentingen en andere preventieve maatregelen of neem contact op met uw huisarts.

Onder: Baobab met sanitair.

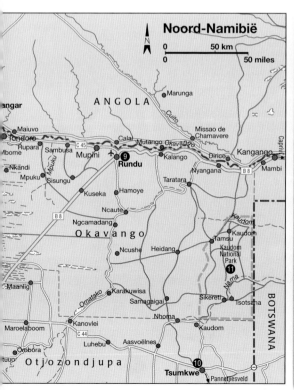

De regio Okavango

In het noordoosten wordt Ovamboland begrensd door de weelderig beboste en waterrijke regio Okavango. Dit is de op een na dichtst bevolkte regio van Namibië; de meeste mensen wonen hier op de oevers en uiterwaarden van de Okavango in dorpjes van ronde, met riet bedekte hutjes. Men houdt hier nog altijd stevig vast aan de traditionele manier van leven en voor veel westerse bezoekers ademen de regio Okavango en het verder oostelijk gelegen Caprivi dan ook het Afrikaanse leven zoals ze zich dat altijd hadden voorgesteld.

De afstand van **Grootfontein** ❽ naar **Rundu**, het belangrijkste centrum van de regio, bedraagt 250 km, die u aflegt over een goed geasfalteerde en vrijwel kaarsrechte weg. Ongeveer halverwege passeert u weer de afrastering van de Rode Lijn, die de grens markeert tussen de grote, commerciële veeboerderijen van Centraal-Namibië en de zelfvoorzienende boerderijen van het noorden. Aan de andere kant van de lijn wordt het landschap aanmerkelijk derdewereldachtiger, want hier bepalen veldjes met gierst en maïs en verspreid gelegen gehuchten het beeld. Ook staan er steeds meer kraampjes langs de weg, die kunstnijverheid of groenten en fruit verkopen.

Het drukke **Rundu** ❾ ligt op een prachtige locatie hoog boven de uiterwaarden van de Okavango. Langs de rivier bevinden zich tal van overnachtingsmogelijkheden. De meeste lodges bieden cruises en visexcursies op de rivier aan, maar net voor het begin van de regentijd in januari is het waterpeil hier bijzonder laag. Rundu is een goede locatie om te tanken en inkopen te doen als u van plan bent om verder oostwaarts richting Caprivi *(zie blz. 203)* en Botswana te rijden. Breng beslist ook een bezoek aan het **Mbangura Woodcarvers' Cooperative**; de kunstnijverheid (vooral van teak) is hier doorgaans van een hoog niveau.

Onder: Stalletje met kunstnijverheid aan de weg naar Rundu.

Ten oosten van Grootfontein gaat het vruchtbare Centraal-Namibië langzaam over in de warme en droge Kalahari. Deze strook halfwoestijn - die tot aan de grens met Botswana reikt - staat nog altijd bekend onder zijn oude naam: Bushmanland. Hier wonen vele stammen van de Namibische Bosjesmannen (of San). De meesten zijn niet meer nomadisch, maar wonen in verspreid gelegen dorpjes. Veelal schraapt men zijn levensonderhoud bijeen met de opbrengsten van een stukje land en wat vee.

Kaart
blz. 182

Bushmanland

Het belangrijkste centrum van Bushmanland, **Tsumkwe ⑩**, is het eenvoudigst te bereiken vanuit Grootfontein. Houd echter in gedachten dat Tsumkwe niet veel meer is dan een stoffig kruispunt, zonder benzinestation en met maar weinig proviand. Rijd vanuit Grootfontein via de B8 noordwaarts en sla na 50 km rechtsaf de C44 (kiezels) op. Na 32 km komt u langs politiebureau **Maroelaboom**; vanaf hier is het nog circa 200 km rijden.

Het **Omatako Valley Rest Camp** is een goede stopplaats onderweg; ongeveer 88 km nadat u de C44 ingeslagen bent, verwijzen borden u ernaartoe. Het *rest camp* is in handen van de lokale San-gemeenschap en biedt een winkeltje waar kralen, kettinkjes en manden, maar ook koude drankjes te koop zijn. Als u besluit hier te overnachten, kan men ook activiteiten als wild- en vogelobservaties en een bezoek aan een San-dorp voor u organiseren.

Tsumkwe ligt op de grens van het **Bushmanland Conservancy**, dat in 1997 gesticht werd en onder toezicht staat van een San-ontwikkelingsorganisatie die ecotoerisme als instrument ziet om de verdere erosie van de traditionele San-cultuur tegen te gaan. Bij de meeste hotels en lodges rond Tsumkwe kunt u terecht

In het gebied ten oosten van Tsumkwe wonen de Ju'/hoan San.

Onder: Een traditionele jacht- partij van de San (Bosjesmannen).

Kaart blz. 182

In het Kaudom National Park komt onder andere de spiesbok voor.

Onder: Dit soort straatmarkten ziet u overal in Okavango en Ovamboland.

voor een excursie met een lokale gids naar het beschermde gebied, een bezoek aan een dorpje voor demonstraties van ambachten en traditionele dansen of een tocht de wildernis in om voedsel te verzamelen.

In het oosten van Bushmanland ligt **Pannetjiesveld**, een gebied dat bezaaid is met kleine komvormige laagten die 's zomers, wanneer de grond bijzonder droog is, een bescheiden hoeveelheid wild trekken. U kunt hier dan verschillende dieren spotten, waaronder leeuwen, luipaarden, olifanten, hyena's, giraffen, koedoes en paardantilopen. In het regenseizoen loopt dit gebied vaak onder water en trekken de grotere dieren noordwaarts, maar de vele vogels blijven. Na langdurige regenval trekt **Nyae Nyae**, de grootste pan, grote zwermen kleine flamingo's en bosruiters. Mogelijk ziet u hier zelfs zeldzame waadvogels als de poelsnip.

Houd er rekening mee dat u voor een verkenning van het gebied rond Tsumkwe minstens twee terreinwagens per gezelschap nodig hebt (Tsumkwe zelf is met een gewone auto te bereiken) en dat u volledig op uzelf bent aangewezen. Breng als u kampeert altijd de nacht door in de tent; u bent hier tenslotte in de wildernis.

Kaudom National Park

Ten noorden van Bushmanland ligt aan de grens met Botswana het weinig bekende **Kaudom National Park ⓫**, een wildernis van struiksavannen op Kalahariduinen met her en der een laagte van kleigrond. Dankzij de *omurimba* (meervoud van *omuramba*, een Herero-woord dat 'onduidelijk stroomdal' betekent) die dit gebied doorsnijden, is het hier tamelijk dichtbegroeid. Op de duinen overheersen de mangetti, de Rhodesische teak en de schijnmopane, elders vindt u vooral acacia's. Naast giraffen, koedoes, spiesbokken, steenbokantilopen en zeldzamere antilopen als de paardantilope en de tsessebe leven er roofdieren zoals leeuwen, luipaarden, cheeta's, zadeljakhalzen en gevlekte hyena's in het park. Dit is ook de beste locatie in Namibië om een glimp van de wilde hond op te vangen. In Kaudom zitten niet zoveel wilde dieren als in het Etosha National Park, maar u hebt er wel echt het gevoel dat u zich diep in de Afrikaanse wildernis bevindt. In de twee kampen is alleen water voorhanden, dus neem voldoende proviand en benzine mee. Verder zijn de wegen in het park veelal zanderig, waardoor u zich maar langzaam kunt verplaatsen. Een bezoek aan het park moet vooraf in Windhoek worden afgesproken, anders wordt u niet toegelaten. Verder dient een gezelschap over minstens twee terreinwagens te beschikken.

De eenvoudigste route naar het park is via de secundaire weg die vanuit Tsumkwe noordwaarts richting Kaudom voert. Bij de splitsing slaat u rechtsaf naar de ingang van het park en kamp Sikereti. De totale afstand is circa 60 km.

Sikereti biedt drie eenvoudige hutten en kampeerfaciliteiten. Er is geen warm water, licht of elektriciteit. Kamp **Kaudom** in het noorden ligt op een duinkam met uitzicht op een waterpoel en beschikt over kampeerfaciliteiten en twee hutten. Het kamp is niet omheind, dus laat geen etenswaren buiten liggen. Houd er verder rekening mee dat u vroeg in de ochtend moet vertrekken als u in één dag van Sikereti naar Kaudom wilt rijden. ❏

DE OVAMBO

Ovambo (of Ambo) is een verzamelnaam voor een aantal inheemse volken in Noord-Namibië en Zuid-Angola
die van gemeenschappelijke afkomst zijn.
Samen vormen ze verreweg de grootste etnische groep in Namibië, die ongeveer de helft
van de bevolking uitmaakt.

Van oudsher is de stam *(omuhoko)* het
belangrijkste politieke instituut van de
Ovambo. Vier van de grootste stammen wonen in de Zuid-Angolese provincie Kunene
en acht stammen bevolken Noord-Namibië
(de Kwanyama, met 36 procent de grootste
stam, zijn door de internationale grens gescheiden). Andere stammen zijn de Ndongo
(29 procent), de Kwambi (12 procent), de
Ngandjera (8 procent) en de Mbalantu (7
procent). Elke stam spreekt zijn eigen dialect, maar er zijn onderling geen serieuze
taalproblemen.

Veel Ovambo voorzien nog altijd op traditionele wijze in hun levensonderhoud. Ze
hebben een stukje grond en wat vee, en vissen in de ondiepe stroompjes en poelen.
Deze manier van leven staat echter al sinds
het Duitse koloniale tijdperk onder druk, omdat vanaf die tijd een stijgend aantal jonge
mannen zijn heil begon te zoeken op boerderijen, in steden, in industriegebieden en in
mijnen. Ook de introductie van het westerse
monetaire stelsel bracht grote veranderin-
gen in de traditionele economie teweeg,
want in het hele land ontsproten honderden
kleine Ovambo-winkeltjes.

Nadat de arbeidswetgeving van het apartheidsregime was afgeschaft, kwam de migratie van de Ovambo pas echt goed op
gang. Tegenwoordig werken veel Ovambo in
de grotere steden als arbeider, ambachts-
man of winkelier.

De traditionele maatschappij is nauw gerelateerd aan die van andere Centraal-
Afrikaanse Bantoeculturen. Het meest opvallend is dat het systeem van matrilineaire afstamming overheerst; het is met name bepa-
lend voor het erf- en opvolgingsrecht en waar
men na het huwelijk gaat wonen. De laatste

jaren vindt echter een duidelijke verschuiving
naar een patrilineaire maatschappij plaats,
waaraan externe factoren als de christelijke
leer, werkzaamheden elders en economische onafhankelijkheid ten grondslag liggen.

Van oudsher werd elke stam geleid door
een door erfopvolging aangewezen opperhoofd of koning, bijgestaan door een raad of
hoofdmannen. Tegenwoordig staan nog
maar drie stammen onder aanvoering van
een opperhoofd en een raad; bij de rest vormen oudere hoofdmannen een raad, die gezamenlijk de verschillende stammen be-
stuurt.

Een van de belangrijkste taken van deze
bestuurders is het toezicht op het grondbe-
zit. Privé-bezit van grond is bij de Ovambo on-
bekend en alleen het opperhoofd kan via zijn
hoofdmannen toestemming geven voor het
levenslange gebruik van een stuk grond. Na
de dood van de huurder vervalt het gebruiks-
recht weer aan de hogere autoriteit, die het
aan iemand anders kan toewijzen. Een
Ovambo mag ook niet meer dan één locatie
tegelijk in gebruik hebben. ❑

Rechts: Ovambo-gezin dat met de lunch
terug naar huis keert.

ETOSHA NATIONAL PARK

Kaart
blz. 192

Het Etosha National Park is een van de oudste en grootste parken
van Afrika en het beste park om groot wild in
een dorre omgeving te spotten.

Windhoek

Het Etosha National Park is de parel onder de Namibische wildparken. Op
het eerste gezicht lijken wildspotters nog bedrogen uit te komen, want midden in het gedeelte van het park dat open is voor het publiek ligt een enorme zoutpan. De circa 5000 km² grote Etosha Pan is net zo onherbergzaam als de
onvruchtbaarste woestijn, maar juist deze pan heeft het park beroemd gemaakt.
De vrijwel onbegroeide zoutpan schittert in de middagzon en creëert de meest
fantastische luchtspiegelingen. Zo veranderen de zwarte puntjes van de mannetjesstruisvogels in de verte al snel in uitroeptekens.

De onherbergzaamheid van de zoutpan is echter juist goed nieuws voor wild-
spotters, want vrijwel alle dieren in het park bewegen zich rond de randen van de
pan (vooral langs de zuidrand). Hier trekt een aantal kunstmatige en natuurlijke
waterpoelen steeds weer andere diersoorten. Vrijwel geen enkele wildenthou-
siasteling zal hier in zijn verwachtingen teleurgesteld worden.

Blz. 188-189:
Giraffen in de
zomerse droogte.
Links: De
beroemde zwarte
neushoorn.
Onder: Dit witte
fort staat bij het
rest camp in
Namutoni.

Een korte terugblik

Het Etosha National Park kreeg de status van nationaal park in 1907, toen gouverneur Von Lindequist van de Duitse koloniale regering de wildreservaten 1, 2
en 3 instelde. Wildreservaat 2 omvatte de Etosha Pan en Kaokoland van de rivier
de Kunene in het noorden tot de rivier de Hoarusib in
het zuiden, een oppervlakte van 93.240 km². In 1947
werd Kaokoland als woongebied aan de Herero toegewezen en een gedeelte van het park opgedeeld in
verschillende stukken boerenland, een gebied dat bekendstaat als het Gagarus-blok.

Vervolgens werd echter duidelijk dat het park te
klein was om ruimte te bieden aan zeldzame dieren
als de bergzebra en de zwartkopimpala, migrerend
groot wild als de elandantilope en de olifant, en de
toevloed van wild uit omliggende gebieden. Over-
eenkomstig het advies van de 'Olifantencommissie'
in 1956 werd het park in het westen uitgebreid met
het braakliggende gebied tussen de rivieren de
Hoanib en Ugab. Hierdoor werd de oppervlakte bijna
verdubbeld en werden veilige migratieroutes en een
corridor naar zee gecreëerd. Het nieuwe park strekte
zich uit van de Geraamtekust in het westen tot de
oostrand van de Etosha Pan (een afstand van ongeveer 500 km) en had een totaaloppervlakte van
99.526 km². Helaas was dit grootste wildreservaat ter
wereld maar een kort leven beschoren. Als gevolg
van de aanbevelingen van de Commissie Odendaal in
1963 werd er drastisch gesneden in de oppervlakte
van het park, waarbij ecologische grenzen volstrekt
genegeerd werden. Enkel en alleen om politieke redenen (de Zuid-Afrikaanse apartheidspolitiek van
separate thuislanden) werd 71.792 km² opgeofferd

om te worden toegevoegd aan Ovamboland, Kaokoland en Damaraland. In 1970 was het park met 77 procent gereduceerd tot zijn huidige omvang van 22.270 km² - nog slechts een schaduw van zijn vroegere grandeur. Veel wildexperts zijn van mening dat het vanuit ecologisch oogpunt zou moeten worden samengevoegd met het Skeleton Coast National Park.

De zoutpan en zijn omgeving

De wachttoren bij rest camp Okaukuejo.

Het Etosha National Park dankt zijn naam aan de **Etosha Pan ❶**, de 'grote, witte plaats van droog water' die de eindbestemming is van stroompjes uit het afwateringsgebied in Zuid-Angola. De inhoud van de Etosha Pan wordt geschat op tussen de 150 en 200 miljoen m³, maar een dergelijke hoeveelheid water wordt hier maar zeer zelden aangetroffen.

De pan kan tijdens het regenseizoen deels onder water lopen, maar het water is te brak voor mens en dier. Blauwgroene algen hebben het er dan echter prima naar hun zin. In een regenseizoen met veel regen komen er tot wel een miljoen flamingo's naar de pan om te broeden, een prachtig gezicht. Met het opdrogen van het water verdwijnt ook vrijwel alle vegetatie. Uitzondering zijn de incidentele lapjes van een grassoort die de zoutige omstandigheden goed kan verdragen en in de droge wintermaanden ideale kost is voor de gestreepte gnoe, de springbok en de zebra.

Ten oosten van de pan ligt de boomloze **Andoni-vlakte**, een grasland dat gedomineerd wordt door de hoge grassoort *Sporobolus spicatus*. Ten westen en ten noordwesten bevinden zich de **Okondeka-graslanden** en tussen het Sprokieswoud (Haunted Wood) en de Charl Marais Dam strekt de **Grootvlakte ❷** zich uit. Deze twee graslanden zijn 's zomers het belangrijkste graasgebied van vlak-

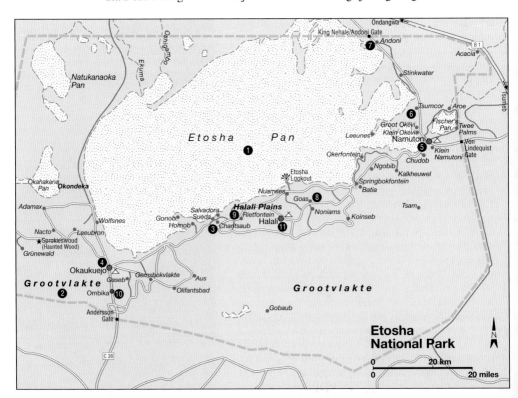

tebewoners als de steppenzebra, de gestreepte gnoe en de springbok. 's Winters trekken de dieren naar de minder smakelijke grassen van de **Halali-vlakten**, die zich vanaf de waterpoelen van **Charitsaub** ❸ noordoostwaarts uitstrekken tot aan **Nuamses** en zuidwestwaarts tot aan **Gemsbokvlakte**.

Kaart
blz. 192

De grote wildparade

In het Etosha National Park leven 114 soorten zoogdieren. Sommige (bijvoorbeeld de leeuw en de steenbok) zijn alleen maar in bepaalde delen van het park te vinden, terwijl andere (zoals de elandantilope) het hele park afzoeken naar het beste gras of jonge scheuten. De springbok, de zebra, de gestreepte gnoe en de olifant volgen een jaarlijks migratiepatroon dat afhankelijk is van de beschikbaarheid van gras en regenwater.

Bij het begin van het regenseizoen in november zijn de dieren maar zelden bij de waterpoelen langs de toeristische routes te vinden, maar bevinden ze zich in grote kudden op de grasvlakten ten westen van het *rest camp* **Okaukuejo** ❹ en in het gebied rond de **Fischer's Pan** nabij het *rest camp* **Namutoni** ❺. In dit deel van het jaar worden veel dieren geboren, maar het is ook het tijdstip waarop de meeste van de 1500 olifanten in het park naar het noorden of het zuiden trekken. Bij gebrek aan water verlaten sommige het park zelfs.

Zwarte neushoorns (waar het park beroemd om is) komen het meest in het westen en zuidwesten van het park voor. Ze worden doorgaans gezien in de omgeving van Okaukuejo, wanneer ze 's nachts naar een waterpoel komen of 's avonds of in de koelte van de vroege ochtend op zoek zijn naar voedsel. Giraffen komen overal in het park voor. Omdat hun voedsel grotendeels uit de bladeren van bomen bestaat, komen ze alleen naar de vlakten om er bij een wa-

TIP

Als u bij een waterpoel of langs de weg stopt om vogels te observeren, let dan ook op of u misschien ergens zoogdieren in de schaduw ziet liggen.

Onder: Mannetjesstruisvogels zijn te herkennen aan hun zwarte verenkleed.

DE HELPENDE HAND VOOR DE NATUUR

Experimenten in de afgelopen jaren zijn het bewijs van de Namibische deskundigheid op het gebied van wildbeheer. Elke proef levert op zijn manier een belangrijke bijdrage aan de instandhouding van de natuur.

Leeuwen aan de pil: Een gebied omheinen om het wild te beschermen lijkt de oplossing voor veel problemen, maar vaak levert dit weer allerlei nieuwe complicaties op. Migratieroutes worden afgesneden, groeiende populaties kunnen zich niet meer verspreiden over een groter gebied, kunstmatige waterpoelen beïnvloeden de migratiepatronen en de balans van de natuur is verstoord.

In het Etosha National Park kwamen onderzoekers erachter dat de omheining van een gebied leidde tot een opvallende groei van de leeuwenpopulatie en een aanzienlijke daling in de aantallen van andere roofdieren. De leeuwen moest dus een halt worden toegeroepen, maar hoe?

Het onderzoeksteam van het park, dat onder leiding stond van de bioloog Hu Berry, besloot te experimenteren met contraceptieve implantaten in leeuwinnen. Vanaf 1981 werd dit experiment uitgevoerd op vijf troepen leeuwen rond Okaukuejo. Het was een hele onderneming. Elke leeuwin moest worden neergeschoten met een verdovingsgeweer en ter plekke in de wildernis worden geopereerd. Hierbij moest men het dier wegen, temperaturen en bloed afnemen. Verder werd een uitstrijkje gemaakt en bepaalde men aan de hand van het gebit de leeftijd van de leeuwin.

Het experiment bleek succesvol en vond in andere reservaten in zuidelijk Afrika navolging. Het lijkt erop dat anticonceptie geen fysieke of gedragswijzigingen bij de leeuwinnen teweegbrengt; eenmaal met de pil gestopt worden ze binnen drie maanden zwanger en brengen ze gezonde welpen ter wereld.

De AfriCat Foundation: Omdat de meeste cheeta- en luipaardpopulaties zich buiten de omheinde gebieden bevinden, valt het vee van boeren en lokale gemeenschappen regelmatig ten prooi aan roofdieren. Na jaren van onderzoek heeft de stichting AfriCat - die gevestigd is in de gastenboerderij Okonjima in Centraal-Namibië *(zie blz. 173)* - manieren ontwikkeld om het verlies van vee te beperken.

Zo worden Namibische boeren gestimuleerd om 'probleemdieren' te vangen in plaats van af te schieten. Niet voor de verkoop, maar om ze (zo nodig) op Okonjima weer in goede conditie te brengen en ze daarna naar goedgekeurde particuliere reservaten in Namibië en Zuid-Afrika over te brengen. De kosten van deze verhuizing zijn voor rekening van de ontvanger. Tot nog toe zijn er op deze manier 260 cheeta's en 100 leeuwen verplaatst.

Verder is in samenwerking met het Namibische ministerie van Toerisme en Milieu een project van start gegaan waarbij luipaarden rond Okonjima met een radiozender worden uitgerust om meer te weten te komen over hun migratiepatronen.

Tijdens een bezoek aan de stichting in Okonjima kunt u behalve deze luipaarden ook (gevangen) leeuwen en cheeta's observeren.

Links: De bioloog Hu Berry vlak voor de operatie van een bewusteloze leeuwin.

Kaart blz. 192

terpoel wat te drinken. Ook leeuwen zijn in het hele park te vinden. Waar veel prooidieren zijn, komen ze in grotere concentraties voor en verkeren daar in het gezelschap van cheeta's en lastig te spotten luipaarden. Andere grote zoogdieren in het Etosha National Park zijn de steppenzebra, de gestreepte gnoe, de gemsbok, de koedoe, de elandantilope, het hartebeest, de paardantilope, de springbok en de zwartkopimpala.

Kleinere dieren

Minder vaak gespotte diersoorten zijn onder andere de caracal met zijn karakteristieke pluimoren, de Afrikaanse wilde kat, de aardwolf - een ver en kleiner familielid van de hyena - en de gevlekte hyena, die u soms 's nachts kunt horen huilen of 'lachen'. Ook zadeljakhalzen, knobbelzwijnen, honingdassen, eekhoorns en kleinere antilopen als de steenbok en de gewone duiker komen hier voor. Verder wordt de kleine Kirk-dik-dik zo nu en dan gespot, voornamelijk bij Klein Namutoni.

Van de 340 geregistreerde vogelsoorten in het park is ongeveer eenderde trekvogel, zoals de bijeneter en diverse soorten waadvogels. In een regenseizoen met veel regen verzamelen grote aantallen water- en waadvogels zich in de Fischer's Pan, waaronder gewone en kleine flamingo's. Verder is het Etosha National Park ook de habitat van de prachtige roodbuikklauwier, de nationale vogel van Namibië, en liefst twaalf soorten leeuweriken.

Zeldzaam plaatje: een luipaard bij de waterpoel Klein Otavi.

Van de 35 soorten roofvogels in Etosha doen er tien het park alleen in de zomer aan. Hiertoe behoren onder andere de geelsnavelwouw, de steppearend, de roodpootvalk en de dwergarend. De kleinste roofvogel in het park is de Afrikaanse dwergvalk. De meest voorkomende giersoorten zijn de oorgier en de

Onder: Na het regenseizoen is Etosha veranderd in een voedselrijk graasgebied.

De oorgier nestelt in de toppen van acaciabomen.

Onder: Velen beschouwen Okaukuejo als een van de interessantste waterpoelen voor het observeren van wild.

witruggier, maar de oplettende vogelaar kan ook een Kaapse, een Egyptische of een kapgier spotten. Andere zeldzame vogelsoorten die in het park voorkomen zijn onder andere de grutto, de reuzen- en de purperreiger, het Afrikaanse woudaapje en de kroonkraan.

Goede locaties

De beste manier om in het Etosha National Park wild te spotten is door rustig bij een van de waterpoelen te gaan zitten en te wachten op wat er aan uw oog voorbijtrekt. Dit geldt vooral voor de wintermaanden (mei-augustus) en de periode voorafgaand aan het regenseizoen (september-november), wanneer de dieren naar de waterpoelen trekken. Als u bij aankomst geen activiteit bij de waterpoel ziet, rijd dan niet meteen verder maar kijk nog eens goed om u heen. Het zou kunnen zijn dat er een roofdier in de buurt is, waardoor de dieren niet naar het water durven komen. Bestudeer zorgvuldig alle schaduwplaatsen waar een grote kat zou kunnen liggen en speur in de grotere bomen naar een luipaard.

Een algemene regel is dat wie bij een waterpoel aankomt, zijn auto op een plek zet waar deze het zicht van anderen niet hindert en de motor afzet. Niet alleen zorgt dit voor minder geluid, maar u kunt dan ook foto's uit het raampje maken zonder dat het trillen van de auto u daarbij hindert. Onthoud verder dat u een veel aangenamere safari beleeft als iedereen een eigen verrekijker heeft. Niemand zal dan geagiteerd raken als de anderen vol vuur de met het blote oog minder goed zichtbare bewegingen van een dier bespreken.

De ten noorden van Namutoni gelegen waterpoelen **Klein Okevi** en **Groot Okevi** worden vaak bezocht door zwartkopimpala's, koedoes, gemsbokken, zebra's, olifanten en een grote verscheidenheid van vogels. Ook roofdieren als lui-

paarden en cheeta's laten zich hier regelmatig zien. Verder naar het noorden ligt **Tsumcor** , een goede locatie om olifanten te fotograferen. Nog verder noordelijk ligt op de Andoni-vlakte de waterpoel **Andoni** ❼, waar meestal veel vogels vertoeven. In 2003 werd hier een nieuwe toegang tot het park geopend. Ten oosten van Namutoni vindt u aan de rand van de Fischer's Pan **Aroe**, waar veel olifanten, springbokken, gestreepte gnoes, koedoes, zebra's en giraffen komen, en **Twee Palms**, waar de twee makalanipalmen een gewild object voor fotografen zijn.

Ten zuiden van Namutoni liggen **Chudob** en **Klein Namutoni**, die beide worden gevoed door artesische bronnen (bronnen met een ondergrondse waterader) en giraffen, zwartkopimpala's en knobbelzwijnen trekken. In deze omgeving bevindt zich ook Bloubokdraai, waar u soms een Kirk-dik-dik van relatief dichtbij kunt bekijken. Bij Kalkheuvel, ten westen van Namutoni, kunt u eveneens dicht bij het wild komen. In het droge seizoen komen hier grote aantallen dieren drinken, waaronder leeuwen, gemsbokken, giraffen en olifanten.

Andere waterpoelen

Andere locaties in dit gebied zijn onder andere het aan de rand van de pan gelegen **Okerfontein**, waar soms cheeta's en leeuwen worden gespot, **Ngobib**, dat koedoes, zebra's en olifanten trekt, **Batia**, met grote kudden springbokken, gestreepte gnoes en olifanten, en **Goas** ❽, waar naast grote aantallen zwartkopimpala's, gestreepte gnoes, hartebeesten, olifanten en zebra's ook leeuwen en roofvogels te zien zijn.

Verder westwaarts richting Okaukuejo ligt **Rietfontein** ❾, een van de beste waterpoelen in het park. De poel trekt tal van dieren, waaronder luipaarden en

Tot tien miljoen jaar geleden maakte de Etosha Pan deel uit van een enorm meer dat gevoed werd door de Kunene. Toen tektonische bewegingen de rivier echter westwaarts richting zee duwden, droogde het meer langzaam op.

Onder:
Zonsondergang boven 'het park met de grote, witte plekken'.

een grote verscheidenheid van vogels. Ten westen hiervan liggen de waterpoelen **Charitsaub**, **Salvadora** en **Sueda**, waar u een goede kans maakt leeuwen te zien. Ook komen hier honderden springbokken, zebra's en gemsbokken, maar olifanten zult u hier maar zelden aantreffen. De waterpoel **Homob**, nog verder naar het westen, bevindt zich vlak bij de Etosha Pan en wordt regelmatig bezocht door leeuwen en olifanten. Ook bij **Aus**, **Olifantsbad** en **Gemsbokvlakte** is het goed wild spotten.

Verder noordwestelijk ligt **Ozonjuitji m'Bari**, dat weliswaar veel verschillende dieren trekt maar tamelijk ver van het kamp is. Hier loopt de weg door het bekende **Sprokieswoud** (**Haunted Wood**), de enige plek in het park waar de vreemd gevormde Afrikaanse moringa, op vlak terrein en als dicht bos voorkomt. De moringa - die inheems is in Namibië en door de Bosjesmannen 'onderstebovenboom' gedoopt is - groeit normaal gesproken op de hellingen van heuvels en bergen. Ook bij **Ombika ⑩**, ten zuiden van Okaukuejo en dicht bij de Andersson Gate, komen veel verschillende dieren, waaronder leeuwen.

Een van de 114 soorten zoogdieren van Etosha, de grondeekhoorn.

Onder:
De prachtige vorkstaartscharrelaar.

De *rest camps* van het park

Okaukuejo, het oudste en populairste *rest camp* van het Etosha National Park en tevens het administratieve centrum, ligt midden in het park (op de meeste kaarten staat alleen de oostsector, maar het kamp strekt zich westwaarts uit tot aan de C35 bij Otjovasandu). De accommodatie is recentelijk gemoderniseerd en omvat een camping en een groot aantal bungalows en kamers. De faciliteiten bestaan uit een restaurant, een winkel, een benzinestation, een internetcafé en een zwembad. Verder vindt u hier een mooi verlichte waterpoel, waar 's avonds soms zwarte neushoorns van relatief dichtbij kunnen worden bewonderd.

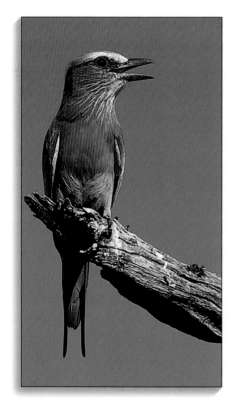

De geschiedenis van **Namutoni** gaat terug tot 1851, toen de ontdekkingsreizigers Francis Galton en Charles Andersson nabij Namutoni Spring hun kamp opsloegen. De komvormige kalkstenen bron ligt in moerasachtig gebied met lang riet en was vroeger een drinkplaats voor vee. Het eerste Fort Namutoni, dat opgetrokken was uit niet-gebakken kleistenen, werd in 1903 voltooid om tijdens de Herero-opstand in het jaar daarop alweer met de grond gelijk te worden gemaakt (het garnizoen van vier soldaten en drie oudgedienden wist te ontkomen). In 1950 werd het herbouwde, maar vervallen fort tot nationaal monument uitgeroepen en een paar jaar later werd het in de oorspronkelijke stijl gerenoveerd. Het kamp dateert uit 1958 en werd in 1983 uitgebreid met een winkel, een restaurant en 24 verblijven. Ook hier vindt u een verlichte waterpoel.

Het *rest camp* **Halali ⑪** ligt halverwege Okaukejo en Namutoni. Hier zijn de attracties onder andere de zogenaamde **Tsumasa Trail** en de verlichte waterpoel op de dolomietheuvel die het dichtst bij het kamp ligt (dolomiet is een gesteente dat hoofdzakelijk uit het gelijknamige mineraal bestaat). Het terrein van het kamp is een goede locatie voor het spotten van kleine dieren en vogels, die veelal zo tam zijn geworden dat ze eenvoudig te fotograferen zijn.

Het klinkt misschien gek, maar ook 's avonds is het verstandig een verrekijker mee te nemen naar een wa-

Kaart
blz. 192

terpoel. Het instrument vergroot ook dan uw zicht en helpt u bij het maken van onderscheid tussen een rots, een bosje en bijvoorbeeld een hyena. Verder kunt u met behulp van een statief allerlei mooie effecten creëren door dieren te fotograferen met een aangepaste sluitertijd; een bewegend dier wordt dan een soort spook op uw afdruk.

In de afgelopen jaren hebben rond het Etosha National Park diverse particuliere lodges en parken hun deuren geopend. De belangrijkste is het luxe **Ongava Lodge and Tented Camp**, dat tegen de zuidgrens van het park op een 300 km² groot, met acacia's begroeid terrein ligt, nabij het *rest camp* **Okaukuejo**. Het park wordt beheerd door het gerenommeerde Wilderness Safaris en is alleen toegankelijk voor gasten van de lodge. U hebt hier grote kans op het spotten van leeuwen, giraffen, zwartkopimpala's en zwarte en witte neushoorns. Verder organiseren de eigenaars ook safari's naar het nationaal park. De Andersson Gate is slechts een kwartiertje rijden.

Vergelijkbare uitvalsbases voor een verkenning van de oostkant van Etosha zijn onder andere de bijzonder luxe **Mushara Lodge**, een nieuw verblijf op 8 km van de Von Lindequist Gate, en de wat eenvoudigere **Mokuti Lodge**, die in een particulier park ligt waarin verscheidene soorten antilopen en andere herbivoren (waaronder een misplaatste kudde bontebokken, een in Zuid-Afrika inheems dier) voorkomen. Roofdieren zijn er hier niet, dus dit park is uitermate geschikt voor wandelaars. Verder kunt u nog terecht in het 200 km² grote **Onguma Game Reserve**, dat in 2005 naast de Fischer's Pan zijn poorten opende. Het park biedt een aantrekkelijke combinatie van comfortabele accommodatie en een gevarieerde fauna, waaronder zwarte neushoorns, leeuwen en meer dan 300 soorten vogels. ❏

Onder: De tok komt veel voor in Namibië.

EEN ZELDZAME VERZAMELING VOGELS

In het gevarieerde landschap van Namibië komen vele bijzondere vogels voor, van de grootste vogel ter wereld tot de kleine, inheemse Damarastern.

Het landschap van Namibië is bijzonder divers en varieert van de kurkdroge zuidelijke Namibwoestijn en de droge savanne tot tropische bossen en wetlands die gevoed worden door de noordoostelijke rivieren Kavango en Zambezi. Verder zorgen stromingen langs de westkust voor een rijke habitat in de open oceaan, langs de zand- en rotskusten en in de lagunen.

Deze verscheidenheid van habitats wordt weerspiegeld in het vogelleven van het land: tot nog toe zijn 620 van de 887 in zuidelijk Afrika geregistreerde vogelsoorten ook in Namibië gespot. Hiervan gebruiken 500 soorten het land als broedplaats, waaronder enkele bijzondere exemplaren.

VERSCHILLENDE SOORTEN

Een van de spectaculairste bezienswaardigheden langs de kust zijn de grote zwermen flamingo's. Als het tij nachtfoerage mogelijk maakt, gaat hun gesnater tot in de kleine uurtjes door.

Het veel kleinere Nama-zandhoen komt in grote aantallen voor in de Namibwoestijn. Deze vogel heeft zich op fascinerende wijze aangepast aan de droge omstandigheden, want de borstveren van een volwassen zandhoen kunnen water absorberen en vasthouden. Bij een bezoek aan een waterpoel drukt het diertje zijn borst in het water, waarna de jonge vogeltjes het na terugkeer op het nest weer uit de veren sabbelen.

In de rivierbossen in het binnenland komen roofvogels als de kleine grijze slangenarend en de Afrikaanse visuil voor. In de overgangszone tussen de woestijn en de savanne leven de meeste inheemse vogelsoorten, waaronder het statige Rüppell-korhoen *(zie hierboven)* en de moeilijk te spotten Herero-tapuit.

△ **GEK OP WATER**
De knobbelmeerkoet *(Fulica cristata)* komt veel voor bij de stuwmeren en de grote open wateroppervlakten.

▷ **UIT DE HOOGTE**
De grote oorgier *(Torgos tracheliotus)* is een echte boomvogel; hij bouwt zijn nest in de top van een boom.

◁ **KLEIN WONDER**
De kleine Damara-stern *(Sterna balaenarum)* is inheems langs de Namibische kust en is een bedreigde diersoort.

DE GROOTSTE VOGELS OP AARDE

De verscheidenheid van vogels in de Namibwoestijn mag dan niet groot zijn, de vogels die er leven zijn wel allemaal bijzonder. De opvallendste woestijnvogel is natuurlijk de struisvogel, de grootste vogel ter wereld, die u vaak elegant over de kiezelvlakten zult zien rennen. De struisvogel wordt tot wel 2,5 m groot en kan maar liefst 135 kg wegen. Hoewel het dier vleugels heeft, kan het niet vliegen. In plaats daarvan heeft het lange, sterke poten ontwikkeld. Een trap van de tweetenige poot met de scherpe nagels kan een mens doden. De vogel kan een snelheid van 70 km/u bereiken en een halfuur 50 km/u blijven rennen. In het wild komt hij voor in groepen van tot wel veertig vogels, die vaak samen optrekken met kudden antilopen als springbokken, spiesbokken of gnoes. De struisvogel fungeert vaak als waarschuwingssysteem voor deze dieren, omdat hij dankzij zijn lange nek al van grote afstand vijanden kan zien naderen. De vrouwtjes in de groep leggen hun eieren in een gemeenschappelijk nest op de grond. In dat nest passen 15 à 20 eieren. Een struisvogelei is 15 cm lang en weegt evenveel als 36 kippeneieren.

△ **WATERDRAGERS**
Het kleine Nama-zandhoen komt in grote aantallen voor in de woestijnlandschappen van Namibië.

▽ **KOPPIE KRAUW**
De Kaapse papegaai *(Poicephalus robustus)* meet circa 36 cm en leeft in de rivierbossen in het binnenland van Namibië.

DE CAPRIVISTROOK

Kaart
blz. 204

Dankzij de overvloedige regenval biedt deze weelderige regio
een grote verscheidenheid van wild in een aantal uitstekende,
maar weinig bekende nationale parken.

Werp een blik op een kaart van Namibië en uw oog valt automatisch op de
wonderlijke 'steel' in het noordoosten van het land: de Caprivistrook.
Op sommige kaarten wordt de steel vanwege ruimtegebrek verwijderd
en elders afgedrukt, waardoor de geografische excentriciteit niet op het eerste
gezicht duidelijk is. Net als de kaarsrechte grenzen die veel Afrikaanse landen
scheiden, is ook de Caprivistrook het resultaat van de onderhandelingen die de
koloniale machthebbers meer dan een eeuw geleden voerden en waarbij ze een
zo goed mogelijk resultaat voor zichzelf wilden behalen.

Duitsland had in die tijd net Namibië (het toenmalige Zuidwest-Afrika) gean-
nexeerd en wilde een handelsroute naar de Zambezi creëren, volgens sommigen
om uiteindelijk een verbinding te leggen met Tanzania (het toenmalige Tangan-
yika, dat ook in Duitse handen was). De Britten koesterden argwaan jegens de
Duitsers en probeerden een blokkade te leggen door het protectoraat Bechuana-
land (het latere Botswana) uit te roepen, dat ook de Caprivistrook omvatte.
Uiteindelijk troffen de partijen elkaar tijdens de Conferentie van Berlijn in 1884,
waaraan vrijwel alle Europese mogendheden en de Verenigde Staten deelnamen.

In een transactie die meer weg had van een spelletje monopoly dan van het
werkelijke leven, stond Groot-Brittannië per 1 juli 1890 in ruil voor Zanzibar zowel de Caprivistrook als Helgoland (een Noord-Fries
eiland in de Noordzee) aan Duitsland af. De Duitse
kanselier Von Caprivi gaf zijn naam aan de nieuwste
aanwinst en hiermee zou het verhaal eigenlijk ten
einde moeten zijn, ware het niet dat Groot-Brittannië
de Caprivistrook - samen met de rest van Namibië -
in de Eerste Wereldoorlog terugnam. Later stond de
strook als deel van Zuidwest-Afrika onder bestuur
van Zuid-Afrika, om uiteindelijk deel te gaan uitmaken van Namibië.

De meeste mensen rijden naar de Caprivistrook
via de B8 tussen **Grootfontein** en **Rundu** en buigen
vervolgens oostwaarts af. Ongeveer halverwege laat
u het voornamelijk door blanken bewoonde boerenland met zijn grote boerderijen achter u, passeert u de
Rode Lijn - een afrastering die vee (en daarmee ziekten) vanuit het noorden een halt toeroept - en betreedt
u een landelijk Afrika dat doet denken aan landen als
Botswana, Zimbabwe, Zambia of Angola. Na honderden kilometers te hebben gereden zonder vrijwel
een levende ziel te zijn tegengekomen, doemen ineens dorpjes van ronde hutten met rieten daken op.
Rijd na Rundu gewoon verder via de B8, die tot de
Botswaanse grens bij **Ngoma** geasfalteerd is.

Links: Speuren
naar wild in de
Linyati Swamps.
Onder:
Ondergelopen
weg na een
onweersbui.

Weelderige landschappen

De Caprivistrook is niet te vergelijken met de rest van
Namibië. Het is er tropischer, met warmere winters

en de meeste regenval van het land. De 450 km lange, maximaal 100 km en minimaal 32 km brede strook is verdeeld in drie districten: West-Caprivi of Mukwe, de Caprivistrook zelf en Oost-Caprivi.

Graan wannen. In de Caprivistrook gaat het traditionele plattelandsleven ongestoord verder.

Veel van de grensgebieden in de omliggende landen - Angola, Botswana, Zambia en Zimbabwe - vallen onder een natuurbeschermingswet. Dit gegeven zorgt in combinatie met de grote variëteit van habitats - rivieren, uiterwaarden, rivierbossen, mopane- en Kalaharivegetatie - voor een bijzondere rijke fauna. In een land waar de enige permanent stromende rivieren zich alleen maar aan de noord- en zuidgrens bevinden, is de aanwezigheid van een constante wateraanvoer beslist een luxe.

Het is hier zo vlak en ontbloot van fysieke elementen dat 30 procent van Oost-Caprivi bij regenval onder water kan lopen. Hierdoor biedt de Caprivistrook dieren die nergens anders in Namibië voorkomen. Zo vindt u hier waterdieren als het nijlpaard en de krokodil, maar ook antilopen die van het water afhankelijk zijn, zoals de lechwe, de sitatoenga en de rietbok. Ook andere dieren komen hier in grote aantallen voor: liefst 60 procent van alle Namibische olifanten en buffels heeft zijn habitat in de Caprivistrook. De olifanten (hun aantal wordt geschat op 6000) trekken zich niets aan van de internationale grenzen en maken regelmatig een uitstapje naar een van de vier buurlanden. Ze maken deel uit van een veel grotere populatie van circa 125.000 olifanten die in dit gebied leven.

Een late start

Verrassend genoeg is de Caprivistrook zich pas vanaf het eind van de 20e eeuw als toeristische bestemming gaan ontwikkelen. De wildernis, die vóór de onafhankelijkheid nog oorlogsgebied was - het Zuid-Afrikaanse leger streed er tegen

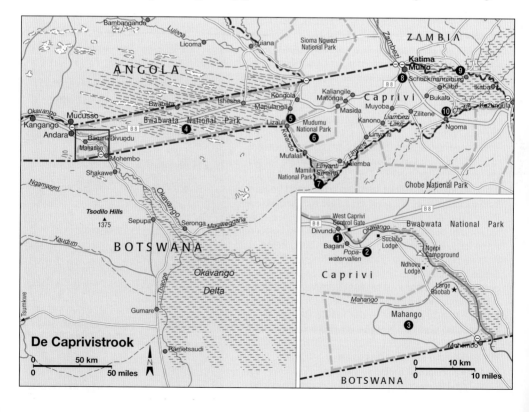

De Caprivistrook

vanuit Angola opererende guerrilla's - en het door beide kampen opgejaagde wild begonnen zich vanaf dat moment in rap tempo te herstellen.

Voor de toeristenindustrie was dit een geschenk uit de hemel en het duurde dan ook niet lang voordat in het verre oosten van de 'steel' de eerst luxe lodges verrezen. West-Caprivi kwam langzamer tot ontwikkeling, voornamelijk omdat het aan Angola grenst. In dat land woedde 25 jaar een burgeroorlog. De accommodatie in het westen van de strook is nog altijd eenvoudiger dan die in het oosten.

Kaart blz. 204

Popa-watervallen
Ruim 200 km na Rundu komt u in **Divundu ❶**, waar u de B8 verlaat en richting **Mohembo** naar de **Popa-watervallen ❷** rijdt. De watervallen zijn eigenlijk meer een serie stroomversnellingen rond eilandjes in de Okavango, die worden omgeven door een klein reservaat (25 ha). Dankzij een geologische breuk, die zich hier als een brede richel van kwartsiet (zandsteen met kiezelcement) manifesteert, is het verval ongeveer 2,5 m.

De Okavango wordt na de stroomversnellingen geleidelijk breder en stroomt naar de binnenlandse delta van het Okavangomoeras in Botswana. De oevers van de rivier worden gedomineerd door acacia's en andere stevige vegetatie, terwijl op de eilandjes - die door bruggen met het vasteland verbonden zijn - vele verschillende vogelsoorten voorkomen, waaronder de bonte en de malachietijsvogel, de moerasfiscaal, het porseleinhoen en de rotsvorkstaartplevier.

Mahango National Park
Als u verder rijdt richting Mohembo, komt u na 40 km bij het **Mahango National Park ❸**. Het park staat op de nominatie om te worden ingelijfd bij het

Onder:
Straatmarkt,
Katima Mulilo.

*Knobbelmeerkoet,
Mamili National
Park.*

toekomstige Bwabwata National Park. Men hoopt dat dit laatste park uiteindelijk deel gaat uitmaken van het ambitieuze Kavango-Zambezi Transfrontier
Park, samen met een aantal aangrenzende natuurgebieden in Namibië, Botswana, Angola, Zimbabwe en Zambia. Het kleine Mahango wordt door velen tot
de beste reservaten van Namibië gerekend. Het rivierbos pronkt met grote baobabs en de uiterwaarden zijn het domein van de lechwe en de rietbok. Verder
biedt het park naast sabel- en paardantilopen ook grote aantallen olifanten, buffels, nijlpaarden en krokodillen. De dichte begroeiing (die het park zo aantrekkelijk maakt voor dieren) kan voor de wildspotter echter frustrerend zijn.

Het park is ook rijk aan vogels. Er worden hier meer soorten geteld dan in de
andere parken van Namibië. Logischerwijs trekken de rivier en de wetlands veel
vogels die een voorliefde voor water hebben, waaronder plevieren, ijsvogels,
zeearenden, reigers, kraanvogels en ooievaars. Op de zandbanken in de rivieren
nestelt de Afrikaanse schaarbek, die in Namibië een bedreigde diersoort is. De
zwart met witte vogels stuwen hun opengesperde snavel door het water en klappen die dicht zodra ze een vis voelen. Verder vindt u hier talloze bosvogels,
waaronder diverse roofvogels en de Meyer- en Kaapse papegaai.

Vanaf de hoofdweg maken twee wegen een lus door het park. De interessante-
re oostelijke weg brengt u bij de rivier en kan met een gewone auto worden bereden. De westelijke weg kunt u alleen met een terreinauto bedwingen.

Ga hierna terug naar de B8 en sla rechtsaf. U passeert de Okavango en vervolgens een controlepost. Hier rijdt u het toekomstige **Bwabwata National Park**
❹ in, dat zich oostwaarts uitstrekt tot aan de rivier de Kwando. In 1968 werd dit
gebied tot reservaat uitgeroepen, maar het werd kort daarna door het Zuid-
Afrikaanse leger geconfisqueerd. Het leger zou er ongeveer twintig jaar blijven.

Gedurende die periode werd het park veronachtzaamd en zelfs misbruikt, vooral door olifantenstropers.

De enige ingang van het park bevindt zich aan de oostkant. Dit is direct ook een goede locatie om diverse soorten wild te spotten, zoals olifanten, giraffen, diverse soorten antilopen (sabel-, paard- en elandantilope, tsessebe en koedoe), leeuwen, cheeta's, hyena's, wilde honden en een aantal prachtige vogels, waaronder het helmparelhoen.

Kaart
blz. 204

Mudumu National Park

Bij het plaatsje Kongola slaat u rechtsaf de D3511 op, waar borden u verwijzen naar het levendige openluchtmuseum **Lizauli Traditional Village ❺**. Hier kunt u lokale kunstnijverheid kopen en tijdens een ontspannen rondleiding meer te weten komen over traditionele vis- en landbouwmethoden, muziek, mandenmakerij en medicijnen.

Vanaf hier is het nog maar een korte rit naar de noordgrens van Mudumu, een van de nieuwere parken van Namibië. In zowel dit park als in zijn even nieuwe buur Mamili National Park hebt u een terreinauto nodig en verder moet u er rekening mee houden dat beide op het gebied van accommodatie net de eerste voorzichtige stapjes hebben gezet.

Het **Mudumu National Park ❻** bestaat grotendeels uit bos, dat rond de rivier de Kwando plaatsmaakt voor wetlands. De verkrijging van de status van nationaal park heeft een positieve invloed op de wildstand gehad, waardoor hier nu grote aantallen impala's, zebra's en koedoes, maar ook langzamer groeiende populaties sabel- en paardantilopen en tsesseben voorkomen. Roofdieren zijn hier zeldzaam, hoewel zo nu en dan wilde honden worden gezien. Het bosland-

Onder: Olifanten en een nijlpaard bij een waterpoel in Mahango National Park.

DE KAVANGO

D e rivier de Okavango vormt over een afstand van meer dan 400 km de grens tussen Namibië en Angola. Aan beide zijden worden de uitgestrekte uiterwaarden bevolkt door de Kavango, de op een na grootste etnische bevolkingsgroep van Namibië. Veel van de Namibische Kavango woonden vroeger in Angola, maar ontvluchtten in de jaren zeventig de burgeroorlog in dat land. Hierdoor verdubbelde het aantal Kavango in Namibië.

De vijf belangrijkste Kavango-stammen spreken vier verschillende dialecten. De Kwangari en de Mbunza in het westen spreken hetzelfde dialect. Ook het dialect van de Shishambyu en dat van de RuG-ciriku zijn nauw verwant, maar dat van de ThiMbukushu in het oosten heeft veel minder overeenkomsten met de andere dialecten.

Van oudsher leven de Kavango van de visserij en de teelt van sorghum (een tropisch graangewas), gierst en maïs. Tegenwoordig

vinden duizenden jonge Kavango echter emplooi als arbeider op boerderijen, in de mijnbouw of in de steden. Ook de houtsnijkunst is een belangrijke lokale industrie. De werken worden veelal gemaakt met behulp van een *adze* (een soort bijl, waarvan het blad haaks op de steel staat); een mes wordt alleen voor het fijne werk gebruikt. Jammer genoeg zijn de meeste werken massaproducten, maar her en der kunt u nog wel een authentiek kunstwerk vinden.

Net als bij de meeste andere bevolkingsgroepen in Noord-Namibië is de maatschappij van de Kavango matrilineair. Dit heeft invloed op alle domeinen van het sociale leven, maar vooral op het familierecht, het erf- en opvolgingsrecht, het huwelijk, de politiek en de traditionele religie.

Tegenwoordig bevindt de regio zich echter in een overgangsfase tussen de oude, traditionele maatschappij en nieuwe economische, maatschappelijke en politieke keuzen. De katholieke missiecongregatie van de Onbevlekte Maagd Maria heeft hierbij een belangrijke rol gespeeld en is inmiddels niet meer weg te denken uit de Kavango-maatschappij. Duitse en later Finse missionarissen verrichtten hier pionierswerk op de terreinen van onderwijs, gezondheidszorg, landbouw en handel. Jarenlang vormden zij de bepalende ontwikkelingsorganisatie, totdat overheidsinstanties een groot deel van hun werk overnamen.

De talloze instellingen en ondernemingen in deze regio zijn de getuigen van het ontwikkelingsprogramma van de overheid. Er zijn hier nu circa honderd scholen, waaronder een aantal middelbare. Verder is een paar jaar geleden in Rundu een staatsziekenhuis gebouwd met drie operatiekamers, moderne sterilisatiefaciliteiten, een goed uitgeruste röntgenafdeling en een stomerij. Bovendien kan het ziekenhuis voor lepra- en tuberculosepatiënten in Mashare meer dan 400 patiënten herbergen.

Ook de infrastructuur is aangepakt: daar waar tot voor kort uitsluitend zandwegen lagen - die deels alleen met een terreinauto te bedwingen waren - kan nu gebruik worden gemaakt van goede wegen.

Links: Met de boodschappen terug naar huis, nabij Rundu in de regio Okavango.

schap is gevarieerd; in sommige delen staan mopanen, terwijl dicht bij de rivier vijgenbomen, acacia's en worstenbomen te vinden zijn. U kunt ook wandelingen in het park maken.

Kaart blz. 204

Mamili National Park

Het **Mamili National Park** ❼ - in het uiterste zuiden van Oost-Caprivi, daar waar de Kwando overgaat in de Linyati - is zelfs nog minder ontwikkeld dan Mudumu. Afgezien van een aantal kampeerplekken zijn hier geen faciliteiten. Het park, dat alleen toegankelijk is voor terreinauto's, grenst aan de Okavango-delta en is gesitueerd rond de twee grote eilanden Lupala en Nkasa. Het terrein lijkt dan ook veel op dat van de delta en biedt een labyrint van stroompjes, ei-landjes, lagunen en schiereilanden. In de regentijd kan circa 80 procent van het park onder water lopen, maar in het droge seizoen trekt het water zich terug en laat dan een spoor van meertjes en rietkragen achter.

Dit is het grootste beschermde wetland van Namibië, dus u vindt hier niet zo-veel wildsoorten als in sommige andere parken van het land (maar dus ook min-der toeristen). Het park is evenwel goed geschikt voor zoogdieren en er komen dan ook grote kudden olifanten, sitatoenga's, lechwes en rietbokken voor. Ook leeuwen en hyena's worden regelmatig gesignaleerd en verder kan het park bo-gen op een van de grootste concentraties buffels van Namibië: meer dan duizend exemplaren.

Ook vogelaars komen in Mamili aan hun trekken, want 70 procent van alle in Namibië voorkomende soorten is hier te vinden. Zo nestelt hier de zeldzame lel-kraanvogel en is het park de habitat van drie soorten spoorkoekoeken (de Senegalese, koperstaart- en toeloespoorkoekoek), van moerasgraszangers en

Bij het Caprivi Arts Centre in Katima Mulilo kunt u kwalitatief goede curiosa kopen.

Onder: Deze groentetuin bij een missieschool in Katima ligt aan de Zambezi.

**Kaart
blz. 204**

Sharpe-reigers. Als het park onder water staat, wemelt het van de ganzen en een-den en 's zomers komen hier onder andere ralreigers, geelsnavelwouwen en diverse soorten scharrelaars. Rijd hierna terug naar de B8 en verder naar **Katima Mulilo** ❽, de hoofdstad van de regio Caprivi. Katima werd in 1935 door de Britten op de oevers van de Zambezi gesticht om de plaats in te nemen van de oorspronkelijke Duitse hoofdstad **Schuckmannsburg** ❾, verder oostelijk langs de rivier. Vanuit het bloeiende stadje kunt u via een nieuwe brug de grens met Zambia oversteken. Een bezienswaardigheid is een enorme baobab die van een toilet is voorzien. U vindt de boom achter het gebouw van de Caprivi Regional Council. In Katima doet het groeiende aantal toeristen uit de omliggende lodges zijn inkopen. Het is een prima locatie om proviand in te slaan, uw auto te laten repareren of geld te wisselen, maar houd in gedachten dat het volgens de lokale bevolking ook het enige stadje ter wereld is waar olifanten voorrang hebben!

In het ten zuiden van Katima gelegen **Liambezi-meer**, dat indirect moet worden gevoed door de rivier de Zambezi, staat vrijwel nooit meer water. Het waterniveau in de Zambezi lijkt in de voorbije eeuw een aantal fasen te hebben doorgemaakt. Zo was de watertoevoer bij de Victoriawatervallen in Zimbabwe in de eerste kwart eeuw 750 m³, in 1946 1400 m³ en in 1982 weer 750 m³ per seconde. Als gevolg van een en ander liep het Liambezi-meer in de jaren vijftig vol met water en werd het dankzij een florerende visindustrie bijzonder belangrijk voor Oost-Caprivi. Rond 1982 stopte de watertoevoer naar het meer echter en stortte de visindustrie in. Binnen een paar jaar was de meerbodem getransformeerd tot een landbouw- en veeteeltgebied. Als het meer ooit weer vol water stroomt, dan zal dat waarschijnlijk vanuit de Chobe gebeuren. Men gaat ervan uit dat deze rivier bij een hoge waterstand van de Zambezi tot een andere stroming wordt gedwongen, waardoor het meer opnieuw gevuld wordt.

Onder:
Dorpsfeest,
West-Caprivi.
Rechts:
Graanbewerking
in het Lizauli
Traditional Village.

Naar de grens

Vanuit Katima loopt de geasfalteerde weg nog circa 70 km verder naar de grens bij **Ngoma** ❿. In Botswana kunt u een kiezelweg door het Chobe National Park naar Kasane nemen en vanaf daar verder zuidwaarts Botswana in rijden, of de grens met Zimbabwe oversteken en de machtige Zambezi verder volgen naar de prachtige Victoriawatervallen.

In januari 2000 werd de Caprivistrook opgeschrikt toen in Bagani, dicht bij de Angolese grens, drie Franse toeristen en een aantal hulpverleners bij verschillende aanvallen van Angolese guerrilla's de dood vonden. In de maanden daarvoor waren rebellen van de antiregeringsbeweging UNITA al regelmatig de grens met West-Caprivi overgetrokken om daar vee en goederen te stelen, huizen in brand te steken en Namibische staatsburgers aan te vallen. Deze acties werden alom beschouwd als vergelding voor de beslissing van de Namibische overheid om de Angolese regering toestemming te geven UNITA vanaf Namibisch grondgebied aan te vallen.

Na deze aanvallen adviseerde de Namibische overheid toeristen om niet naar de Caprivistrook te gaan. Inmiddels wordt reizen in dit gebied echter weer als veilig beschouwd. ❏

NOORDWEST-NAMIBIË

De oude culturen, versteende bossen en woestijnolifanten
in dit dunbevolkte gebied brengen een van Afrika's
laatste echte wildernissen tot leven.

Kaart
blz. 216

Windhoek

Ten oosten van de woestijnvlakte van de Geraamtekust verrijst een grimmige wildernis, een van de laatste echte wildernissen in Afrika. Hoewel dit gebied tot de regio's Kunene en Erongo behoort, is het nog altijd bekend onder zijn oude namen **Kaokoland** (het noordelijke deel) en **Damaraland** (het zuiden). De wildernis is het dunbevolktste deel van Namibië en biedt een unieke flora en fauna en een aantal prachtige landschappen. Damaraland is van oudsher het woongebied van de Damara *(zie blz. 220)*, terwijl in het verre noorden de halfnomadische Himba-herders wonen.

Het wild in dit verschroeide gebied weet al duizenden jaren te overleven, zoals ook de rotsschilderingen in Twyfelfontein (Damaraland) illustreren. Tegenwoordig foerageren zeldzame woestijnolifanten en zwarte neushoorns langs zanderige rivieren als de Hoanib en de Hoarusib, en schuimen kudden koedoes, spiesbokken en Hartmann-zebra's het uitbundiger begroeide oosten en noorden af. Verder verrast deze schijnbaar onvruchtbare woestenij met een rijk en gevarieerd vogelleven - van inheemse soorten als de Herero-tapuit en het Rüppell-korhoen tot de struisvogel - en een schat aan bijzondere gewassen als de *Commiphora* en de *Welwitschia mirabilis* (een soort ondergrondse boom).

In Zuid-Damaraland zijn vrijwel alle belangrijke bezienswaardigheden wel met een gewone auto te bereiken, maar in Kaokoland en Noord-Damaraland hebt u een terreinauto nodig als u de doorgaande weg wilt verlaten. Verder dient u in Kaokoland altijd in een konvooi van minimaal twee terreinauto's te rijden en volledige onafhankelijkheid na te streven; dit betekent dat voldoende brandstof en water, uitgebreide kaarten en een gps-systeem (sommige wegen staan weliswaar op de kaart, maar bestaan in werkelijkheid niet) onontbeerlijk zijn.

De veiligste en interessantste manier om dit gebied te verkennen is in het gezelschap van een kundige gids van een gespecialiseerde touroperator. Deze kan u van alles vertellen over de gewassen, het wild en de verschillende culturen.

Blz. 212-213: Rotsformaties, Zuid-Damaraland. **Links**: Jonge Himba-moeder met kind. **Onder**: De imposante Spitzkoppe.

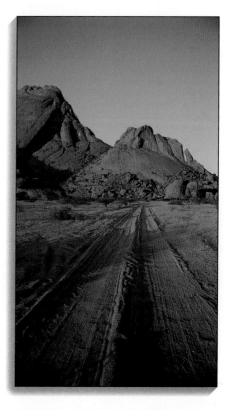

Zuid-Damaraland

Het onbeduidende **Khorixas ❶**, de voormalige administratieve hoofdstad van Damaraland, ligt 131 km ten westen van Outjo aan de C39 en is een ideale uitvalsbasis voor een verkenning van het zuiden. Verder is hier niet veel te zien, hoewel de liefhebber van kunstnijverheid volop aan zijn trekken komt in het **Khorixas Community Craft Centre** aan de rand van het stadje.

Volg de C35 zuidwaarts naar het slaperige **Uis Mine ❷**, dat gebouwd werd rond een kleine tinmijn (inmiddels gesloten). Sla net voorbij Uis Mine - op circa 105 km van Khorixas - rechtsaf de D2359 op en

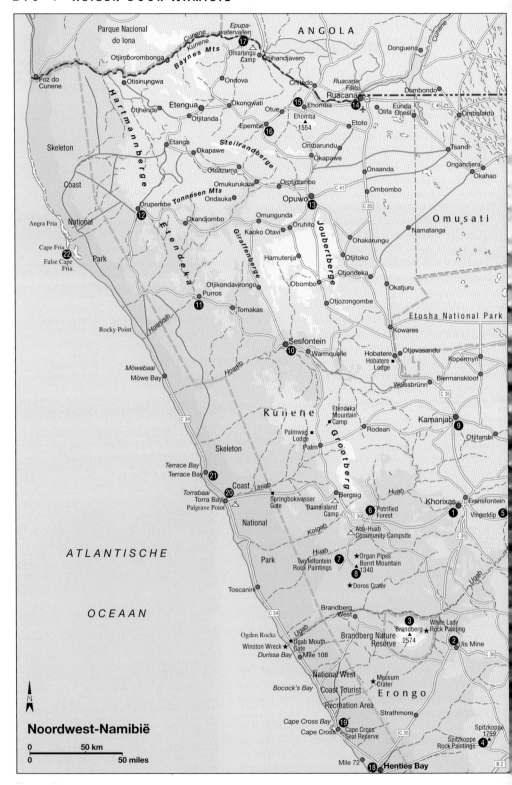

Noordwest-Namibië

volg deze 28 km naar de **Brandberg** ❸, een ovaalvormig massief dat boven de omliggende vlakten uittorent. Zo'n 120 miljoen jaar geleden bevond zich hier een vulkaan in een rotsplateau. Door de geleidelijke erosie van de lavalagen op het plateau is dit enorme brok graniet blootgelegd, waarvan het hoogste punt, de **Königstein** (2574 m), gelijk ook het dak van Namibië is.

Kaart blz. 216

Duizenden jaren lang zijn de grotten en overhangende gedeelten door de San (Bosjesmannen) als schuilplaats gebruikt. De mooiste rotskunst vindt u in het noordoosten bij het **Tsiab-ravijn**, waar een beschilderd fries de zogenaamde 'Witte Dame van de Brandberg' verbeeldt. De wandeling ernaartoe neemt (heen en terug) drie uur in beslag, dus zorg dat u niet op het heetst van de dag vertrekt. De schildering (40 cm hoog) werd in de jaren vijftig van de vorige eeuw ontdekt door de Franse archeoloog Abbe Henri Breuil, die meende dat de witte kleurstof erop duidde dat het figuur (waarvan hij dacht dat het een vrouw was) iemand van mediterrane origine voorstelde. De ideeën van Breuil werden door apartheidstheoretici dankbaar gebruikt als bewijs van vroege Europese invloeden in de regio. Inmiddels wordt de theorie van de 'Witte Dame' in twijfel getrokken door rotskunstexperts, die in het figuur een jager of een sjamaan (priester-genezer waaraan bovennatuurlijke vermogens worden toegedicht) herkennen die net zo min Europees is als de olifanten en andere dieren die elders in Namibië met witte kleurstof geschilderd zijn.

De Vingerklip bij Khorixas is niet te missen.

Binnen een straal van 1 km rond de 'Witte Dame' zijn nog minstens 17 andere locaties met rotskunst te vinden, waarvan de meeste groot wild als leeuwen, giraffen en struisvogels verbeelden. Als u het gebied grondiger wilt verkennen, kunt u een lokale gids inhuren.

Ten zuiden van Uis verheft zich de imposante **Spitzkoppe** ❹, een piramidevormige berg die ook wel de 'Matterhorn van Namibië' wordt genoemd. U vindt er nog meer rotskunst en een aantal goede wandelroutes. U bereikt de Spitzkoppe door vanuit Uis de C36 richting Omaruru te nemen. Sla na 1 km zuidwaarts de D1930 op. Na 76 km gaat u verder over de D3716. Vlak bij de berg heeft het Spitzkoppe Community Project (een initiatief van een groep Damara) een klein kampeerterrein ingericht. Hier kunt u ook een gids inhuren.

Onder:
'Orgelpijpen' in de buurt van Twyfelfontein.

Rond Khorixas

Net ten oosten van Khorixas rijst de 35 m hoge monoliet **Vingerklip** ❺ ('rotsvinger' in het Afrikaans) omhoog. Om bij deze spectaculaire, kalkstenen rotsformatie te komen moet u eerst 46 km de C39 volgen en daarna nog circa 21 km verder rijden over de D2743. De rotsvinger is ook een favoriete locatie van torenvalken.

Het even verbazingwekkende **Petrified Forest (Versteend Woud)** ❻ - een verzameling fossiele boomstammen die naar schatting tussen de 240 en 300 miljoen jaar oud zijn - ligt circa 42 km ten westen van Khorixas aan de C39. U vindt hier overblijfselen van minstens vijftig bomen, die deels begraven liggen onder het zandsteen. Een rondleiding duurt ongeveer een uur.

De grootste attractie in deze omgeving is echter de met keien bezaaide helling van **Twyfelfontein** ❼, die

TIP

Voor een bezoek aan de spectacu-laire Doros-krater nabij Twyfelfontein hebt u een vergunning nodig van het ministerie van Milieu en Toerisme (MET) in Windhoek (tel. 061-236975).

Onder: Een paar van de fossiele boomstammen van Petrified Forest.

net ten zuidwesten van het Petrified Forest ligt. U vindt hier een prachtige verza-meling rotskunst van de San, die beschouwd wordt als een van de belangrijkste in Afrika. De meer dan 2000 inscripties en schilderingen, waarvan sommige van vóór 3300 v.Chr. dateren, verbeelden dieren, hun sporen en mensen. Met een lo-kale gids kunt u een van de twee routes lopen die vanaf de parkeerplaats heuvel-opwaarts voeren. Langs de bron waaraan Twyfelfontein zijn naam dankt, komt u bij een helling met circa twaalf rotsvlakken met inscripties en schilderingen. Zowel de Dancing Kudu Trail als de Lion Man Trail, die genoemd zijn naar twee van de mooiste inscripties, is ongeveer een uur wandelen, met inbegrip van de pauzes om van de rotskunstwerken en het uitzicht te genieten. De wandelroutes gezamenlijk nemen ongeveer 1,5 uur in beslag. Het comfortabelste tijdstip voor een wandeling is vroeg in de ochtend, maar dan is het ook het drukst. Een rusti-ger alternatief is 's middags rond de klok van vieren. U bereikt Twyfelfontein door vanaf Khorixas de C39 te nemen en die na 73 km te verruilen voor de D3254. Na 36 km bent u op de plaats van bestemming. In het nabijgelegen **Aba-Huab** vindt u een kampeerterrein en verder staat hier een aantal nieuwe lodges op stapel.

Andere bezienswaardigheden in dit gebied zijn de **Organ Pipes (Orgel-pijpen)**, een muur van doleriet (een soort basalt) die zo is afgesleten dat de vorm nu aan orgelpijpen doet denken. Het gesteente zou tussen de 130 en 150 miljoen jaar oud zijn. U vindt de orgelpijpen circa 10 km ten oosten van Twyfelfontein aan de D3254. Hier vlakbij ligt de **Burnt Mountain (Verbrande Berg) ❸**, die als de zon hoog aan de hemel staat er vrij saai bij ligt, maar in de vroege ochtend en late middag een caleidoscoop van kleuren - rood, oranje, grijs en paars - reflec-teert. Ten zuidoosten van Twyfelfontein bevinden zich ook nog de imposante

Doros- en **Messum-krater**. Beide kraters zijn echter alleen met een terreinauto te bereiken.

Kaart
blz. 216

Noord-Damaraland

Hoe verder u Damaraland in trekt, des te meer uw reis op een expeditie begint te lijken. Het landschap wordt onherbergzamer, zandduinen rukken op naar de weg, de zon schijnt fel en u kunt hier vele kilometers rijden zonder ook maar een levende ziel tegen te komen. Grote stukken grond in dit gebied zijn echter door de overheid aangewezen voor het toerisme en redelijk goed voorzien van particuliere lodges en kampen. Voor het **Damaraland Camp**, het Palmway Rhino Camp en het **Etendeka Mountain Camp** is reserveren gewenst, maar bij de **Palmwag Lodge** kunt u het wel op de bonnefooi proberen.

De vele San-schilderingen behoren tot de trekpleisters van Damaraland.

De trekpleister van dit gebied is het wild, en dan vooral de woestijnolifanten en de zwarte neushoorns. De laatste worden echter zelden gespot, behalve door bezoekers van het Palmway Rhino Camp. De meeste kampen bieden safari's en wandelingen met gids aan. U trekt dan het terracottakleurige gebergte in en hebt goede kans om onderweg gemsbokken, koedoes, springbokken, bergzebra's of een van de vele vogelsoorten (waaronder de zwarte adelaar) te spotten. Wie beslist een zwarte neushoorn wil zien, kan zich inschrijven voor een van de dagelijkse tochten vanuit het Palmway Rhino Camp.

Vanaf de Palmwag Lodge is het 118 km naar **Kamanjab ❾**, dat vlak bij de westelijke toegangsweg naar het Etosha National Park ligt. U kunt hier tanken en proviand inslaan, maar het plaatsje biedt slechts één overnachtingsmogelijkheid. In de omgeving vindt u echter een aantal lodges en gastenboerderijen (zoals de Hobatere Lodge en de Huab Lodge).

Onder: Himba-kamp, Kaokoland.

DE DAMARA

D e Damara maken slechts 7,5 procent uit van de 1,6 miljoen inwoners van Namibië, maar zijn een van de oudste etnische bevolkingsgroepen van het land. De aanwezigheid in dit gebied van een negri-de groep jager-verzamelaars die het dialect van de Centraal-Khoisan spreken, heeft al sinds lang de bijzondere interesse van wetenschappers. Men heeft een aantal hypothesen over hun afkomst en geschiedenis opgeworpen, maar het mysterie is bij lange na niet ontrafeld.

Van oudsher is de Damara-maatschappij onderverdeeld in een aantal subgroepen *(haoti)*. Deze bestaan uit groepen van stammen en families, die vroeger elk in één bepaald gebied woonden. In het prekoloniale tijdperk bevolkten de Damara het gebied tussen de rivieren de Kuiseb (ten zuidoosten van het huidige Walvisbaai) en de Swakop, de centrale delen van Rehoboth en Hochanas tot aan de Khomas-hooglanden (ten westen van Windhoek) en vooral het gebied waar nu nog altijd de meeste Damara wonen: ten noordoosten van de Namib-woestijn rond Outjo, Kamanjab, Khorixas en Brandberg.

Ongeveer twee eeuwen geleden werden de Damara uit hun traditionele woongebieden verdreven door oprukkende Nama en Herero. De laatsten slachtten hen af of verkochten hen als slaaf. Pas in 1870 gaf Herero-opperhoofd Zeraua op verzoek van Rijnse missionarissen het gebied rond Okombahe terug aan de Damara. De koloniale autoriteiten creëerden later diverse andere reservaten, zoals Otjimbingwe en Sesfontein. In de jaren zestig kocht de overheid 223 boerderijen van Europese kolonisten en in 1973 kreeg een 4,7 miljoen ha groot gebied de naam Damaraland. Khorixas werd het administratieve centrum.

Slechts een kwart van alle Damara woont ook daadwerkelijk in Damaraland. Eenzelfde percentage woont in het district Windhoek en de rest heeft zich verspreid over het centrale noorden.

Tegen het einde van de 18e eeuw kwamen de eerste Damara in contact met Europese reizigers, die hen vooral beschreven als jager-verzamelaars. Er is echter voldoende archeologisch bewijs dat sommige stammen niet alleen al eeuwenlang kleine kudden vee hoedden, maar ook kleinschalige landbouw bedreven en voornamelijk tabak en pompoenen teelden.

De veeteelt is een belangrijke bron van inkomsten voor de Damara. Tegenwoordig werken velen echter ook op boerderijen, in de stedelijke centra en in de mijnen. Het aantal onafhankelijke ondernemingen - slijterijen, restaurants, benzinestations, handelsbedrijfjes - vertoont een stijgende lijn. Honderden leraren, geestelijken en ambtenaren vormen een moderne intelligentsia, onder wie een aantal van de meest welbespraakte Namibische politici. Om kort te gaan, de Damara zijn erin geslaagd zich van hun eerdere afhankelijkheid te bevrijden en vormen inmiddels een zeer gerespecteerde bevolkingsgroep in Namibië.

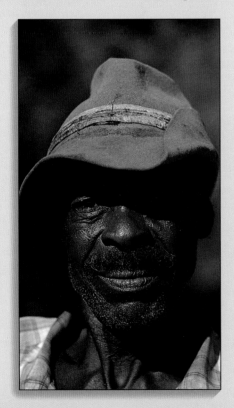

Links: Een vriendelijk Damara-gezicht. De Damara behoren tot de oudste etnische groepen van Namibië.

Eveneens vanaf de Palmwag Lodge voert een rit van 91 km u via de D3706 naar de noordgrens van Damaraland en de Herero-nederzetting **Sesfontein** ⑩. De waaierpalmen *(Hyphaene petersiana)* geven deze voormalige militaire post van het Duitse koloniale bestuur een oase-achtige uitstraling, vooral na een lange en stoffige reis. Het belangrijkste monument uit de Duitse periode, **Fort Sesfontein**, is gerenoveerd en tot hotel omgetoverd.

Kaart blz. 216

Kaokoland

Achter Sesfontein ligt **Kaokoland**, een uitgestrekt, leeg en onherbergzaam gebied dat in het westen begrensd wordt door de Geraamtekust, in het oosten door het Etosha National Park en in het noorden door de rivier de Kunene langs de Angolese grens - een totale oppervlakte van 49.000 km². U kunt zich hier slechts langzaam verplaatsen (er zijn maar een stuk of vijf berijdbare wegen), maar trek er nooit alleen op uit of zonder voldoende proviand en water en een navigatiesysteem. Als u van plan bent Kaokoland te verkennen, laat u dan eerst uitgebreid informeren.

Himba-sieraad van kralen en leer.

Het is verstandiger om te kiezen voor een georganiseerde tocht met terreinauto's. Zo worden tochten georganiseerd naar de kampeerplaats bij **Purros** ⑪, dat op de oevers van de Hoarusib ligt. De plaats is gesticht om werkgelegenheid voor de Himba en accommodatie voor bezoekers te creëren. Vanaf hier gaan er excursies naar Himba-dorpen, maar u kunt ook een gids inhuren voor een eigen safari.

Oude cultuur

Anders dan andere inheemse bevolkingsgroepen in Namibië leven de **Himba**

Onder: Himba te ezel, maar wel met aktetas.

(een subgroep van de Herero) nog altijd exact hetzelfde als toen ze zich driehonderd jaar geleden vanuit Angola in dit afgelegen gebied vestigden. Het is een tijdloze levensstijl die geen westerse attributen of zelfs stromend water nodig heeft. Het vee (runderen en geiten) vertegenwoordigt de rijkdom van deze herdersgemeenschap, dus het territorium van elke stam moet groot genoeg zijn om de kudden enorme afstanden te kunnen laten afleggen in de zoektocht naar de paar verdwaalde stukjes groen die na de regens opspruiten.

Tijdens het doorkruisen van deze wildernis bouwen de Himba simpele kampen. Behalve als verblijf voor de nacht dienen deze ook als uitvalsbasis voor de jacht en de zoektocht naar wortels. Als men op zoek gaat naar een beter graasgebied, laat men de huishoudelijke artikelen tijdelijk achter. In de afgelopen jaren zijn er diverse incidenten geweest waarbij toeristen de Himba-kampen plunderden omdat ze dachten dat deze verlaten waren; een schrijnend voorbeeld van een reden waarom de Himba-cultuur na eeuwen van afzondering zich waarschijnlijk toch gedwongen zal zien om zich aan de buitenwereld aan te passen.

Respect voor de manier van leven van de Himba is een essentieel onderdeel van een reis door Kaokoland. Vraag bijvoorbeeld altijd toestemming alvorens u een semipermanente Himba-nederzetting binnenloopt of een foto maakt (mogelijk wordt ook wat geld gevraagd). Een cadeau in de vorm van tabak of maïsmeel wordt doorgaans bijzonder geapprecieerd.

Purros bevindt zich ongeveer halverwege de route naar **Orupembe ⑫**, dat op circa 210 km van Sesfontein aan de uitgestrekte **Giribes-vlakten** ligt. Onderweg ziet u kudden springbokken en diverse 'heksenkringen': ronde lapjes grond waar geen vegetatie groeit, mogelijk vanwege de giftige chemicaliën die de allang uitgestorven *Euphorbia* (heksenmelk) in de bodem heeft achtergelaten. Na

Onder: De Grootbergpas in Damaraland na overvloedige regenval.

Orupembe loopt de weg lichtjes dalend oostwaarts door rotsachtig terrein en de imposante Tonnesen- en Giraffenpas. Na 110 km bereikt u een kampeerplaats bij **Onganga** aan de rivier de Hoarusib, waarna een volgende 84 km u via het kleine plaatsje **Kaoko Otavi** en verder noordwaarts over de D3705 in het enige echte stadje van Kaokoland brengt: **Opuwo ⑬**. (Vanuit Kamanjab is het ongeveer 255 km naar Opuwo, via de C35 en de C41). Opuwo is een stoffig en enigszins rommelig stadje, maar een goede plek om bij te tanken en proviand in te slaan. Omdat zich binnen de stadsgrenzen een grote Himba-nederzetting bevindt, zult u in de supermarkt vaak samen boodschappen doen met de lokale Himba. U zult hen ongetwijfeld herkennen, want de meesten hebben met modder hun haar tot een ingewikkeld kapsel gemaakt en hun lichaam ingesmeerd met glimmende, rode oker.

Wie op eigen gelegenheid met een terreinauto eropuit wil trekken, kan een vierdaagse tocht vanuit Opuwo naar Ruacana en terug via de Epupa-watervallen maken, hoewel andermaal benadrukt moet worden dat u beslist met minimaal twee auto's dient te reizen en voldoende brandstof en water mee moet nemen.

Neem vanuit Opuwo de C41 oostwaarts naar de C35 (de doorgaande weg naar Ruacana), een tocht van 142 km. Zorg voor een volle tank in **Ruacana ⑭**, want dit is de laatste gelegenheid om te tanken voordat u weer terug bent in Opuwo. Rijd hierna via de C46 een paar kilometer westwaarts en vervolgens verder via de D3700, een schilderachtige route langs de rivier de Kunene naar het 55 km westelijker gelegen **Swartbooisdrift**. Hier kunt u overnachten in de Kunene River Lodge of op een van de goede kampeerplaatsen. Ten westen van Swartbooisdrift is de weg bijzonder slecht, dus rijd vanaf hier 20 km zuidwaarts naar **Ehomba** ❺ en daarna 10 km via de D3702 naar de aansluiting met de D3701. Vanaf hier is het nog 31 km naar de Himba-nederzettingen **Epembe** ❻ en **Otjiveze**. Hier neemt u de D3700 naar het 31 km noordwestelijker gelegen **Okongwati** om vervolgens nog 73 km noordelijker naar de **Epupa-watervallen** ❼ te rijden. In het westen verrijst het Baynesgebergte, het dak van Kaokoland.

De Epupa-watervallen bestaan uit een aantal watervallen die midden in de woestijn door een met palmbomen en baobabs omzoomde kloof donderen. Helaas hebben de Namibische en Angolese regering het hele stroomgebied van de Kunene (inclusief de watervallen) op het oog voor een enorm waterkracht-project. Als dit plan doorgang vindt, loopt een groot deel van het Himba-gebied onder water en worden gewijde locaties - zoals voorouderlijke graven - en een uniek ecosysteem vernietigd.

Rijd via dezelfde weg terug naar Otjiveze en daarna nog 73 km zuidelijker naar Opuwo.

Een andere mogelijkheid is een verkenning van West-Kaokoland. U rijdt dan richting Orupembe door twee woeste, maar prachtige valleien (**Hartmann's** en **Marienfluss**). Deze tocht kunt u boeken bij een gespecialiseerde touroperator of bij de prachtig geïsoleerd gelegen Serra Cafema Lodge, een tentenkamp op de oevers van de Kunene. ❏

Kaart blz. 216

Onder: Een gedeelte van de prachtige Epupa-watervallen, die bedreigd worden door de voorgenomen bouw van een dam.

DE GERAAMTEKUST

Het boeiendste landschap van Namibië omvat een verraderlijke Atlantische kustlijn, met daarachter een zinderende woestijn met hoog opgewaaide zandduinen.

Kaart blz. 216

De Geraamtekust in het uiterste noordwesten van Namibië is zonder twijfel een van de meest desolate Afrikaanse kusten, maar behoort tegelijkertijd tot de fascinerendste en meest ongerepte wildernissen van dit continent. Ooit vreesden zeelieden deze verraderlijke kustlijn met de daarachter gelegen zinderende woestijn - waar schipbreukelingen door gebrek aan water vrijwel zeker de dood zouden vinden - maar inmiddels wordt de Geraamtekust gewaardeerd als plek van schoonheid, rust en eenzaamheid.

Een tocht naar dit kustgebied begint vaak in **Swakopmund**, dat in het zuiden van het **National West Coast Tourist Recreation Area** ligt. Dit gebied strekt zich uit van de rivier de Swakop in het zuiden tot de rivier de Ugab in het noorden, een afstand van 200 km. In de warme zomermaanden ontvluchten veel Namibiërs de hitte van het binnenland en trekken naar de koelere kustplaatsen. Swakopmund behoort tot de populairste bestemmingen; rond kerst stromen hier duizenden vakantiegangers naartoe. Het mooie plaatsje heeft dankzij de vele Jugenstil-huizen zijn koloniale karakter grotendeels behouden en is genoemd naar de rivier de Swakop, die ten zuiden van de plaats in de Atlantische Oceaan stroomt. De Nama, die zich als eersten in dit gebied vestigden, noemden de rivier echter *Tsoaxoub*: een verwijzing naar de bruine kleur die de rivier heeft als hij buiten zijn oevers is getreden en ladingen woestijnzand naar de zee transporteert.

Blz. 224-225: De Geraamtekust is een scheepskerkhof.
Links: De Sandwich Bay is een toevluchtsoord van flamingo's.
Onder: Spookkrabben houden van de eenzaamheid.

Noordwaarts

Het kustgebied pal ten noorden van Swakopmund is ingesteld op het toerisme en biedt uitgebreide kampeerfaciliteiten voor zowel tenten als campers (waaronder **Mile Four**, een van de grootste caravanparken van zuidelijk Afrika). Buiten het vakantieseizoen zien deze locaties er leeg en onaantrekkelijk uit, maar als rond kerst de lokale bevolking binnenstroomt, heerst hier een totaal andere sfeer.

Ruim 30 km ten noorden van Swakopmund ligt **Wlotzkasbaken**, een wonderlijk dorpje met kleine bungalows en chalets. Het drinkwater wordt hier verspreid via watertorens, die als enorme kandelaars naast de huisjes staan. Circa 35 km noordelijker komt u in **Henties Bay** ⑱. Als u van plan bent om verder naar het noorden te rijden, dan is dit de laatste gelegenheid om te tanken. Henties Bay heeft de reputatie een van de beste vislocaties langs de Namibische kust te zijn.

Een van de intrigerendste vormen van plantengroei in de woestijn is het korstmos, een complexe symbiose van een zwam en een alg. Op de kiezelvlakten, de rotspartijen en de hellingen langs de Geraamtekust komen honderden soorten van dit mos voor. Ook langs de kant van de weg zijn vaak ver-

schillende soorten van het mos te zien. Het harde en brosse mos komt tot leven of 'bloei' als er water over gesprenkeld wordt. Het beweegt zichtbaar en wordt zacht en leerachtig. Net als andere woestijnvegetatie is korstmos afhankelijk van mist, hoewel het lange tijd zonder vocht kan overleven. Omdat de wielen van uw auto het korstmos - mogelijk blijvende - schade toebrengen, dient u te allen tijde op de gebaande wegen te blijven.

De meeste gewassen in de Namibwoestijn wortelen bijzonder diep om zo veel mogelijk vocht op te kunnen zuigen.

Pelsrobben en vissersboten

Het reservaat **Cape Cross** ⑰ ligt circa 53 km ten noorden van Henties Bay. De kaap is de habitat van de grootste kolonie Kaapse pelsrobben van Namibië. De naar schatting 120.000 tot 200.000 dieren scheiden een sterke geur af (en als u uw ogen dichtdoet, lijkt het geluid dat ze voortbrengen op een enorme kudde blatende schapen). Anders dan sommige soorten zeeleeuwen zogen Kaapse pelsrobben hun jongen bijna een jaar. Rond het midden van oktober komen de mannetjes om hun territorium af te bakenen en dat te beschermen tegen indringers. Deze grote dieren met manen kunnen een gewicht van wel 360 kg bereiken. Nadat begin december de jongen geboren zijn, paren de robben vrijwel meteen opnieuw. Het bevruchte eitje begint zich echter pas na drie maanden te ontwikkelen.

Cape Cross is ook van historisch belang, want in 1485 zette de eerste Europeaan er voet op Namibische bodem. Aan het stenen kruis dat de Portugese zeevaarder Diego Cão hier plantte, dankt de kaap zijn naam. Er zijn twee replica's van het kruis te bezichtigen. Het eerste ziet vanaf een helling uit over de baai en werd in 1893 door Duitse soldaten opgericht nadat het origineel naar Duitsland was overgebracht. Het andere is een getrouwe replica van het origi-

Onder: Een pelsrobbenkolonie op Cape Cross.

neel, dat in 1980 werd onthuld op de exacte locatie van het door Cão geplante kruis.

Net voor de ingang van het Skeleton Coast National Park ziet u een bordje dat naar het meest zuidelijk gelegen wrak langs de Geraamtekust verwijst. Het is het wrak van de *Winston*, een vissersboot die hier in 1970 aan de grond liep en in tweeën brak.

Kaart
blz. 216

Het Skeleton Coast National Park

Het **Skeleton Coast National Park**, een smalle kuststrook (30 tot 40 km breed en 500 km lang) tussen de rivieren de Ugab en Kunene, werd in 1971 tot natuurgebied uitgeroepen. De infrastructuur is tot een minimum beperkt en ook het aantal bezoekers wordt binnen de perken gehouden, omdat dit de enige manier is om de bijzondere eigenschappen van dit gebied te beschermen. In het zuiden van het park is het toerisme beperkt tot twee locaties: **Torra Bay ⑳**, met een kampeerplaats voor tenten en campers, en **Terrace Bay ㉑**, een klein *rest camp* met zowel kookfaciliteiten als een restaurantje. Beide locaties zijn te bereiken via de doorgaande kustweg vanuit Swakopmund en de **Ugab Mouth Gate**, of vanuit het binnenland via de **Springbokwasser Gate** in Damaraland. U dient over een in Windhoek verleende vergunning te beschikken en mag de hoofdwegen niet verlaten, behalve in de aangegeven visgebieden.

Wie geen verblijf in Torra of Terrace Bay gereserveerd heeft, kan een vergunning krijgen bij een van de toegangspoorten van het park. U krijgt dan echter alleen toestemming voor het gebruik van de C34 en de D3245 tussen de twee poorten. Verder dient u het park vóór 15.00 uur in te rijden om voldoende tijd te hebben om voor zonsondergang bij de andere poort te arriveren.

Onder:
Twee zadel-
jakhalzen vechten
om een dood
pelsrobbenjong.

BEROEMDE SCHEEPSWRAKKEN

L angs de kust van Namibië zijn talloze schepen vergaan, maar slechts een paar wrakken zijn nog intact. Door het onafgebroken beuken van de staalgrijze golven en de zandstralende werking van de overheersende zuidwestenwind (die grote hoeveelheden zand meevoert) is er vaak niet meer over dan verbogen stukken roestend metaal, gebroken masten, planken en een grote hoeveelheid wrakhout.

Sommige wrakken gaan terug tot het tijdperk waarin Portugese ontdekkingsreizigers en de Verenigde Oost-Indische Compagnie rond Kaap de Goede Hoop naar India zeilden. Hun vaartuigen vielen niet alleen ten prooi aan stormen, maar ook aan de Benguelastroom met zijn zeemist, hoge golven en dodelijke tegenstroom. Verder moest men afrekenen met een zeer verraderlijke kustlijn, die bezaaid is met riffen, onvermoede zandbanken en duinen die tot in de zee reiken.

Een vliegtuigongeluk gaf de Geraamtekust zijn passende naam. Toen de Zwitserse piloot Carl Nauer in 1933 langs de Namibische kust verdween, schreef journalist Sam Davis - die het ongeluk voor persbureau Reuters en de Zuid-Afrikaanse krant *Cape Argus* versloeg - dat de botten van Nauer wellicht ooit aan de 'Geraamtekust' gevonden zouden worden.

Het scheepswrak dat de eenzaamheid van deze Namibische kustlijn het beste symboliseert, is dat van de *Eduard Bohlen*. De stoomboot liep in september 1909 bij Conception Bay, 100 km ten zuiden van Walvisbaai, aan de grond. De roestende overblijfselen liggen inmiddels deels onder het zand begraven, een paar honderd meter landinwaarts van de huidige kustlijn.

Het bekendste wrak is dat van de *Dunedin Star*, een Brits vrachtschip dat op de avond van 29 november 1942 op circa 40 km ten zuiden van de monding van de Kunene aan de grond liep. De redding van de 21 passagiers en 85 bemanningsleden, waarvan journalist John Marsh verslag deed en waarover hij later het boek *Skeleton Coast* schreef, was een opeenvolging van rampen. Een van de reddingsboten, de *Sir Charles Elliott*, liep op de rotsen, waarna twee bemanningsleden omkwamen in een poging om zwemmend de kust te bereiken. Een Ventura-bommenwerper die deelnam aan de reddingsoperatie stortte in zee, maar de drie bemanningsleden brachten het er levend af. Pas op kerstavond bereikten de schipbreukelingen Windhoek. Wat nog resteert van de *Dunedin Star* zijn de roestende resten van een benzinetank, die deel uitmaakte van de lading.

Een tamelijk goed bewaard gebleven wrak is dat van de *Montrose*, die in juni 1973 verging. Het ligt nog altijd op het strand van Terrace Bay, deels begraven onder het zand. Ten noorden van Möwe Bay liggen de resten van de vissersboot *Karimona*, die in september 1971 ten onder ging. En 25 km ten noorden van de monding van de Ugab ligt de roestende romp van de *Benguela Eagle*, die in juni 1973 schipbreuk leed. Een stukje verder vindt u de overblijfselen van de *Girdleness*, die in november 1975 ten zuiden van de Ugab op de rotsen liep.

Links: Aangespoeld op de Geraamtekust; wrakken zijn hier een vertrouwd gezicht.

De woestijn in

De Geraamtekust maakt deel uit van de noordelijke Namibwoestijn, die zich uitstrekt vanaf de rivier de Kunene in het noorden tot aan Cape Cross in het zuiden. Langs de kust loopt een smalle strook duinen die vrijwel nergens meer dan 20 km landinwaarts reikt, behalve in het verre noorden. Her en der langs de kust zijn zoutpannen te vinden, waarvan de grootste ook in het uiterste noorden kunnen worden aangetroffen: die van **Cape Cross** en **Cape Frio**. Ten oosten van de woestijn liggen uitgestrekte kiezelvlakten met verspreid gelegen *inselbergs* (eilandbergen, bergen in een vlak gebied). Nog verder naar het oosten verheffen zich diverse bergketens.

Aan de kust is het het hele jaar door aangenaam koel, behalve op die dagen in de winter dat de bergwinden waaien en het kwik zelfs vaak hoger komt dan in de zomer. Ook landinwaarts loopt de temperatuur dan hoog op.

Het landschap van het Skeleton Coast National Park verschilt waarschijnlijk maar weinig van dat van tienduizend, tien miljoen of zelfs honderd miljoen jaar geleden. Het bontgekleurde vulkanische gesteente maakt her en der plaats voor glimmerlei, gneis en graniet. Richting kust hebben rotspartijen van graniet en gneis spookachtige honingraatvormen aangenomen, veroorzaakt door de zouten in de mist die 's nachts het land binnentrekt.

De aantrekkingskracht van het park ligt deels in zijn uitgestrekte landschappen die kilometerslang onveranderlijk zijn, maar deels ook in de details. Voor die details moet u de auto uit en te voet verder. Lange wandelingen op eigen houtje zijn niet mogelijk vanwege het gebrek aan water, maar het park organiseert meerdaagse wandeltochten met gids langs de loop van de rivier de Ugab, die de zuidgrens van het park vormt. In de rivierdalen van het park is zelfs een

Kaart blz. 216

Droogteperioden in het binnenland dwingen leeuwen langs de rivieren naar de kust te trekken.

Onder: De wonderlijk gevormde Bogenfels Rock is een bezienswaardigheid.

Kaart
blz. 216

De witte 'kastelen' in de Hoarusib Canyon.

Onder:
Broedende
aalscholvers.

korte wandeling van een uur al lonend. Overal zijn sporen te zien van dieren, die deze dalen als habitat of als 'doorgaande route' gebruiken.

Wegen beperken zich tot het zuiden van het park, maar u kunt per vliegtuig naar een pas ingerichte kamp langs de noordelijke Geraamtekust. Groepjes toeristen maken vanaf hier verkenningstochten met gids naar onder andere Rocky Point, de berg Agate en de bijzondere 'kastelen' van klei van de **Hoarusib Canyon**. Deze indrukwekkende formaties geelwitte kleiafzettingen zouden het resultaat zijn van het afdammen van de rivier achter de duinen, 20.000 tot 50.000 jaar geleden. Verder kunt u op **Cape Fria ㉒** nog genieten van een kolonie zeeleeuwen, die hier in een natuurlijker omgeving leven dan de kolonie op Cape Cross.

Bewegende duinen

Waar u ook bent langs de Geraamtekust, de duinen vormen een levendig en integraal deel van het landschap. Een typische duinformatie is de sikkelvormige **barchan**, die gevormd wordt door de overheersende zuidwestenwind en zich met een snelheid van 2 tot 3 m per jaar in noordoostelijke richting verplaatst. Kijk ernaar uit op weg 3245, die in de baan van de duinen ligt.

Zadeljakhalzen en bruine hyena's houden de stranden vrij van dode zeehonden, vogels en vissen. Hun sporen zijn niet moeilijk te vinden. De meest voorkomende grotere zoogdieren hier zijn de springbok en de gemsbok, die beide goed uit de voeten kunnen in een droge omgeving. In jaren met voldoende neerslag en daardoor voldoende beschutting stijgt hun populatie en krijgen de dieren zelfs gezelschap van zebra's uit het binnenland, met in het voetspoor roofdieren als de gevlekte hyena, de leeuw en de luipaard. Droogteperioden in

het binnenland hebben in het verleden leeuwen langs de rivieren naar de kust gedwongen, waar ze zich voedden met de karkassen van Kaapse pelsrobben. De Geraamtekust is ook de enige plek ter wereld waar olifanten, zwarte neushoorns, giraffen en leeuwen in een woestijnomgeving voorkomen. Van 'woestijnolifanten' is bijvoorbeeld bekend dat ze tussen foerageergebieden en waterpoelen afstanden tot wel 70 km overbruggen.

De schijnbare onvruchtbaarheid van de woestijn staat in schril contrast met de immense rijkdom van de aangrenzende oceaan. De Benguelastroom voert vanaf de Zuidelijke IJszee zuurstof en een grote verscheidenheid van dierlijk en plantaardig plankton aan. Een westenwind stuwt de stroom naar de kust, waar het plankton naar het wateroppervlak stijgt. Door de blootstelling aan de zon komt het plankton 'tot bloei' en dient het als voedingsbron van grote scholen sardines en ansjovissen, die op hun beurt weer gegeten worden door zeehonden, aalscholvers, jan-van-genten en tal van zeedieren. Bij een ruwe zee spoelt het plankton in grote hoeveelheden borrelend geel schuim het strand op, waar het groen opdroogt.

Overvloed en schaarste, schoonheid en dood, oude rotsen en nieuwe duinen - de aantrekkingskracht van de Geraamtekust wordt ten dele door dit soort opvallende tegenstellingen bepaald. ❏

DE DUINEN VAN DE NAMIBWOESTIJN

De uitgestrekte Namibwoestijn lijkt onvruchtbaar, maar wemelt in werkelijkheid van het leven, van gewassen, insecten en reptielen tot grote zoogdieren.

De Namib is een van de oudste woestijnen ter wereld. Er bestaat enige discussie over hoe oud precies, maar men is het er wel over eens dat deze smalle kuststrook tussen de Atlantische Oceaan en het noord-zuidplateau van Zuidwest-Afrika al vijftig tot tachtig miljoen jaar een semi-aride - en op sommige plekken een aride - klimaat heeft.

De grote zee van zandduinen die tot aan de de Atlantische Oceaan reikt gaat echter slechts vijf miljoen jaar terug. Toen was de ijzige Benguelastroom - die ervoor zorgt dat het westen geen regen krijgt - tot volle wasdom gekomen en begon het duinlandschap tussen Lüderitz en Swakopmund gestalte te krijgen.

MIST ALS VOEDINGSBRON

Hoewel er in de Namib (net als in de meeste woestijnen) maar bijzonder weinig regen valt, beschikt de kuststrook over een alternatieve bron van vocht: mist. Het ijskoude water van de Benguelastroom en het hogedrukgebied van de zuidelijke Atlantische Oceaan zorgen er samen voor dat de verzengende hitte van de woestijn wordt omgezet in de voor de Namibische kustlijn zo kenmerkende mist. Natuurlijke hindernissen als rotspartijen laten de mist condenseren, waardoor druppeltjes worden gevormd. Dit proces schept de condities voor het planten- en dierenleven om in dit ogenschijnlijk onherbergzame gebied te overleven.

▷ **DORSTIG**
Deze duingrassoort heeft tot wel 20 m lange wortels om elk druppeltje condens uit de toplaag van het zand te kunnen opzuigen. Het gras bloeit 's zomers.

△ **DOORZETTER**
Dit wonderlijke gewas is een *Trichocaulon*-soort. Deze cactus haalt zijn voeding uit spleten in de rotsen, waarin mist gecondenseerd is.

△ **DE KONING**
De langs de kust levende woestijnleeuw voedt zich met aangespoelde karkassen en zeehonden.

▷ **EEN EN AL OOG**
De woestijngekko
(*Palmatogecko rangei*)
jaagt 's nachts op termieten, motten en andere kleine insecten.

△ **DE OVERGANGSZONE**
De Herero-tapuit is inheems op het plateau van de Namib, dat tussen de woestijn en de droge savanne ligt.

EEN EEUWENOUD RECEPT

Rotsschilderingen als die hierboven (Brandberg, aan de rand van de Namib) zijn er het bewijs van dat de mens al honderdduizenden jaren door de Namibische woestijnen trekt. Deze woestijnbewoners overleefden niet alleen dankzij de jacht op kleine zoogdieren, maar ook door de aanwezigheid van eetbare gewassen. Zo is bijvoorbeeld de *!nara-plant*, een familielid van de komkommer, inheems in de Namib. Elk jaar produceren de vrouwelijke planten (waarvan sommige eeuwen leven) tientallen meloenen, die gretig geconsumeerd worden door elk levend wezen dat de stevige en stekelige schil kan slechten. De Topnaar Nama, die langs de oevers van de Kuiseb in het midden van de Namib wonen, ontdoen de *!nara* van het vruchtvlees, halen de zaden eruit en braden de stukken vruchtvlees op schoon zand. Ook wordt het vruchtvlees soms te drogen gelegd, waarna het opgerold kan worden gegeten.

De plant zelf biedt onderdak en voedsel voor tal van andere organismen als muizen, hagedissen en insecten.

△ OVERLEVER
De *Hoodia gordonii* heeft zich goed aangepast aan de woestijn: de wasachtige bladeren verminderen de verdamping en door de langzame groei heeft de plant weinig vocht nodig.

◁ ROTSHEILIGDOMMEN
De kleien 'tempels' van de Hoarusib Canyon behoren tot de hoogtepunten van het Skeleton Coast National Park.

DE NAMIBWOESTIJN

Kaarten
blz. 238
en 240

Als gevolg van het strenge klimaat verkeert de Namib al 80 miljoen jaar in een vrijwel maagdelijke staat, en dat terwijl de woestijn toch verrassend toegankelijk is.

Dankzij de foto's van de prachtige, abrikooskleurige duinen bij zonsopgang is de Namibwoestijn voor veel bezoekers de belichaming van Namibië. Ondanks de schijnbare afgelegenheid is de woestijn verrassend toeganke- lijk: per vliegtuig vanuit Windhoek of met de auto via Okahandja door Zuid- Damaraland en langs Karibib en Usakos richting de Atlantische kust.

De Namibiërs drukken de enorme afstanden tussen de plaatsen in hun land uit in uren in plaats van kilometers en zo zal iedereen die het weet u vertellen dat het 3,5 uur rijden is van Windhoek naar de populairste uitvalsbasis voor een verkenning van de Namib: het kuststadje **Swakopmund ❶**, een stukje Beieren aan de noordkant van de woestijn.

Swakopmund

Swakopmund heeft zijn bestaan te danken aan kapitein Curt von François van de Duitse koloniale *Schutztruppe*, die in 1893 een havenplaats wilde stichten die de concurrentie aankon met het door de Britten gecontroleerde Walvisbaai. Het stadje heeft een groot deel van zijn Duitse karakter behouden. U vindt er een aantal Jugendstil-gebouwen die een bezichtiging waard zijn, maar als u wat meer te weten wilt komen over de geschiedenis van Swakopmund kunt u het beste in het **Swakopmund Museum ❹** beginnen.

Het museum werd in 1951 gesticht door de rondtrek- kende Duitse tandarts Alfons Weber en biedt met zijn belangrijke verzameling historische en etnolo- gische voorwerpen een uitgebreide kijk op het stadje en zijn omgeving.

Vlak bij het museum bevindt zich in de Strand Street het **Kaiserliches Bezirkgericht** (Keizerlijke Arrondissementsrechtbank) ❸, een statig herenhuis dat oorspronkelijk dienstdeed als rechtbank en tegen- woordig de vakantieresidentie van de president van Namibië is. In het stadspark erachter vindt u een 21 m hoge stenen vuurtoren en het imposante **Marine Memorial ❻**, een monument ter nagedachtenis van de Duitse soldaten die omkwamen tijdens het neer- slaan van de Herero-opstand van 1904.

De **Daniel Tjongarero Street**, die vanaf het strand oostwaarts loopt, is omzoomd met historische gebou- wen en in de nabijgelegen Theo-Ben Gurabib Ave- nue staat het **oude spoorwegstation ❼**, een prachtig voorbeeld van de Wilhelminische (naar de Duitse keizer Wilhelm II) bouwstijl. Het station maakt te- genwoordig deel uit van het Swakopmund Hotel and Casino.

Op de hoek van de Theo-Ben Gurabib Avenue en de Tobias Hanyeko Street bevindt zich de **Kristall Gallery**, die een fantastische collectie halfedelste- nen en andere geologische wonderen uit Namibië

Links: In de Sossusvlei is de grond in rare patronen gebakken.
Onder: Terreinauto's kunnen de duinen van de Namib beschadigen.

tentoonstelt. Het pronkstuk van de galerie is een vijfhonderd miljoen jaar oud kwartsiet dat twee keer zo groot als de gemiddelde mens is. Het weegt meer dan 14.000 kg en zou het grootste kwartsietbrok ter wereld zijn.

Wat winkelen, uiteten en uitgaan betreft, moet Swakopmund in Namibië alleen Windhoek voor laten gaan. Rond en aan de belangrijkste verkeersader door het centrum, de Sam Nujoma Avenue, bevindt zich een uitstekende selectie supermarkten en andere winkels, restaurants, delicatessenzaken, banken, internetcafés en touroperators. In het hart van al deze bedrijvigheid vindt u naast het Hansa Hotel op de hoek van de Sam Nujoma Avenue en de Roon Street het winkelcentrum The Arcade met een aantal goede kunstwinkeltjes, de uitstekende Swakopmund Buchhandlung, diverse espressobars en zelfs een moderne bioscoop met actuele westerse films.

Het **National Marine Aquarium ⑤** aan de zuidkant van Swakopmund is een bezoek beslist waard en dan vooral op de middagen waarop een duiker de haaien van voedsel voorziet. Een heel andere, maar even interessante verzameling dieren vindt u in het **Living Desert Snake Park** aan de Sam Nujoma Drive, net ten oosten van het centrum. Deze herpetologische dierentuin is in particuliere handen en huisvest exemplaren van verschillende soorten reptielen uit de omliggende Namibwoestijn, waaronder de spectaculaire gehoornde adder, de hoornratelslangachtige zuidelijke duinadder en de kraalogige Namaquakameleon.

Behalve een aantrekkelijke kustplaats is Swakopmund ook het belangrijkste centrum voor toeristen met een avontuurlijke inslag. Een aantal gerenommeerde touroperators biedt een grote keuze aan dagtochten en activiteiten aan, zoals skydiven, quadbiken, sandboarden, dolfijnexcursies en diepzeevissen, maar

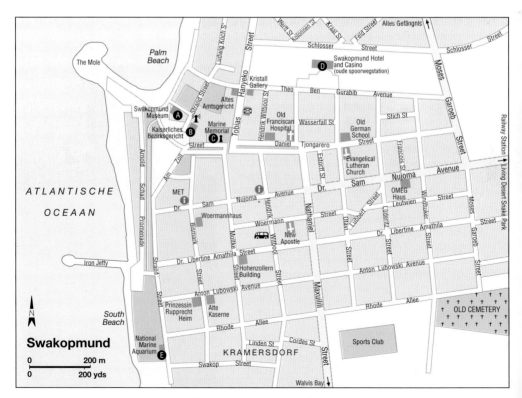

ook excursies naar dorpjes of naar de duinen van de Namibwoestijn, en kajakken over de ruwe zee naar de zeehonden- en pinguïnkolonies rond Walvisbaai - kortom, genoeg activiteiten om zelfs de actiefste reiziger dagenlang bezig te houden!

Kaart
blz. 240

Ten zuiden van Swakopmund steekt u via de langste brug van Namibië de rivier de Swakop over naar **Walvisbaai ❷**, dat slechts 30 km van Swakopmund ligt. Met een geschat inwonertal van 45.000 à 50.000 is dit waarschijnlijk de op een na grootste stad van Namibië. De Portugese ontdekkingsreiziger Bartholomeu Diaz, die later een zeeroute rond de zuidpunt van Afrika zou ontdekken, ging hier op 8 december 1487 voor anker. Door het gebrek aan drinkwater in dit gebied zou het echter nog drie eeuwen duren voordat de Europese mogendheden belangstelling voor deze prachtige natuurlijke haven kregen.

In 1878 kwam Walvisbaai in Britse handen, waarna het vanaf het begin van de jaren twintig van de 20e eeuw officieel tot Zuid-Afrika ging behoren. Verwarrend genoeg werd de stad echter wel bestuurd als integraal deel van Namibië. In 1977 werd Walvisbaai ingelijfd bij de Zuid-Afrikaanse Kaapprovincie, om uiteindelijk in 1994 - enige tijd na de onafhankelijkheid van de rest van het land - weer volledig Namibisch te worden.

Een ballonvaart over de woestijn bij zonsopkomst is een populaire excursie.

De **lagune** van Walvisbaai, die wordt beschouwd als een van de belangrijkste wetlands van zuidelijk Afrika en in 1995 tot Ramsargebied werd uitgeroepen, is een ideale bestemming voor vogelaars. (In het kader van het internationale Ramsarverdrag - dat genoemd is naar de Iraanse stad Ramsar, waar het in 1971 werd afgesloten - worden internationaal belangrijke wetlands aangewezen.) Zo is dit bijvoorbeeld de habitat van bijna de helft van de flamingopopulatie in deze regio. De aanblik van duizenden van deze sierlijke vogels die in het ondie-

Onder: Duitse bouwstijl in de Schülstrasse van Swakopmund.

pe water forageren - of beter nog, als dunne stokjes met zwart met roze vleugels overvliegen - is adembenemend. Tijdens een excursie met een motorboot of een kano ziet u vaak niet alleen vogels, maar ook zeehonden en dolfijnen.

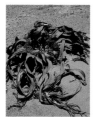

De Welwitschia mirabilis, *een van de opmerkelijkste gewassen in de Namib.*

De lagune kan ook vanaf het land worden verkend. Rijd hiervoor via het verlengde van de Nangolo Mbumba Drive in zuidwestelijke richting de stad uit. Vrijwel meteen nadat u de stad hebt verlaten, wordt het beeld bepaald door een ondiepe lagune aan de ene en hoge duinen aan de andere kant van de weg. Het rijke vogelleven wordt hier gedomineerd door grote zwermen pelikanen en Damara-sternen en een overvloed aan waadvogels. Rijd circa 10 km verder naar het zuiden en sla rechtsaf bij de zoutfabriek. U komt dan bij een parkeerplaats (die populair is bij lokale vissers), vanwaar een zandweg (alleen geschikt voor ervaren terreinautobestuurders) naar Pelican Point loopt. Hier vindt u een vuurtoren en een kolonie van circa honderd Kaapse pelsrobben.

Voor meer vogels kunt u terecht in Sandwich Harbour, dat circa 40 km ten zuiden van Walvisbaai bijna op de **steenbokskeerkring** ligt. Dit wetland ont-

vangt een groot aantal trekvogels die op doorreis zijn van hun nestelgebieden op het noordelijk halfrond naar het warmere klimaat van de westkust van de Kaap. In sommige jaren verblijven hier maar liefst 50.000 overwinterende vogels. Verder wordt langs de kust zo nu en dan een bruine hyena, een jakhals of zelfs een spiesbok gesignaleerd.

Voor een bezoek aan deze lagune, die alleen per terreinauto te bereiken is, hebt u een speciale vergunning nodig. Deze is te verkrijgen bij de kantoren van *Namibia Wildlife Resorts* in Swakopmund en Windhoek en ook bij de *rest camps* van deze organisatie. Voorbij het noordelijke hek van de lagune mogen geen auto's komen; wie dit gebied wil verkennen, moet dat te voet doen. Let goed op dat uw auto onderweg naar de lagune niet ergens vast komt te zitten!

Het Namib-Naukluft National Park

Het **Namib-Naukluft National Park** ❸ is met zijn bijna 50.000 km² het op twee na grootste wildpark van Afrika en biedt naast een verrassende hoeveelheid wild tal van verschillende landschappen, van de abrikooskleurige duinen van de Namibwoestijn tot de rotspartijen van het Naukluftgebergte.

Het oudste en noordelijkste deel van het park, het **Namib Desert Park** ❹, beslaat het gebied tussen de rivieren de Swakop en Kuiseb. Het wordt vaak simpelweg aangeduid met 'kiezelwoestijn' en het laat zich raden waarom: het vlakke en met rotsen bezaaide landschap strekt zich uit tot aan de horizon en de monotonie wordt slechts doorbroken door een incidentele *inselberg* (eilandberg, een berg in een vlak gebied).

Vanuit Swakopmund of Walvisbaai gaat een populaire excursie van een halve dag naar dit gebied: de **Welwitschia Drive** langs de rivier de Swakop (ver-

Kaart blz. 240

Met enig geluk spotten vogelaars de zeldzame Namibleeuwerik in het gebied rond de Kuiseb Canyon; deze vogel is inheems op de kiezelvlakten van de Namib.

Onder: Sleeën vanaf de duinen nabij de Sossusvlei.

gunning noodzakelijk), waar u mooie voorbeelden van de opvallende *Welwitschia mirabilis* tegenkomt. Dit gewas werd in 1852 voor het eerst beschreven door de Duitse plantkundige Friedrich Welwitsch en is naar schatting bijna duizend jaar oud. Een andere botanische curiositeit zijn de grote velden met korstmos. Deze bijzondere symbiose van een alg en een zwam haalt haar vocht uit de mist. Verder komt u ook nog langs de **Mountains of the Moon**, een wonderlijke verzameling rotsen in de bedding van de Swakop, en een aantal gitzwarte dolerietaders.

De Kuiseb Canyon

De kleine gekko is een van de bewoners van de Namib-duinen. Het diertje voedt zich met krekels en torren.

Onder: Aparte souvenirwinkel, Namib-Naukluft National Park.

Een andere attractie van het Namib-Naukluft National Park ligt circa 140 km ten zuidoosten van Walvisbaai: de rivier de **Kuiseb** en zijn **canyon**, een bijzonder geologisch fenomeen. Eigenlijk is het een canyon in een canyon, die twintig miljoen jaar geleden gevormd werd. De oorspronkelijke loop van de rivier is geleidelijk dichtgeslibd met zijn eigen afzettingen, waardoor het water een nieuwe route moest kiezen.

Als u de Kuiseb stroomopwaarts volgt, komt u bij het uitkijkpunt van **Carp Cliff**. Vanaf hier hebt u een spectaculair uitzicht over de canyon en mogelijk spot u zelfs bavianen, klipspringers, bergzebra's of spiesbokken. Ook roofdieren komen hier voor, waaronder zadeljakhalzen en luipaarden.

Hier vlakbij heeft een zijrivier van de Kuiseb een tweede canyon, de **Gaub**, gevormd. Net als de Kuiseb staat ook deze rivier veelal droog, maar hier is een ondergrondse rivier de voedingsbron van grote bomen als de kameeldoorn, de schijnebbenboom, de witgatboom en de anaboom. Hierdoor is dit een goede plek voor een picknick en een speurtocht naar vogels en insecten.

'IS *MISSKIEN* DIAMANT ...'

August Stauch was best tevreden met zijn leven. Hij had een goede baan bij de Duitse spoorwegmaatschappij Lenz & Co en zijn knappe vrouw Ida zorgde goed voor hem en hun twee kinderen. Alleen die vervelende astma ... Toen zijn bedrijf een contract binnenhaalde om een spoorlijn ver weg in Duits Zuidwest-Afrika aan te leggen, was hij een logische keuze voor overplaatsing. Het droge, zonnige klimaat zou beslist goed zijn voor zijn astma en het contract was maar voor twee jaar. Stauch nam dus afscheid van zijn gezin en kwam in mei 1907 in Windhoek aan.

Zijn belangrijkste taak als spoorwegopzichter was om een gedeelte van het nieuwe spoor dat tussen Lüderitz en Aus werd aangelegd, vrij te houden van zand. Op een dag in april 1908 bleef een aparte steen aan de met olie ingevette schep van een arbeider kleven. Zacharias Lewala rende naar de voorman: 'Ik kom meneer kleine *klippe* (steen) geven, is *misskien* diamant.' De voorman stopte de steen in zijn zak en vertelde het verhaal later lachend aan Stauch. Maar Stauch lachte niet. Hij probeerde met de steen het kristal in zijn horloge door te snijden - wat lukte. De vondst van Lewala bleek te behoren tot een van de rijkste diamantvelden ter wereld, die nog altijd een van de belangrijkste pijlers van de Namibische economie vormt.

Via de Sesriem Canyon naar de duinen bij de Sossusvlei

Net ten zuiden van de Kuiseb strekt zich het sfeervolste gedeelte van het park zich uit: de **Dune Namib**. Ondanks de desolate uitstraling is dit een van de toegankelijkste zandwoestijnen ter wereld. Veel wegen in het gebied kunnen met een gewone auto worden bereden, hoewel u zich vaak maar langzaam kunt verplaatsen. De dagtemperaturen zijn het hele jaar door extreem hoog, dus neem beslist voldoende water mee.

Kaart blz. 240

Al miljoenen jaren transporteert de Oranjerivier grote hoeveelheden zand van zijn bron in de hooglanden van Lesotho naar de Atlantische Oceaan. De Benguelastroom neemt het zand vanaf de riviermonding mee naar het noorden en zet het hier in de vorm van deze duinen weer af op de kust. De duinen worden vervolgens door de wind naar het noordoosten geblazen. Gemiddeld wordt circa 20 m per jaar afgelegd.

Er zijn verschillende duinvormen in de Namibwoestijn, maar alle duinen hebben een glooiende helling aan de loefzijde en een steile helling aan de lijzijde. Sommige kunnen meer dan 300 m hoog worden, wat ze tot de hoogste ter wereld maakt.

Voor een bezoek aan de duinen rijdt u vanaf de Kuiseb Canyon en de Gaub Canyon circa 66 km zuidwaarts naar de kleine nederzetting **Solitaire** ❺ aan de C14. Vanaf hier is het via route 36 nog 70 km verder naar het zuiden naar de **Sesriem Canyon** ❻, waar de rivier de Tsauchab een spectaculaire, circa 40 m diepe kloof in de miljoenen jaren oude lagen schist en kiezels heeft uitgesleten. De prachtige canyon dankt zijn naam aan de eerste kolonisten, die zes lengten leren riemen nodig hadden om water voor hun ossen uit de diepte te halen.

Een tamelijk steil, maar begaanbaar pad voert de canyon in, waar de verschil-

Onder: Uitzicht over het Namib-Naukluft National Park richting het Heinrichgebergte.

Kaart
blz. 240

lende grondlagen duidelijk zichtbaar zijn. Na zware regenval stroomt de canyon meteen vol, wat goed te zien is aan het materiaal dat hoog op de wanden is achtergebleven. Vlak bij de canyon bevinden zich een kampeerplaats en een aantal lodges, waarvan sommige een ballonvaart over de woestijn bij zonsopgang aanbieden.

Een rit van 1,5 uur in zuidwestelijke richting de woestijn in brengt u bij de **Sossusvlei ❼**, een enorme kleipan die omgeven wordt door reusachtige duinen (de hoogste van de woestijn). Met een gewone auto kunt u tot op 4 km van de *vlei* (Afrikaans voor 'vallei') komen, met een terreinauto tot op de parkeerplaats bij de pan zelf. Vanaf hier kunt u een wandeling maken naar de Sossusvlei zelf of naar een van de andere pannen in de omgeving, zoals de Hidden Vlei of de Dead Vlei.

U bevindt zich nu in het hart van de Namibwoestijn. De vaalgele tinten van de pan vormen een schril contrast met de steenrode duinen en maken dit landschap bijzonder fotogeniek, vooral bij zonsopgang en -ondergang, wanneer de lage zon een symfonie van kleur, licht en schaduw creëert. Nog mooier wordt het als de pan onder water staat, wat elk decennium één of twee keer gebeurt (de laatste keer in 2006). Zo nu en dan tekent de sierlijke vorm van een spiesbok zich af tegen de blauwe lucht - niet om de fotografen een plezier te doen, maar als een van de strategieën van deze woestijnantilope om het geringste zuchtje wind op te vangen en zijn lichaamstemperatuur te verlagen.

Onder: Meerkat op de uitkijk.
Rechts: Een adembenemende vlucht over de Namibwoestijn.

Het Naukluftgebergte

Aan de oostkant van het woestijngebied steekt het kleine Naukluftgebergte landinwaarts. Dit gebergte en een strook land die deze bergen met de woestijn verbindt stonden vroeger bekend als het Naukluft Park, maar werden in 1979 ingelijfd bij het grotere Namib Desert Park om het huidige Namib-Naukluft National Park te creëren.

Dit gebied was oorspronkelijk bedoeld als reservaat voor de inheemse Hartmann-zebra en beschikt over een permanente watervoorziening en een grote verscheidenheid van zoogdieren en vogels. Het kan alleen te voet worden verkend. Bij de kampeerplaats beginnen twee wandeltochten - de Olive Trail en de Waterkloof Trail - die elk zes uur in beslag nemen en behoorlijk inspannend zijn. Een derde wandeltocht, de Naukluft Trail, is een zware achtdaagse tocht, die echter alle inspanningen waard is als u een van de opwindendste landschappen van Namibië wilt verkennen.

U kunt het Naukluftgebergte het beste bereiken door vanaf de C14 tussen Solitaire en Maltahöhe de D854 te nemen. U vindt hier overigens maar een beperkt aantal kampeerplaatsen, waarvoor u bovendien in Windhoek dient te reserveren.

Ten westen van het park ligt het **NamibRand Nature Reserve ❽**, een van de grootste particuliere reservaten van zuidelijk Afrika. Naast verschillende woestijnlandschappen en wildsoorten vindt u hier diverse luxere lodges en kleine kampen waar u een kundige gids kunt inhuren - een goede afsluiting van uw bezoek aan een fascinerend deel van Namibië. ❏

ZUID-NAMIBIË

Kaart
blz. 250

De vlakten van het 'diepe zuiden' mogen er droog en
onherbergzaam uitzien, maar herbergen intrigerende
attracties - van door woestijnzand verzwolgen
stadjes tot de machtige Fish River Canyon.

D e vlakten van Zuid-Namibië strekken zich uit tussen de Namibwoestijn
in het westen en de droge Kalahari in het oosten en worden gekenmerkt
door een rotsige bodem die bezaaid is met kokerbomen en lage tafelber-
gen. Hoewel dit gebied vaak wordt genegeerd door bezoekers omdat het de
schat aan groot wild van Noord-Namibië ontbeert, heeft het zuiden toch een
aantal aparte bezienswaardigheden te bieden, waaronder een van de minst be-
zochte geologische wonderen ter wereld.

De snelste manier om het zuiden te bereiken is via de B1 vanuit Windhoek.
Onderweg wordt het beeld aanvankelijk bepaald door struikgewassen met her
en der een hoge boom en tussen de hoofdstad en het 87 km zuidelijker gelegen
Rehoboth ❶ zou u zelfs bavianen de weg over kunnen zien steken. De doorgaande weg voert weliswaar om Rehoboth heen, maar deze plaats heeft beslist
een interessant verleden als bolwerk van de Baster-gemeenschap. Dit nage-
slacht van Nederlandse kolonisten van de Kaap en inheemse Khoi-Khoin werd
door beide gemeenschappen afgewezen. Uiteindelijk trokken velen gezamenlijk weg uit Zuid-Afrika om zich in 1870 rond de kleine missiepost Rehoboth
te vestigen. Nadat men vele pogingen gedaan had om zelfbestuur te krijgen,
verwierven de Baster uiteindelijk in het Zuid-
Afrikaanse tijdperk een zekere mate van onafhankelijkheid, hoewel deze ironisch genoeg werd gegeven om de rassenscheiding in naam van de apartheid te versterken.

Hardap Game Park

Nadat u ten zuiden van Rehoboth de rivier de Oanob
bent overgestoken, verdwijnen de hogere bomen.
Een stukje verder laat u ook het Auasgebergte achter u - de laatste topografische bijzonderheid tot het
174 km zuidelijker gelegen **Mariental ❷**. Net voor
Mariental loopt de weg vanaf het centrale plateau
omlaag; hier kunt u rechtsaf via weg 93 naar de
Hardap Dam ❸ rijden. Het grootste stuwmeer van
Namibië (25 km²) is een walhalla voor hengelaars,
en in het aquarium naast het toeristenbureau zijn
vissen uit de grote rivieren van Namibië te bewonderen.

Voor wie wild wil zien is een tocht door het aangrenzende **wildpark** aan te bevelen. Naast zwarte
neushoorns (die hier eind vorige eeuw opnieuw zijn
uitgezet) vindt u hier hartebeesten, koedoes, elandantilopen, spiesbokken, springbokken en Hartmann-
zebra's. Het stuwmeer is een van de slechts twee
broedgebieden van de pelikaan in Namibië en trekt
ook tal van andere vogels, van knobbelmeerkoeten
en ralreigers tot visarenden en aalscholvers.

Blz. 246-247:
De Fish River
Canyon, Namibiës
antwoord op de
Grand Canyon.
Links: Een
kokerboom is een
soort aloë.
Onder: Kasteel
Duwisib nabij
Maltahöhe.

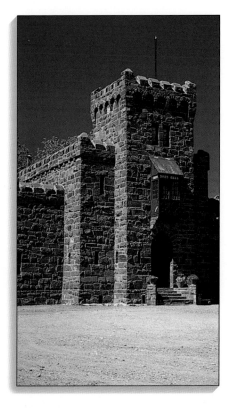

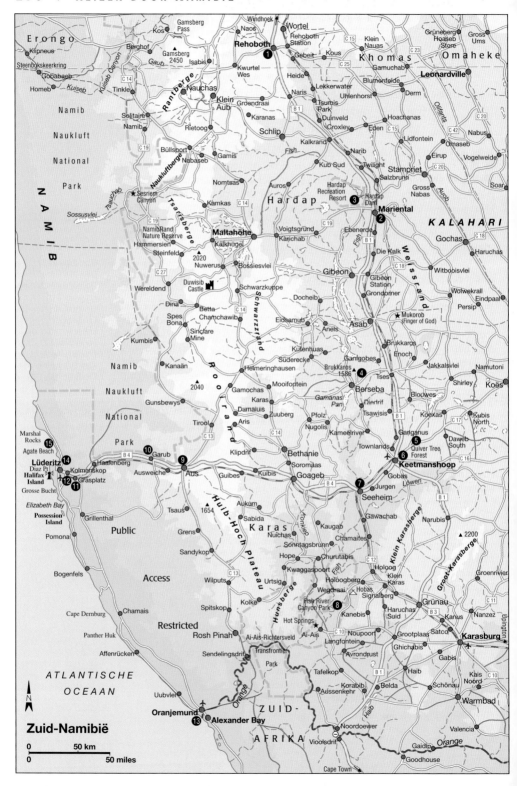

Zuid-Namibië

ATLANTISCHE
OCEAAN

```
0        50 km
0        50 miles
```

Mariental zelf is een stoffig, doorsnee-Afrikaans stadje met een paar hotel-letjes, benzinestations, supermarkten en restaurants; zelfs de Britse fastfood-keten Wimpy heeft hier een vestiging. Al met al lijkt dit niet een decor voor een overstroming, maar toch is dat precies wat er in maart 2006 gebeurde. Toen de sluizen naar de nabijgelegen Hardap Dam na zware regenval te laat werden opengezet, liep Mariental onder water en werd voor miljoenen euro's schade aangericht.

Kaart
blz. 250

De vrij nieuwe wildboerderijen ten noordoosten van Mariental zijn gunstig gelegen voor een eerste onderbreking van de reis naar het verre zuiden. De oudste is het Intu Africa Kalahari Game Reserve, dat accommodatie in drie kleine kampen en wildobservaties in het 180 km^2 grote park aanbiedt. In het omheinde gebied leven grazers als giraffen, antilopen en steppenzebra's sa-men met kleine roofdieren als stokstaartjes, grootoorvossen en zadeljakhal-zen. De nieuwe Bagatelle Lodge heeft accommodatie op een duinkam en een vergelijkbaar aanbod van wild als Intu Africa, aangevuld met de recentelijk opnieuw uitgezette cheeta.

Als u verder via de B1 richting Keetmanshoop rijdt, ziet u in het oosten de imposante zandsteenmassa van de Weissrand. De steilte is tussen de vijf en vijftien miljoen jaar geleden uitgesleten door de Fish River en heeft zich naar schatting om de miljoen jaar 4 km verder teruggetrokken. Nu bevindt de Weissrand zich op circa 40 km van de rivier.

De dorpskerk van Rehoboth.

Verder naar het zuiden, voorbij het piepkleine **Asab**, ligt rechts van de weg de uitgedoofde vulkaan **Brukkaros ❹**. De gigant torent 1586 m boven de om-liggende vlakten uit en heeft een krater van 600 m doorsnede. Met zijn karak-teristieke kegelvorm herinnert de Brukkaros aan de laatste grote vulkanische

Onder:
Keetmanshoop, met de Rijnse missiekerk op de achtergrond.

uitbarstingen die tachtig miljoen jaar geleden in Namibië plaatsvonden. Wie de krater te voet wil bekijken, neemt vanaf de B1 weg 98 richting de voormalige missiepost **Berseba**. Net voor het dorp voert een weg rechtsaf naar de vulkaan (de D3904). Vanaf het einde van deze weg is het een halfuur lopen naar de bodem van de krater, vanwaar u via een tamelijk steile klim van een uur de oude observatiepost op de kraterrand bereikt. De observatiepost biedt een fantastisch uitzicht over de vlakten. Zorg dat u voldoende water en proviand bij u hebt, trek stevige wandelschoenen aan en bescherm uzelf met een hoed en zonnebrandcrème tegen de zon.

Een apart bos

Verruil een paar kilometer voor Keetmanshoop de B1 voor de C16 naar Aroab en sla ongeveer een kilometer verder linksaf de C17 (richting Koës) op. Na 12 km bereikt u het **Quiver Tree Forest (Kokerboomwoud) ❺**, een nationaal monument. De kokerboom, die tot 7 m hoog wordt, is een van de vier Namibische aloë's die geclassificeerd worden als boom. Op de rotsige bodem groeien hier circa 250 van dit soort bomen. Vlakbij vindt u de **Giant's Playground** (Speelplaats van Reuzen), een aantal enorme rotstotems die her en der in het landschap staan. De rotsen zijn de geërodeerde overblijfselen van 180 miljoen jaar oude lava. Plaatselijk staat deze plek bekend als het *Vratteveld*.

Keetmanshoop ❻, circa 480 km ten zuiden van Windhoek, is een goede uitvalsbasis voor een verkenning van het uiterste zuiden van Namibië. De plaats gaat terug tot 1866, toen de Duitse missionaris Johan Schroeder hier een kleine nederzetting stichtte en die noemde naar de toenmalige voorzitter van

Onder: Wilde paarden in de woestijn nabij Garub.

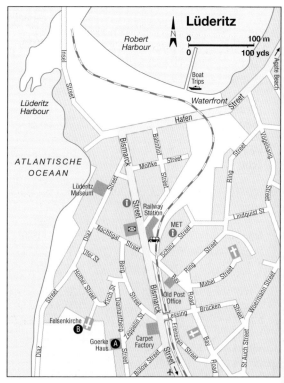

de Rijnse Missionarissenvereniging, Johann Keetman. Het oudste gebouw in de plaats is de imposante Rijnse missiekerk, die in 1895 gebouwd werd. Tegenwoordig doet het gebedshuis dienst als **Keetmanshoop Museum**; in de tuin staan verschillende wagens en een replica van een Nama-hut. Keetmanshoop is ook een belangrijk centrum van de Namibische karakoelindustrie *(zie blz. 172)*.

Kaart
blz. 250

De Fish River Canyon

De op een na grootste canyon ter wereld (na de Grand Canyon in de Verenigde Staten) is gemakkelijk op één dag vanuit Keetmanshoop te bereiken. U bereikt deze prachtige locatie - een van de grote natuurwonderen van Afrika - door via de B4 zuidwestwaarts richting Lüderitz te rijden en daarna bij **Seeheim ❼** linksaf de C12 in te slaan (een kiezelweg). Vraag in het regenseizoen bij het grootste hotel van Seeheim naar de toestand van de weg, omdat deze soms onder water loopt.

Een waarschuwingsbord dat het Sperrgebiet verboden gebied is.

Ten zuiden van **Holoog** slaat u rechtsaf de D601 op om vervolgens linksaf de D324 en weer rechtsaf de C10 te nemen. De ingang van het **Fish River Canyon Park ❽**, waarin de tot 549 m diepe canyon zich over een lengte van circa 161 km uitstrekt, bevindt zich op de kampeerplaats Hobas. Verder vindt u hier moderne toiletten, een winkel en een zwembad.

Vanaf Hobas kunt u naar diverse uitkijkpunten langs de oostrand van de canyon rijden, vanwaar u een fantastisch uitzicht over de rotsen en de rivier beneden hebt. Het betreden van de bodem van de canyon - een beschermd natuurgebied - is alleen met vergunning toegestaan (dagjesmensen kunnen er een kopen bij de Hobas- of Ai-Ais-toegangspoort). Wie door de hele canyon wil wandelen, moet over een bijzonder goede conditie beschikken. Tussen mei en september vertrekken onverschrokken wandelaars dagelijks vanaf het noordelijkste uitkijkpunt voor een vier- of vijfdaagse tocht van 85 km naar Ai-Ais (reserveren is noodzakelijk!).

Onder: Een verbluffend uitzicht over de Fish River Canyon.

Het verboden gebied in

Vanaf Hobas slingert een kiezelweg door de bergen naar de 70 km zuidwestelijker gelegen **warmwaterbron van Ai-Ais**. De laatste 10 km kronkelt de weg door een prachtig ravijn met verspreid liggende licht- en donkerbruine rotsen naar beneden, waardoor de plotselinge weelderige begroeiing rond de warmwaterbron dan ook beslist als een verrassing komt. Een (inspannende) beklimming van de heuvels rond Ai-Ais wordt beloond met een spectaculair uitzicht op het *rest camp* beneden en het onherbergzame canyonlandschap dat zich naar het westen uitstrekt.

Het Hunsgebergte ten westen van de Fish River maakt deel uit van het natuurgebied Fish River Canyon, maar vanwege het ruige terrein is dit gebied niet open voor het publiek en dat is jammer, want behalve een mooi landschap is hier ook een aantal zeldzame plantensoorten te vinden. Het is de bedoeling om dit park in de toekomst samen te voegen met het Richtersveld National Park ten zuiden

van de Oranjerivier tot één groot, grensoverschrijdend park - een van de zogenaamde 'Peace Parks'.

TIP

Tijdens een verkenning van het schiereiland Lüderitz dient u op de verharde wegen te blijven en mul zand en de ogenschijnlijk te bedwingen zoutpannen te mijden.

Onder: Rotstekeningen in het Sperrgebiet. De archeologische schatten van dit uitgestrekte gebied staan onder streng toezicht.

Tussen Seeheim en Lüderitz passeert de doorgaande weg (de B4) de Fish River. Verder naar het westen rijdt u een paar kilometer voorbij **Aus** ❾ Diamond Area I binnen (dat ook bekendstaat als het **Sperrgebiet**, oftewel het 'verboden gebied'). Zoals de naam al doet vermoeden staat dit gebied onder streng toezicht en het is dan ook verboden om voor Lüderitz van de weg af te gaan. Diamond Area I beslaat het gebied tussen de Oranjerivier in het zuiden en 26 graden noorderbreedte en strekt zich vanaf de Atlantische Oceaan 100 km landinwaarts uit. De NAMDEB, een samenwerkingsverband tussen de Namibische regering en de De Beers (de naam is een samentrekking van Namibië en De Beers), heeft de exclusieve mijnrechten voor dit diamantrijke gebied.

Spookstadjes en wilde paarden

Met uitzondering van een circa 1600 km² groot gebied nabij Lüderitz maakt het gedeelte van Diamond Area I ten noorden van de doorgaande weg deel uit van het **Namib-Naukluft National Park**, het op twee na grootste beschermde natuurgebied van Afrika en een van de grootste parken ter wereld.

Onderweg naar **Garub** ❿ zou u de **wilde paarden van de Namibwoestijn** in het vizier kunnen krijgen. De dieren houden zich meestal in deze omgeving op en er is zelfs een pompstation ingericht om ze van water te voorzien. In het koloniale tijdperk was er een Duitse legereenheid in Garub gestationeerd en men vermoedt dat de paarden nakomelingen zijn van de dieren die de Duitsers in 1915 op de vlucht voor de Zuid-Afrikanen hebben achtergelaten. Hun aan-

tallen fluctueren jaarlijks, maar onder de voor de dieren gunstigste omstandigheden trekken er meer dan honderd paarden door de woestijn.

Een ooit statig huis in **Grasplatz** ⑪ herinnert aan de hectische periode na de ontdekking van de diamanten in 1908 *(zie blz. 242)*. Een paar kilometer westelijker rijst het verlaten **Kolmanskop** ⑫ als een spookstadje uit de zandzee op. Ooit was dit het centrum van een florerende diamantindustrie, maar daarvan blijkt tegenwoordig niets meer. Kolmanskop werd in 1956 verlaten, waarna de natuur bezit nam van het stadje. Aan het eind van de 20e eeuw werd een aantal gebouwen, zoals het casino, de kegelbaan en de winkel, echter gerenoveerd. U mag het stadje alleen bezoeken met een gids en pas nadat u daarvoor een vergunning hebt gekregen van Lüderitz Safaris and Tours in Lüderitz.

Kaarten blz. 250 en 252

Het huidige diamantstadje is **Oranjemund** ⑬, dat op circa 8 km van de monding van de Oranjerivier aan de grens met Zuid-Afrika ligt. Na de ontdekking van diamanten hier in 1928 werd dit stadje het middelpunt van de Namibische diamantindustrie. De 100 km lange kuststrook ten noorden van Oranjemund werd ooit beschouwd als het rijkste diamantveld ter wereld, maar nadert nu zijn pensioen. Naar verwachting zal de productie in de komende 15 jaar alleen maar afnemen. Om voor de hand liggende redenen gelden hier strenge veiligheidsmaatregelen en is het stadje, dat op kaarten alleen via de lucht bereikbaar lijkt te zijn, niet toegankelijk voor toeristen.

Een van de bekendste woestijnplanten van Namibië, de hoodia, vol in bloei.

Onder: Kokerboom, Fish River Canyon.
Blz. 256: Prachtige kleurschakeringen in de woestijn.

Lüderitz en omgeving

Vanuit Kolmanskop is het nog maar 9 km naar het vissersstadje **Lüderitz** ⑭, dat te midden van granieten rotsen en hoge duinen ligt. Breng beslist een bezoek aan het mooiste koloniale gebouw, dat boven het stadje op de hellingen van de Diamantberg staat: het lichtblauwe **Goerke Haus** Ⓐ in de Zeppelin Street. Hoewel het huis niet in typische Jugendstil gebouwd is, zijn er wel veel elementen uit die periode in verwerkt. De nabije **Felsenkirche** Ⓑ (een evangelisch-lutherse kerk) uit 1912 is vooral laat in de middag een bezoek waard: de gebrandschilderde ramen worden dan prachtig verlicht door de ondergaande zon. Het raam boven het altaar is een geschenk van keizer Wilhelm II.

Het schiereiland Lüderitz wordt gekenmerkt door talloze baaien, lagunen en ongerepte stranden, die met de auto of zelfs te voet (voor wie de tijd en de energie heeft) te bereiken zijn. Bij **Diaz Point**, 22 km buiten Lüderitz, staat een replica van het kruis dat Bartholomeu Diaz daar op 25 juli 1488 plantte. Voor de kust liggen zeehonden op de rotsen en vogelaars kunnen hier onder andere de zeldzame zwarte scholekster, trekvogels als de steenloper en de regenwulp, en diverse meeuwen en sternen spotten. Een alternatief is een boottocht via Diaz Point naar het eiland **Halifax**, waar een kolonie zwartvoetpinguïns nestelt.

Het **strand** ⑮ bij Agate Bay, 8 km ten noorden van Lüderitz, is populair bij zwemmers, maar de kans op het vinden van een agaat is klein. Een ander populair strand is **Grosse Bucht** in het zuiden van het schiereiland. Bij de nabije **Sturmvogelbucht** vindt u de resten van een Noors walvisstation. ❏

REISINFORMATIE

V ERVOER

VERVOER NAAR EN IN NAMIBIË

REIZEN NAAR NAMIBIË

Met het vliegtuig

Vanaf Amsterdam of Brussel zijn er
geen rechtstreekse vluchten naar
Windhoek in Namibië. U kunt met
diverse luchtvaartmaatschappijen
vliegen naar bijvoorbeeld Londen,
Frankfurt of Munchen om van daaruit
rechtstreeks door te vliegen naar
Namibië. Deze rechtstreekse vluchten
worden meestal uitgevoerd door Air
Namibia en de Duitse luchtvaartmaatschappij LTU. De reistijd van zo'n
vlucht bedraagt ongeveer 10 uur.

U kunt echter ook naar een van de
hoofdsteden van de omliggende
landen vliegen om van daaruit een
aansluitende vlucht naar Windhoek te
nemen. Een voorbeeld daarvan is de
luchtvaartmaatschappij South African
Airways, die meerdere keren per week
naar Johannesburg vliegt. Vanaf
Johannesburg worden er diverse
vluchten uitgevoerd naar Namibië. De
goedkoopste vluchten tussen
Johannesburg en Windhoek worden
uitgevoerd door luchtvaartmaatschappij Kulula.com.

Luchthavens

Luchthavens
Alle internationale vluchten komen
aan op het **Hosea Kutako International Airport**, dat circa 45 km ten
oosten van Windhoek ligt. Ook de
meeste regionale en binnenlandse
vluchten komen hier aan. Het **Eros
Airport**, dat op 5 km van het centrum
ligt, verwelkomt zowel binnenlandse
als een aantal regionale vluchten.

Met de boot

Passagiersschepen die onderweg zijn
van Southampton naar Kaapstad,
Durban en Mauritius (of vice versa)
doen zeer onregelmatig Walvisbaai
aan.

Het is vrijwel onmogelijk om een
overtocht op een ander vaartuig te
boeken.

Met de trein

De enige grensoverschrijdende
spoorwegverbinding van Namibië is
die met Zuid-Afrika. Vanuit Johannesburg en Kaapstad gaan er Transnet-
treinen naar Upington, waar reizigers
kunnen overstappen op de Trans-
Namib naar het centraal station van
Windhoek (twee keer per week).

De passagierstreinen hebben geen
restauratiewagen en in sommige
treinen kunt u slechts gedurende een
deel van de reis snacks en drankjes
kopen. Informeer vooraf naar de
geboden faciliteiten, omdat u
mogelijk dus uw eigen proviand dient
mee te nemen. Couchettes zijn er
alleen voor passagiers die eerste of
tweede klas reizen. De eerste- en
tweedeklascoupés zijn twee- of
driepersoons en de couchette-
compartimenten vier- of
zespersoons. U kunt een eigen
slaapzak gebruiken of bij reservering
beddengoedtickets aanschaffen. Ook
in de trein is het nog mogelijk om
beddengoed te huren.

Neem voor meer informatie
contact op met:
TransNamib
Tel. 061-2982077
www.transnamib.com.na

Met de bus

De belangrijkste toegangswegen
vanuit Zuid-Afrika zijn die van
Johannesburg naar Windhoek via
Upington en Ariamsvlei (1971 km) en
die van Kaapstad naar Windhoek via
Springbok en Noordoewer (1493 km).
Beide wegen zijn geasfalteerd. Een
snellere verbinding dan die via
Upington is de eveneens geasfal-
teerde Trans-Kalahari Highway van
Johannesburg via Botswana naar de
Namibische grens bij Buitepos (ten
oosten van Gobabis).

Busonderneming Intercape
onderhoudt verbindingen tussen
Namibië, Zimbabwe en Zuid-Afrika
met luxe bussen met airconditioning
en stoelen met een verstelbare
rugleuning (Mainliners). Drie keer per
week rijdt een bus via Gobabis en
Botswana van Windhoek naar
Johannesburg (reistijd: 19 uur), vier

Luchtvaartmaatschappijen

Air Namibia
Tel. 020-5200284 (Amsterdam)
www.airnamibia.com.na
Adres in Namibië: Independence
Avenue, Gustav Voigts Centre,
Windhoek, tel. 061-2982552.
British Airways
Tel. 020-3469559
www.ba.com
Kulula.com
Tel. 0027-119210111
www.kulula.com

LTU
Tel. 0049-2119418333 (Duitsland)
www.ltu.com
Lufthansa
Tel. 0900-1234777
www.lufthansa.com
South African Airways (SAA)
Tel. 020-35542288
www.flysaa.com

*N.B. vergeet niet uw retourvlucht te
herbevestigen.*

keer per week volgt men een route via Keetmanshoop en Upington. Tussen Windhoek en Kaapstad (reistijd: 16 uur) gaat twee keer per week een bus en één keer per week rijdt men vanuit Windhoek heen en weer naar de Victoriawatervallen in Zimbabwe. Voor reserveringen kunt u zich wenden tot het **Intercape**-Mainliner Depot, Galilei Street 2, Windhoek, tel. 061-227847. Ook kunt u reserveren via het hoofdkantoor in Zuid-Afrika (vanuit Zuid-Afrika: tel. 0861-287287; vanuit Windhoek of elders: 0027-213804400) of online via www.intercape.co.za.

Ekonoliner onderhoudt een busdienst tussen Walvisbaai en Kaapstad, maar pikt onderweg ook passagiers in Windhoek op (reistijd vanuit Windhoek: bijna 18 uur). Reserveringen: Ekono Bus Service, tel. 061-205935.

VERVOER IN NAMIBIË

Met de auto

Het wegennet van Namibië is naar Afrikaanse maatstaven goed ontwikkeld. Naar alle grotere steden lopen geasfalteerde wegen en ook de kiezelwegen zijn in redelijk goede staat (in afgelegen gebieden als Kaokoland, Bushmanland en delen van de regio Okavango hebt u echter een terreinauto nodig omdat daar zelfs geen kiezelwegen zijn).

Wees vooral in het regenseizoen bijzonder voorzichtig, omdat de kiezelwegen dan glad kunnen zijn. Voorzichtigheid is ook geboden bij ondergelopen rivierbeddingen die normaal gesproken droog staan (de *omuramba*); het kan gevaarlijk zijn om de rivier dan over te steken. Houd er verder bij het berekenen van de reistijd rekening mee dat u op kiezelwegen gemiddeld niet harder dan 80 km/u kunt rijden.

Alle wegen in Namibië zijn van een nummer voorzien, dat onderweg ook duidelijk wordt aangegeven. Een gedetailleerde kaart (1:250.000 of 1:50.000) bewijst goede diensten als u de gebaande paden verlaat – bijvoorbeeld in Kaokoland. Ook regionale kaarten met een schaal van 1:1.000.000 zijn verkrijgbaar, evenals geologische kaarten van Namibië. De twee laatste soorten zijn verkrijgbaar bij het kantoor van de Surveyor General in Windhoek, dat u vindt op de hoek van de Robert Mugabe Street en de Lazarett Street.

Met het vliegtuig

Air Namibia, de nationale luchtvaartmaatschappij van het land, voert vanuit Windhoek regelmatig vluchten uit op Swakopmund, Lüderitz, Oranjemund, Keetmanshoop, Tsumeb, Okaukuejo (Etosha National Park), Ondangwa, Rundu en Katima Mulilo. Al deze vluchten gaan op dezelfde dag ook weer terug naar de hoofdstad.

Verder zijn alle bestemmingen in Namibië te bereiken met een chartervlucht. De onderstaande touroperators hebben ook 'fly-in safari's' in hun pakket:

Atlantic Aviation
PO Box 465
Swakopmund
Tel. 064-404749
www.flyinnamibia.com
www.natron.net/tour/aviation

Namib Wilderness Safaris
PO Box 6850
Windhoek
Tel. 061-225178

Skeleton Coast Fly-in Safaris
PO Box 2195
Windhoek
Tel. 061-224248
www.skeletoncoastsafaris.com

Met de trein

Hoewel TransNamib zich op het gebied van het binnenlandse treinverkeer vooral richt op het vrachtvervoer, rijden er op alle routes ook passagierstreinen. Zo gaan er op di., vr. en zo. passagierstreinen van Windhoek (het station vindt u op de hoek van de Bahnhof Street en de

Mandume Ndomufayo Avenue) naar Walvisbaai en vice versa. De reis duurt ongeveer 11 uur.

Op vr. en zo. rijden er treinen tussen Windhoek en Tsumeb (reistijd: 19 uur) en verder zijn er ook treinverbindingen tussen Otjiwarongo en Grootfontein, tussen Otjiwarongo en Outjo, en tussen Windhoek en Gobabis. Houd er rekening mee dat u aan boord geen snacks of drankjes kunt kopen. Passagiers in de eerste en tweede klas kunnen bij reservering of aan boord tickets voor beddengoed aanschaffen.

De onderstaande bedrijven organiseren regelmatig treinsafari's tussen Kaapstad en Windhoek, die over het algemeen één à twee weken duren. Een voordeel van dit soort safari's is dat veelal 's nachts wordt gereisd, wat u overdag de gelegenheid geeft bezienswaardigheden te bekijken. De andere kant van de medaille is dat u minder flexibel bent dan wanneer u op eigen gelegenheid reist.

TransNamib
Tel. 061-2982030
www.transnamib.com

Desert Express
Private Bag 13204
Windhoek
Tel. 061-2982600
www.desertexpress.com.na

Shongololo Express
PO Box 330
Tableview 7439
Zuid-Afrika
Tel. 0027-215560271
of 0027-117814616.
www.shongololo.com

Onder: Kamperen in stijl.

Rovos Rail
PO Box 2837
Pretoria
Zuid-Afrika
Tel. 0027-123236052
www.rovos.co.za

Met de bus

Vier keer per week rijden luxe bussen (Mainliners) van Intercape (tel. 061-227847, www.intercape.co.za) tussen Windhoek en Walvisbaai. De reis neemt vijf uur in beslag en onderweg stopt u in Okahandja, Karibib, Usakos en Swakopmund. Verder onderhoudt Intercape een shuttledienst tussen Windhoek en de luchthaven. De dienstregeling is in de meeste hotels wel verkrijgbaar.

Ook tussen Windhoek en Johannesburg rijden Mainliners van Intercape. Vier keer per week kiezen ze de route via Keetmanshoop en Upington, drie keer per week gaan ze via Gobabis en Botswana.

Ekonoliner (tel. 061-229780) laat wekelijks een luxe bus tussen Walvisbaai en Kaapstad rijden (heen op vr., terug op ma.). In Namibië stopt de bus in Swakopmund, Arandis, Usakos, Karibib, Okahandja, Windhoek, Rehoboth, Mariental, Keetmanshoop en Grünau. Controleer van beide routes (heen en terug) vooraf de dienstregeling, omdat sommige stopplaatsen in de kleine uurtjes worden aangedaan.

Met de taxi

Taxi's zijn een vertrouwd gezicht in Windhoek en de andere grote steden van Namibië, maar rijden over het algemeen alleen maar tussen het centrum en de buitenwijken.
Radio Taxis, tel. 223098
Taxi Prime Radio, tel. 272307 of 081-1277575
Taxi Express, tel. 239739
Taxi Services Hovy, tel. 237273 (rijdt vanaf de taxistandplaats achter het busstation).

Sommige van deze bedrijven rijden ook van en naar de luchthaven. Stap niet in een illegale taxi, want die heeft geen inzittendenverzekering.

Stadsrondleiding

De volgende bedrijven bieden stadsrondritten aan:
Swakopmund Historical Tours
Tel. 461647
Pack Safaris
Windhoek
Tel. 061-231603
www.packsafari.com

Reisbeperkingen

Het betreden van Diamond Area 1 en 2 is ten strengste verboden en automobilisten tussen Aus en Lüderitz mogen de doorgaande weg dan ook niet verlaten.

Een doorreisvergunning voor het Skeleton Coast Park (één dag geldig) kunt u alleen krijgen bij het kantoor van het park in Windhoek en bij de toeristenbureaus van Swakopmund en Okaukuejo (dus niet bij een van de poorten!). Bezoekers met een dagvergunning mogen niet naar Torra Bay en Terrace Bay en moeten voor 15.00 uur het park inrijden.

In het beschermde natuurgebied Caprivi Game Reserve mag u de doorgaande weg niet verlaten. De controleposten bij Bagani in het westen bij Kongola en in het oosten worden bemand door veterinaire controleurs.

Autorijden in Namibië

Hoewel een Nederlands en een Belgisch rijbewijs in theorie geaccepteerd worden in Namibië, is het aan te bevelen voor vertrek een internationaal rijbewijs aan te schaffen.

In Namibië wordt aan de linkerkant van de weg gereden. Zowel de chauffeur als de passagier naast hem zijn verplicht een veiligheidsgordel te dragen. Het maximaal toegestane alcoholpromillage is 0,16 procent. Op de grote wegen is de maximumsnelheid 120 km/u en in de bebouwde kom 60 km/u, tenzij met borden een lagere snelheid wordt aangegeven. De aanbevolen snelheid op kiezelwegen is tussen de 80 en 100 km/u, afhankelijk van de staat van de weg.

Toeristische bezienswaardigheden worden doorgaans goed aangegeven en zijn meestal ook wel met een gewone auto te bereiken. Op de meeste wegen in Kaokoland staan te boek als provinciale wegen, maar zijn niet met een gewone auto te bedwingen en ook niet bewegwijzerd. Verder zijn de 'zoutwegen' in Swakopmund en verder naar het noorden langs de kust extra gevaarlijk als ze nat zijn.

In de landelijke gebieden kan 's avonds en 's nachts rijden gevaarlijk zijn – blijf alert op een koedoe of knobbelzwijn, die in het donker vaak op de weg aan het grazen zijn. Ook een parelhoen kan soms zomaar voor uw auto opdoemen. In het noorden kan vee een bedreiging zijn, omdat het boerenland hier vaak niet omheind is; blijf ook hier dus attent!

Verder dient u ten westen van Aus rekening te houden met de wilde paarden van de Namibwoestijn, die vooral 's avonds en 's nachts de warmte van de asfaltweg opzoeken.

Benzine en diesel zijn langs alle belangrijke toeristische routes verkrijgbaar, evenals in een aantal *rest camps* die in handen zijn van de staat. In Damaraland is benzine alleen maar te koop in Khorixas, Uis, Sesfontein en Palmwag, in Kaokoland alleen in Opuwo. Tussen Rundu en Katima Mulilo zijn er voldoende mogelijkheden om bij te tanken. Aan de drie passen die Windhoek met Swakopmund en Walvisbaai verbinden, zijn echter geen benzinestations.

Verzekering

Als u in Namibië een auto huurt, zorg er dan voor dat u goed verzekerd bent en ook het eigen risico bij schade afkoopt (Collision Damage Waiver – CDW). In de meeste gevallen dekt de CDW echter maar 80 procent van de gemaakte schade. De meeste ongelukken gebeuren doordat op de kiezelwegen te hard wordt gereden.

Autohuur (Windhoek)

Advanced 4x4 Car Hire
Tel. 061-246832
www.advancedcarhire.com
African Car Hire
Tel. 061-223246
www.africancarhire.de
Avis
Aviation Road
Tel. 061-233166
www.avis.nl of www.avis.be
Britz
Tel. 061-250654
www.britz.co.za
Budget
Luchthaven Windhoek
Tel. 061-228720
www.budget.nl of www.budget.be
Odyssey Car Hire
Tel. 061-223269
www.odysseycarhire.com
Pegasus Car & Camper Hire
Tel. 061-251451
www.pegasuscar-namibia.com

Camperhuur (Windhoek)

Asco Car Hire
Tel. 061-377200
www.ascocarhire.com
Auto, terreinauto en camper.
Camping Car Hire
36 Joule Street
Industriegebied Zuid
Tel. 061-237756
www.africa-adventure.org/c/campingcar
Auto, camper.

A CCOMMODATIE

HOTELS, JEUGDHERBERGEN, BED & BREAKFAST

Aanbod

De bezoeker van Namibië wordt op het gebied van accommodatie steeds meer in de watten gelegd. Er is geen betere indicator voor de ontwikkeling die de toeristenindustrie in de ruim 15 jaar sinds de onafhankelijkheid heeft doorgemaakt dan de enorme stijging van het aantal verblijven en de dito verbetering van de geboden kwaliteit. In de steden vindt u mooie zakenhotels, in de wildparken chique, maar natuurvriendelijke lodges en in de nationale parken eenvoudige gastenverblijven, landelijk gelegen gastenboerderijen en zelfs goed gefaciliteerde kampeerplaatsen en huisjes. De standaard is over het algemeen hoog en de prijzen zijn naar internationale maatstaven bijzonder redelijk, ondanks het feit dat Namibië zich na de onafhankelijkheid niet meer op de budgetreiziger maar op een kosmopolitische clientèle richt.

Het is aan te bevelen om de hotels of lodges voor uw verblijf tijdig te reserveren - het liefst via een - gerenommeerde touroperator - vooral als u in het Namibische hoog-seizoen reist (dat loopt van juli tot februari, met een wat rustigere periode in oktober en november). Wie toch liever op de bonnefooi reist, zal niet veel moeite hebben met het vinden van een kamer in Windhoek en ook in de grotere steden best onderdak kunnen vinden, vooral in het laagseizoen. Bedenk echter dat de afstanden tussen de verschillende lodges in de wildernis vaak duizeling-wekkend zijn – en u wilt toch beslist niet meemaken dat u bijvoorbeeld in het gebied rond Sesriem en de Sossusvlei van verblijf naar verblijf moet gaan rijden om nog een slaap-plaats te vinden. Waag op zijn minst dus één of twee dagen voor uw geplande bezoek een telefoontje aan een reservering.

Voor kampeerterreinen en huisjes is reserveren essentieel tijdens de Namibische en Zuid-Afrikaanse zomer-vakantie (begin dec. tot. half jan.), in de weekends en op officiële feest-dagen, vooral rond Pasen. In de rest van het jaar zijn de kampeerplaatsen en huisjes maar zelden volledig volgeboekt. In het hoogseizoen kunt u op elk van de kampeerplaatsen van het Etosha National Park maar drie nachten achtereen verblijven en in de *rest camps* Ai-Ais, Gross Barmen en Daan Viljoen maar tien nachten. Houd er rekening mee dat er geen restitutie plaatsvindt als u een reservering minder dan tien dagen voorafgaand aan de eerste nacht van uw verblijf annuleert of wijzigt.

Alle accommodatie en kampeer-plaatsen in de nationale parken en andere staatsreservaten en -verblijven (waarvan er op de pagina's hierna diverse genoemd worden) staan onder beheer van **Namibia Wildlife Resorts**. Het centrale reserveringskantoor in Windhoek is open van ma. t/m vr. van 8.00-17.00 uur (tel. 061-2857200), maar u kunt ook online reserveren via www.nwr.com.na.

Wie de sfeer van het authentieke Namibische plattelandsleven wil op-snuiven, kan het beste contact opne-men met de **Namibian Community Based Tourism Association** (NACOBTA, tel. 061-255977, www.nacobta.com. na), Deze non-profitorganisatie heeft een aantal toeristenprojecten in dorpen en op kampeerplaatsen op touw gezet om daarmee de ontwik-keling van de plattelandsdorpen te stimuleren.

WINDHOEK EN OMGEVING

Centrum

De onderstaande accommodatie ligt in het centrum van Windhoek of op loopafstand ervan.

Hotel Heinitzburg
Heinitzburg Street 22
PO Box 458
Tel. 061-249597
www.heinitzburg.com
Dit hotel aan de rand van het centrum maakt deel uit van de prestigieuze Relais & Chateaux-groep. Het is gevestigd in een bijna honderd jaar oud kasteel, compleet met torentjes en een wachttoren. Omdat het sfeervolle kasteel op een heuvel gebouwd is, kunt u hier mooie foto's van de zonsondergang maken. Uitstekend restaurant en een vriendelijke bediening. **$$$$**

Kalahari Sands Hotel and Casino
Gustav Voigts Centre,
Independence Avenue
PO Box 2254
Tel. 061-2800000
www.suninternational.com/resorts/Kalahari
Dit viersterrenhotel met zijn 173 kamers torent boven een uitstekend winkelcentrum uit. De faciliteiten bestaan uit een zwembad, een fitnessruimte en kuurmogelijkheden. In het restaurant kunt u à la carte eten. **$$$$**

Hotel Fürstenhof
Frans Indongo Street
PO Box 316
Tel. 061-237380
www.united-hospitality.com
Op een paar minuten lopen van de Independence Avenue. Traditioneel hotel met een goede prijs-kwaliteitverhouding. In het restaurant worden Franse en Duitse gerechten geserveerd, die vergezeld gaan van goede wijnen. Zwembad. **$$-$$$**

The Hilltop House
Lessing Street 12
Tel. 061-249116
www.thehilltophouse.com
Chique B&B- gelegenheid, waar de vriendelijke eigenaar zelf de scepter zwaait. Attente bediening, kamers die tot de comfortabelste van Namibië behoren en een fantastisch uitzicht over een buitenwijk van Windhoek (het centrum is slechts tien minuten lopen). Vijf comfortabele tweepersoonskamers met tv. Zwembad. U kunt terecht in het bijbehorende restaurant of de receptie vragen om een tafeltje in een van de restaurants van Windhoek voor u te reserveren. **$-$**

Olive Grove Guesthouse
Promenaden Road 20
PO Box 90590
Tel. 061-239199
www.olivegrove.com.na
Dit elegant ingerichte pension ligt op een vredige locatie op een helling, op slechts tien minuten lopen van het centrum. De kamers zijn groot en de faciliteiten bestaan uit een zwembad, een sauna en een gerenommeerd restaurant. Uitstekend ontbijt! **$$**

Villa Verdi Guesthouse
Verdi Street 4
PO Box 6784
Tel. 061-221994
www.leadinglodges.com
Elegant hotel met goede faciliteiten en een spectaculair uitzicht op het Auasgebergte. **$$**

Buiten het centrum

De hierna genoemde hotels liggen op enige afstand van het centrum van Windhoek of in de buitenwijken van de stad.

Windhoek Country Club and Resort
Westelijke ringweg
PO Box 30777
Tel. 061-2055911
www.legacyhotels.co.za
Dit grote, luxeuze hotel is met zijn bijbehorende golfbaan (18 holes) een ideale bestemming voor golfliefhebbers. Qua service en faciliteiten behoort dit onderkomen tot de beste adressen van de stad, maar het hotel is verder vrij karakterloos en geïsoleerd gelegen voor wie het centrum van de stad wil verkennen. **$$$$**

Hotel Safari & Safari Court
Aviation Road
PO Box 3900
Tel. 061-240240
www.safarihotel.com.na
Deze hotels (drie en vier sterren) staan op hetzelfde terrein nabij het Eros Airport en hebben een gezamenlijke capaciteit van 430 kamers. Hiermee is dit het grootste hotelcomplex van Namibië. Net als bij de Windhoek Country Club worden hier alle faciliteiten geboden die u in deze prijsklasse mag verwachten, maar de hotels komen enigszins kleurloos over. In het restaurant worden Namibische wildgerechten geserveerd. **$$-$$$**

Arebbusch Travel Lodge
PO Box 80160
Olympia
Tel. 061-252255
www.arebbusch.com
Deze aangename en betaalbare lodge, die doet denken aan een *rest camp* in een nationaal park (maar dan zonder wild), ligt te midden van grote acaciabomen aan de rivier de Arebbusch. De accommodatie bestaat uit chalets en suite en kamers met een goed uitgeruste kitchenette, tv, telefoon en airconditioning. Verder biedt deze lodge een goed restaurant, een zwembad en een populaire kampeerplaats. **$-$$**

Rond Windhoek

De volgende hotels bevinden zich allemaal buiten Windhoek in een landelijke omgeving en zijn een goed alternatief voor een verblijf in de stad zelf.

Eningu Clayhouse Lodge
PO Box 21783
Windhoek
Tel. 061-226979
www.natron.net/tour/eningu
Deze lodge bevindt zich op de Pepperkorrell Farm nabij Dordabis, op circa drie kwartier rijden ten zuidoosten van het Hosea Kutako Internationaal Airport. Het is een uitstekend alternatief voor een verblijf in de stad, met ruime kamers en een aparte omlijsting aan de rand van de Kalahari. Goede selectie faciliteiten en activiteiten (waaronder een zwembad). **$$$**

Eagles Rock Leisure Lodge
PO Box 6176
Tel. 061-257166
Deze rustieke lodge in het Khomas Hochland ligt circa 40 km ten westen van Windhoek. U vindt hier een warme en uitnodigende ambiance, een goede keuken, tal van activiteiten en personeel dat zowel Italiaans, Duits als Engels spreekt. **$-$$**

Okapuka Ranch
PO Box 5955
Tel. 061-257175
www.natron.net/Okapuka
Deze aangename, particuliere wildboerderij ligt op een halfuur rijden ten noorden van Windhoek en is een goede springplank voor tochten naar het Etosha National Park en de Caprivistrook. Naast een goede selectie wild treft u hier uitgezette wandelroutes, faciliteiten voor paardrijden, tennisbanen en een zwembad. **$$$**

Auas Game Lodge
PO Box 80887
Tel. 061-240043
www.auas-lodge.com
Auas ligt relatief dicht bij de internationale luchthaven van Namibië en is een goede plek voor een verblijf vlak nadat u in het land bent aangekomen of vlak voor u weer vertrekt. U vindt hier tal van wildsoorten, maar er is ook gelegenheid tot het maken van wandelingen. Gezinsvriendelijk. $-$

Airport Lodge
PO Box 5913
Tel. 061-231491
www.natron.net/tour/airport/main.html
Gelauwerde kleine lodge die halverwege het centrum van Windhoek en het Hosea Kutako Internationaal Airport ligt (naar beide bestemmingen rijden gratis shuttles). De accommodatie bestaat uit comfortabele bungalows met rieten dak. Aantrekkelijke omlijsting met zwembad. $$

Heja Game Lodge
PO Box 588
Tel. 061-257151
Deze wildlodge ligt op een aangename locatie in de heuvels ten oosten van Windhoek, aan de weg naar het Hosea Kutako International Airport. Comfortabele kamers en een goed restaurant. Behalve wild spotten kunt u hier paardrijden en een duik nemen in het zwembad. Goedkope transfers van en naar de luchthaven. $$

Daan Viljoen Game Park
Reserveren via Namibia Wildlife Resorts (zie blz. 261)
Dit kleine wildpark ligt circa 20 km ten westen van Windhoek. De accommodatie bestaat uit huisjes (die de keuken en de wasfaciliteiten delen). Verder vindt u hier een restaurant, een kiosk, een zwembad, wandelroutes, een gevarieerd vogelleven en een kampeerplaats voor tenten en campers. $-$$

CENTRAAL-NAMIBIË

OKAHANDJA EN OMGEVING

Oropoko Lodge
PO Box 726
Tel. 062-503871
www.oropoko.com
Deze chique lodge ligt op een heuvel op ongeveer 60 km ten noordwesten van Okahandja en biedt mooi uitzicht op een omliggend, 110 km² groot wildreservaat waarin neushoorns, giraffen en antilopen uitgezet zijn. Ruime kamers, goed restaurant, zwembad, wildobservaties en jachtpartijen. $$-$$$

Okahandja Lodge and Campsite
Tel. 062-504299
www.okahandjalodge.com
Deze lodge ligt aan een stroompje dat omzoomd is met kameeldoorns, op circa 2 km ten noorden van het centrum van Okahandja. Goede prijs-kwaliteitverhouding. Er zijn 24 schone en functionele kamers met rieten dakbedekking en het grote terrein is geconcentreerd rond een zwembad. Rijk vogelleven met veel inheemse vogels. Tot de faciliteiten behoort ook een goedkope kampeerplaats. $$

Moringa Guest Farm
PO Box 65
Tel. 062-501106
www.moringasafaris.com
Gevestigde gastenboerderij die beheerd wordt door een familie. Knusse accommodatie. Op het 200 km² grote terrein komen giraffen, cheeta's, verschillende soorten antilopen en kleine roofdieren voor. Er worden wildobservaties per auto en te voet georganiseerd. De gastenboerderij is genoemd naar een inheemse, baobabachtige boom die hier op het terrein groeit. $$

Sylvanette Guesthouse
Hoogenhout Street 311
Tel. 062-505550
www.sylvanette.com
Centraal gelegen pension met schone, eenvoudige en aangename accommodatie voor een bijzonder redelijke prijs. $-$$

Gross Barmen Resort
Reserveren via Namibia Wildlife Resorts (zie blz. 261)
Het Gross Barmen Resort ligt aan een thermale bron en een klein stuwmeer op circa 25 km ten zuidwesten van Okahandja en biedt accommodatie in de vorm van bungalows en kampeerfaciliteiten (zowel tenten als campers). Verder vindt u hier een restaurant, een winkel, wandelroutes, een thermaal bad en een gewoon zwembad. $-$$

Von Bach Recreation Resort
Reserveren via Namibia Wildlife Resorts (zie blz. 261)
Dit resort ligt circa 10 km ten zuiden van Okahandja in een klein wildreservaat. Het reservaat ligt rond het stuwmeer dat Windhoek grotendeels van water voorzag. Hutten (zonder beddengoed), gemeenschappelijke badkamer, kampeerfaciliteiten voor zowel tenten als campers. $

Karibib

Etusis Lodge (ten zuiden van Karibib)
PO Box 5
Tel. 064-550826
www.etusis.com
Accommodatie op een wildboerderij in een prachtige omgeving in de schaduw van het Otjiparetagebergte, ten zuiden van Karibib. Veel verschillende soorten wild en comfortabele kamers met een aparte douche met toilet. $-$$

Hotel Erongo Blick
Park Street
PO Box 67
Tel. 064-550009
Eenvoudig hotel in het centrum van Karibib. Zwembad en sauna. $

Usakos

Ameib Ranch & Campsite
PO Box 266
Tel. 064-530803
Eenvoudige, maar comfortabele accommodatie op een boerderij die bekendstaat om haar fantastische rotsformaties, prehistorische rotskunst en (veelal gevangen) wild. Kamperen is ook mogelijk. $$

Usakos Hotel
Bahnhof Street
Tel. 064-530259
Eenvoudig, schoon hotel met een restaurant. $

Omaruru

Epako Game Lodge
PO Box 108
Tel. 064-570551/2
Relatief luxe lodge, die prachtig gelegen is op de oevers van een opgedroogde rivier ten noorden van Omaruru. Rond de lodge strekt zich een 110 km² groot wildpark uit. De kamers beschikken over airconditioning. De gerechten in het restaurant zijn op de Franse keuken geïnspireerd. $$-$

Erongo Wilderness Lodge
PO Box 581
Tel. 064-570537
www.erongowilderness.com
Deze exclusieve lodge met zijn tentvormige huisjes ligt ongeveer 15 km buiten de stad op een rotsige heuvel met prachtige uitzichten. Het omliggende landschap is rijk aan klein, inheems wild en een paradijs voor wandelaars. $-$$

Omaruru Game Lodge
PO Box 208
Tel. 064-570044
www.omaruru-game-lodge.com
Circa 15 km ten noordoosten van Omaruru ligt deze lodge met bungalows met rieten daken. Op het terrein wordt een grote verscheidenheid van wild in semigevangenschap gehouden. In het restaurant serveert men goede gerechten. Zwitserse eigenaars. $$-$

Hotel Staebe
Monument Street
Tel. 064-570035
Schoon en efficiënt geleid hotel – de eigenaars zijn Duitsers – in het centrum van de stad, met uitzicht over de Omaruru. Zwembad en kampeerplaats. **$–$**

Central Hotel
Wilhelm Zeraua Road
PO Box 29
Tel. 064-570030
Klein en traditioneel hotel. **$**

Omaruru Rest Camp & Caravan Park
Tel. 064-570516
Goed geleid kamp in de noordelijke buitenwijken van de stad met goedkope accommodatie in hutten en kampeerfaciliteiten. **$–$$**

OTJIWARONGO EN OMGEVING

Okonjima Lodge
Tel. 067-304563/4
www.okonjima.com
In deze lodge is de AfriCat Foundation gevestigd, die een grootschalige reddings-operatie onder luipaarden en cheeta's uitvoert (de grootste ter wereld). De stichting heeft al diverse prijzen voor haar werk gekregen. Okonjima bestaat uit twee aparte lodges en een nieuwe, exclusieve villa. Intieme sfeer, rustiek-luxueuze accommodatie en een

fantastische keuken, maar ook een druk activiteiten-programma met onder andere expedities in open voertuigen naar gerehabili-teerde luipaarden en cheeta's. **$$$$**

Otjibamba Lodge
PO Box 510
Tel. 067-303133
www.otjibamba.com
Deze populaire lodge ligt in een particulier wildpark op circa 4 km ten zuiden van Otjiwarongo aan de B1 rich-ting Windhoek. Gunstig gelegen voor een overnach-ting onderweg van of naar het Etosha National Park. Ruime kamers en een goed restaurant met uitzicht over een waterpoel. **$$**

Out Of Africa Town Lodge
Long Street
Tel. 067-312230
www.out-of-afrika.com
Functioneel hotel in een buitenwijk van Otjiwarongo met comfortabele kamers, een goed restaurant en goede faciliteiten (aircondi-tioning en tv in de kamers, zwembad). Bijzonder con-currerende prijzen! **$**

Outjo

Hotel Onduri
Etosha Road
PO Box 14
Tel. 067-313405
Eenvoudig en centraal ge-legen, maar vrij kleurloos stadshotel. De kamers be-schikken over airconditio-ning. **$$**

Etosha Garden Hotel
Otavi Street 6
PO Box 31
Tel. 067-313130
Goed hotel in een lommer-rijke omgeving in een buitenwijk van Outjo. De faciliteiten bestaan uit een zwembad en een goed restaurant. **$–$$**

Ombinda Country Lodge & Campsite
PO Box 326
Tel. 067-313181
www.namibialodges.com
Dit *rest camp* aan de oost-kant van de stad was vroe-ger in handen van de staat, maar is inmiddels geprivati-seerd en gerenoveerd. Goede accommodatie in rustieke houten huisjes of bungalows op een groot terrein met een zwembad, tennisbanen en een goed restaurant. **$–$$**

Otavi

Khorab Safari Lodge & Campsite
Tel. 067-234352
www.resafrica.net/khorablodge
Deze rustieke lodge ligt aan de B1 op circa 3 km ten zuiden van Otavi en is een veel aantrekkelijkere optie dan de beperkte keuze in Otavi zelf. De lodge wordt beheerd door een familie en biedt comfortabele accommodatie met rieten dakbedekking. De service is goed, evenals het eten in het restaurant. De wijn-kaart is indrukwekkend.

Otavi Garden Hotel
PO Box 11
Tel. 067-234336
Zeer eenvoudig hotel met een combinatie van kamers met een eigen badkamer en kamers met een gemeenschappelijke badkamer. Enigszins uitgewoond, maar toch nog altijd acceptabel. **$**

Tsumeb

Minen Hotel
Post Street
PO Box 244
Tel. 067-221071
www.namibweb.com/minenhotel.htm
Centraal gelegen, tegen-over een parkje. Dit hotel heeft een heerlijke centrale binnenplaats met zwem-bad, verschillende soorten kamers en een bijzonder goed restaurant. **$–$$**

Hotel Makalani
4th Road
PO Box 24
Tel. 067-221051
www.makalanihotel.com
Eenvoudig, schoon en comfortabel hotel. **$–$**

Grootfontein

The Stone House
Toenessen Street 10
Tel. 067-242842
Aangenaam nieuw pension in een buitenwijk van Groot-fontein. De slechts drie luxe kamers zijn allemaal voorzien van airconditio-ning, satelliettelevisie en minibar. Het gebruik van het zwembad en internet is inbegrepen. **$$**

Meteor Inn
Okavango Road
Tel: 067-242078
Adequaat stadshotel. De sobere kamers liggen rond

een binnenplaats. Ook de faciliteiten zijn eenvoudig. **$**

Roy's Camp
Tel. 067-240302
Dit aangename kamp, dat 55 km ten noorden van Grootfontein aan de B8 richting Rundu ligt (net voorbij de afslag naar Tsumkwe), biedt rustieke bungalows, kampeerfaciliteiten, een zwembad, een restaurant en een bar. In de omgeving komen vogelaars goed aan hun trekken en bovendien is vanaf het kamp een aangename wandelroute uitgezet waarlangs regelmatig antilopen worden gezien. Een bezoek aan een nabijgelegen kampement

van Bosjesmannen behoort ook tot de mogelijkheden. **$**

Waterberg Plateau Park
Waterberg Wilderness Lodge
Tel. 067-687018
www.natron.net/tour/wwl
Deze zeer gerenommeerde en bijzonder exclusieve lodge bevindt zich op het terrein van de boerderij Otjosongombe, die al bijna een eeuw in handen is van dezelfde familie. Op de enige privégrond van het Waterberg Plateau worden wandelingen met gids georganiseerd, waarbij een ongerept stukje natuur wordt verkend dat wemelt van het groot wild (waaronder buffels en neushoorns) en kleurrijke

vogels. Ook de uitzichten zijn prachtig. **$$$$**

Bernabe de la Bat Rest Camp
Reserveren via Namibia Wildlife Resorts (*zie blz. 261*)
Dit aantrekkelijke *rest camp* ligt op de beboste hellingen van het plateau en biedt accommodatie in de vorm van bungalows en kampeerplekken. De overige faciliteiten bestaan uit een winkel, een restaurant en een zwembad. Dagelijks worden wildobservaties per auto (en met gids) georganiseerd en op het netwerk van wandelroutes in de omgeving kunt u op eigen gelegenheid genieten van het landschap en de talrijke vogels. **$-$$**

Gobabis

Gobabis Hotel
Hoek Heroes Lane en Mark Street
PO Box 942
Tel. 062-562568
Eenvoudige accommodatie met een zwembad en een terras. **$**

Arnhem Restcamp & Camping
Tel. 061-581885
Dit aangename en betaalbare *rest camp* ligt bij de Arnhem Cave, tussen Windhoek en Gobabis. De accommodatie bestaat uit een aantal hutten met rieten daken en kampeerplekken. Verder vindt u hier een veldkeuken, blokken met sanitaire voorzieningen en een zwembad. **$**

NOORD-NAMIBIË

Ondangwa

Pandu Ondangwa Hotel
Tel. 065-241900
www.united-hospitality.com
Dit redelijk geprijsde viersterrenhotel (het voormalige Cresta) ligt ten zuidoosten van het centrum van Ondangwa op circa 6 km van de luchthaven. De negentig kamers beschikken over airconditioning, faciliteiten voor het zetten van koffie en thee, satelliettelevisie en telefoon. Verder biedt Pandu een vergadercentrum, een zwembad en een restaurant waar u à la carte kunt eten. **$$**

Punyu International Hotel
PO Box 247
Tel. 065-240009
Eenvoudig, maar aangenaam hotel in het centrum van Ondangwa. Alle kamers beschikken over tv, telefoon en airconditioning. **$**

Oshakati

Oshakati Country Lodge
Robert Mugabe Avenue
PO Box 15200
Tel. 065-222380
www.namibialodges.com
Relatief nieuwe lodge met vijftig kamers die rond een weelderig begroeide binnenplaats met zwembad gesitu-

eerd zijn. Hier vindt u ook een met riet overdekt terras, waar u de maaltijd kunt gebruiken of gewoon wat kunt ontspannen. Alle kamers beschikken over telefoon, tv, airconditioning en minibar. **$$**

Oshandira Lodge
PO Box 958
Tel. 065-220443
Dit comfortabele hotel bevindt zich naast het vliegveld en biedt 17 kamers met airconditioning, telefoon en tv. Het terrein rond het hotel is mooi begroeid. Goed restaurant. **$**

Santorini Inn
Main Street
Private Bag 5569
Tel. 065-220457
www.santorini-inn.com
Verscheidene soorten kamers die allemaal over airconditioning en telefoon beschikken. Het hotel biedt ook een squashbaan en een restaurant waar u à la carte kunt eten. **$$**

Continental Hotel
PO Box 6
Tel. 065-220170
Bij Continental kunt u een keuze maken uit een grote verscheidenheid van kamers. Ze zijn allemaal schoon en voorzien van airconditioning en een aparte badkamer. **$**

RUNDU EN OMGEVING

Hakusembe Lodge
PO Box 1327
Tel. 067-220604
Deze lodge met tien chalets ligt vlak bij de rivier de Okavango, op circa 15 km ten westen van Rundu. Zowel hengelaars als vogelaars komen hier goed aan hun trekken. Ook goede watersportfaciliteiten. **$$$**

Shamvura Camp
Tel. 066-256179
www.shamvura.com
Dit kamp ligt prachtig geïsoleerd op een hoog zandduin met uitzicht op de rivier de Okavango, op circa 120 km ten oosten van Rundu. Maaltijden worden op speciaal verzoek alleen voor kleine groepen verzorgd. Het kamp is populair bij hengelaars, maar ook vogelaars, kanoërs en wandelaars kunnen hier uitstekend terecht. Ook kamperen is mogelijk. **$$**

N'Kwazi Lodge
PO Box 1623
Tel. 066-686006/7
Met gaslampen verlichte houten huisjes in een aangename omgeving in de buurt van de rivier, op circa

20 km ten noordoosten van Rundu. U kunt hier vogels observeren, paardrijden, vissen en traditionele dansen leren. **$$**

Kavango River Lodge
PO Box 634
Tel. 067-255244
Deze populaire lodge ligt op een fantastische locatie in het centrum van Rundu, met uitzicht op de rivier de Okavango en diens Angolese uiterwaarden aan de andere kant. U vindt hier 14 bungalows met alle faciliteiten. Goed restaurant. **$**

Khaudom National Park
Khaudom and Sikereti Camps
Reserveren via Namibia Wildlife Resorts (*zie blz. 261*)
Gemeenschappelijke sanitaire voorzieningen. Neem behalve uw eigen gaslamp en -komfoortje ook beddengoed en handdoeken mee. Ook kamperen behoort tot de mogelijkheden. **$**

ETOSHA EN OMGEVING

Etosha National Park
Okaukuejo, Halali & Namutoni Rest Camps
Reserveren via Namibia Wildlife Resorts (*zie blz. 261*)

Deze drie *rest camps* zijn respectievelijk in het westen, het midden en het oosten van het openbare gedeelte van het park gesitueerd. De accommodatie bestaat uit eenvoudige huisjes en kampeerfaciliteiten. Bij alledrie vindt u ook een winkel, een restaurant, een benzinestation en een zwembad. In Okaukuejo is ook een internetcafé. **$-$$**

Ten oosten van Etosha

Mushara Lodge & Villa Mushara
PO Box 1814
Tsumeb
Tel. 067-229106
www.mushara-lodge.com
Deze chique lodge bevindt zich op circa 8 km van de Von Lindequist Gate en bestaat uit twee stijlvol ingerichte villa's die van alle moderne gemakken voorzien zijn (zoals een cd-speler met speakers in het plafond, een kleine verzameling boeken over aan Afrika gerelateerde onderwerpen en een buiten- en een binnendouche) en tien bungalows. Gunstige ligging voor wildobservaties in het oosten van het Etosha National Park en het terrein zelf is met zijn acacia's een favoriet leefgebied van tal van vogels. Verder vindt u hier nog een zwembad, een groot, met riet overdekt terras en een uitstekend restaurant. **$$$-$$$$**

Mokuti Lodge
PO Box 403
Tel. 067-229084
www.namibsunhotels.com.na
De Mokuti Lodge bevindt zich bij de Von Lindequist Gate van het Etosha National Park en biedt Afrikaanse charme op

internationaal niveau. Alle meer dan honderd chalets beschikken over airconditioning, een aparte badkamer, tv en telefoon. De faciliteiten bestaan uit een goed restaurant en een zwembad. **$-$$**

Onguma Safari Camps
Tel. 061-232009
www.ongumanamibia.com
Dit particuliere reservaat, dat op slechts vijf minuten rijden van de Von Lindequist Gate ligt, biedt een vergelijkbare selectie wild als het aangrenzende Etosha National Park. Verder vindt u hier een grote verscheidenheid van accommodatie, variërend van een goed uitgeruste kampeerplaats tot luxe huisjes onder een puntvormig dak van tentdoek. **$-$$$**

Etosha Aoba Lodge
PO Box 469
Tsumeb
Tel. 067-229100
Met riet bedekte bungalows in een aangename omgeving in de wildernis. Comfortabel en een goede prijs-kwaliteitverhouding. **$$**

Ten zuiden van Etosha

Ongava Game Reserve
PO Box 6850
Windhoek
Tel. 061-274500
www.wilderness-safaris.com
Dit 30 km² grote particuliere reservaat ligt pal ten zuiden van de Andersson Gate en wordt beheerd door Wilderness Safaris. U vindt hier een vergelijkbare selectie wild als in het Etosha National Park, maar dit reservaat staat bekend om de zeer regelmatige waarnemingen van leeuwen en neushoorns (zowel zwarte als witte). Op het terrein bevindt zich een drietal exclusieve lodges met een totaal van 24 units, die allemaal goed in de omgeving passen. De chicste (en duurste) lodge is Little Ongava, die uit slechts drie units bestaat. Elke unit heeft een rieten dak en een eigen zwembad en een aparte badkamer. Naast

wildobservaties per auto in zowel het eigen reservaat als in het aangrenzende nationaal park worden ook wandelingen georganiseerd waarbij het spoor van neushoorns wordt gevolgd. **$$$-$$$$**

Naua Naua Lodge
PO Box 347
Outjo
Tel. 061-252299
www.nauanaua.com
Deze lodge ligt op een prachtige locatie in de heuvels, op circa 30 km van de Andersson Gate. De bungalows zijn bijzonder comfortabel. Maximaal 17 gasten. **$$$**

Ten westen van Etosha

Hobatere Lodge
PO Box 110
Kamanjab
Tel. 067-330261
www.africa-adventure.org/h/hobatere
Deze lodge ligt 80 km ten noorden van Kamanjab aan de rand van het Etosha National Park en bestaat uit twaalf bungalows. Verder vindt u hier een zwembad, een schuilhut, een boomhuis en een winkel. Tot de activiteiten behoren een wandeling met gids, wildspotten per auto en vogelobservatie. **$$$$**

Kavita Lion Lodge
PO Box 118
Kamanjab
Tel. 067-330224
www.kavitalion.com
Deze lodge met zijn vijf chalets ademt een aangename, informele sfeer. U kunt hier meer te weten komen over de Afri-Leo Foundation, die deze lodge als uitvalsbasis heeft. Verder organiseert Kavita wild- en vogelobservaties, wandelingen en bezoeken aan Himba-nederzettingen. Zwembad. **$$$**

DE CAPRIVISTROOK

Regio Divundu/Bagani

Ndhovu Safari Lodge
PO Box 5035

Divundu
Tel. 066-259901
www.ndhovu.com
De Ndhovu Safari Lodge ligt dicht bij de Popa-watervallen en bestaat uit acht luxe bungalows met aparte badkamer. De omgeving is rijk aan wild en vogels. U kunt hier wild gaan spotten in het Mahango National Park, een vistochtje maken, vogels gaan observeren of een cruise bij zonsondergang maken. **$-$$$**

Suclabo Okavango Lodge
PO Box 894
Rundu
Tel. 066-259005
www.leadinglodges.com
Deze lodge ligt tussen de Popa-watervallen en het Mahango National Park en biedt elf chalets met een aparte badkamer. Mooi uitzicht over de rivier de Okavango. Er gaan boottochten naar nabijgelegen poelen de nijlpaarden en krokodillen trekken. **$-$$**

Mahangu Safari Lodge
PO Box 5200
Divundu
Tel. 066-259037
www.mahangu.com.na
Bungalows met rieten daken in een prachtige tuin met uitzicht op de rivier de Okavango. Het Mahango National Park is niet ver weg. **$-$$**

Popa Falls Camp
Reserveren via Namibia Wildlife Resorts (zie blz. 261)
Gemeenschappelijke sanitaire en keukenfaciliteiten en een winkel met een paar producten. Geen elektriciteit, maar er is verlichting in de vorm van gaslampen. **$-$$**

Omgeving Kongola en Mudumu

Lianshulu Lodge
PO Box 90391
Windhoek
Tel. 061-254317
www.lianshuli.com.na
Luxe bungalows met rieten daken die ruimte bieden aan maximaal 22 gasten. De lodge bevindt zich op circa 40 km ten zuiden van Kongola in het Mudumu National Park, vlak bij Botswana. Uitzicht over de rivier de Kwando. **$$-$$**

Namushasha Country Lodge

PO Box 6597
Windhoek
Tel. 061-374750
www.namibialodges.com
Deze luxe lodge is recentelijk gerenoveerd en ligt ten zuiden van Kongola op een uitstekende locatie bij een verzamelplaats van nijlpaarden in de rivier de Kwando. De activiteiten bestaan uit wildobservaties met kundige gidsen, boottochten en paardrijden. Verder voert een 4 km lange wandelroute u langs een groot aantal van de 400 vogelsoorten die in dit gebied geregistreerd zijn. **$-$$**

Mazambala Island Lodge

PO Box 1935

Katima Mulilo
Tel. 066-250405
Rustieke huisjes aan de rivier de Kwando, ten zuiden van Kongola. In de omgeving zijn veel wilde dieren, waaronder buffels, olifanten, leeuwen, moerasantilopen en een groot aantal vogelsoorten. **$$**

Katima Mulilo

Zambezi Lodge and Campsite

PO Box 198
Katima Mulilo
Tel. 066-253149
www.namibsunhotels.com.na
Hotelachtige lodge (met bijbehorende kampeerplaats) in Katima Mulilo op de oever van de rivier de Zambezi. **$$-$$$**

Samenvloeiing Zambezi-Chobe

Ichingo Chobe River Lodge

PO Box 1856
Ngewze
Tel. 0267-6250143
Deze luxe lodge ligt op een prachtige locatie op het eiland Impalila, met uitzicht op de rivier de Chobe. U vindt hier acht bungalows met balkon. Er worden boottochten en fantastische vogelobservaties met gids georganiseerd. **$$-$$$**

King's Den Lodge

PO Box 198
Katima Mulilo
Tel. 0267-6250814
www.namibsunhotels.com.na
King's Den bevindt zich in Oost-Caprivi, tegenover het eiland Kasikili aan de rivier de Chobe. De lodge ziet uit over de vlakten van het Chobe National Park in Botswana, die rijk zijn aan wild. **$$-$$**

Impalila Island Lodge

PO Box 70378
Bryanston 2021
Zuid-Afrika
Tel. 0027-117067207
www.islandsinafrica.com
Deze fantastische lodge op de noordwestkust van het eiland biedt acht chalets met uitzicht over stroomversnellingen in de Zambezi. De lodge staat bekend om de fantastische activiteiten, zoals vliegvissen, vogelobservaties, wandelingen met gids en tochten met een boomstamkano of een motorboot. Goed restaurant. **$$$-$$$$**

NOORDWEST-NAMIBIË

KHORIXAS EN OMGEVING

Vingerklip Lodge

PO Box 443
Outjo
Tel. 067-290318
www.vingerklip.com.na
Deze lodge bestaat uit comfortabele bungalows met 22 kamers, die op een aantrekkelijke locatie naast de opvallende rotsformatie staan. Het panoramische uitzicht gaat hier vergezeld van uitstekende gerechten. Verder worden kleinschalige activiteiten als wandelingen en vogelobservaties georganiseerd. Zwembad. **$$$**

Bambatsi Holiday Ranch

PO Box 120
Outjo
Tel. 067-313897
Deze gastenboerderij met acht bungalows ligt halverwege Outjo en Khorixas aan de C38 en is daarmee een goede uitvalsbasis voor bezoeken aan de Vingerklip, Twyfelfontein en het Versteende Woud. De boerderij beschikt over een zwembad en verder kunt u hier paardrijden, tennissen en mountainbiken. Ook wildobservaties behoren tot de mogelijkheden. **$$$**

Khorixas Lodge & Rest Camp

PO Box 2
Tel. 067-331196
www.nwr.com.na
Grote, maar goed geleide lodge met kampeerplaats, op circa 4 km buiten de stad. Goede uitvalsbasis voor bezoeken aan de Brandberg en andere rotskunstlocaties. De lodge biedt 38 eenvoudige, maar schone bungalows, een zwembad, een winkel en een restaurant. **$$**

White Lady B&B

Tel. 064-504102
http://whitelady.webz-i.com
Deze nieuwe B&B-gelegenheid bevindt zich in Uis, de plaats die het dichtst bij de Brandberg ligt. Schone accommodatie met rieten daken, die rond een zwembad gesitueerd is. Er is ook een kampeerplaats met zwembad en een observatiehut voor vogelaars. **$$**

Brandberg Rest Camp

PO Box 35
Uis
Tel. 064-504038
Eenvoudige, schone accommodatie en kampeerfaciliteiten, dicht bij de voet van het massief dat bekendstaat om zijn fantastische prehistorische rotskunst. De faciliteiten bestaan uit

een restaurant, een zwembad en een tennisbaan. **$**

Twyfelfontein en omgeving

Mowani Mountain Camp

Tel. 061-232009
www.mowani.com
Stijlvol en eersteklas kamp, dat ideaal gelegen is voor een verkenning van de rotsinscripties bij Twyfelfontein. **$$$$**

Twyfelfontein Country Lodge

PO Box 6597
Windhoek
Tel. 061-374750
www.namibialodges.com
Deze populaire, comfortabele lodge ligt op een schilderachtige locatie aan de voet van een steile rots, op circa 5 km van de rotskunst bij Twyfelfontein. De maaltijden worden in buffetvorm geserveerd. Er is een zwembad tussen de rotsen en de lodge organiseert tal van activiteiten met gids in de omgeving. **$$$**

Aba Huab Campsite

PO Box 131
Khorixas
Kampeerplaats op een met acaciabomen omzoomde, drooggevallen rivier, op circa 10 km van Twyfelfon-

tein. De faciliteiten beperken zich tot een bar en sanitair. **$**

Damaraland

Palmwag Rhino Camp

PO Box 6850
Windhoek
Tel. 061-274500
www.wilderness-safaris.com
Dit exclusieve kamp is het enige permanente in de uitgestrekte, particuliere Palmwagconcessie en wordt in samenwerking met het Save The Rhino Trust beheerd. Tijdens wildobservaties krijgt u een brede selectie typische woestijndieren te zien. Verder wordt elke ochtend een wandeling met een ervaren gids georganiseerd, waarbij de sporen van neushoorns worden gevolgd. Er is grote kans dat u de woestijnpopulatie van deze bedreigde diersoort ook daadwerkelijk ziet. **$$$$**

Damaraland Camp

PO Box 6850
Windhoek
Tel. 061-274500
www.wilderness-safaris.com
Het Damaraland Camp ligt in het hart van het gebied waarin de legendarische woestijnolifanten van Damaraland voorkomen. Het

zal u hier werkelijk aan niets ontbreken. De accommodatie bestaat uit acht grote tweepersoonstenten met aparte badkamer en verder zijn er een zwembad en een winkel op het terrein. De lodge kan wild-, vogel- en sterrenobservaties voor u organiseren. **$$$$**

Huab Lodge
PO Box 180
Outjo
Tel. 061-224712
www.huab.com
Gelauwerde lodge die in een particulier reservaat halverwege Khorixas en Kamanjab ligt. Uitstekende gidsen en een fantasierijke keuken. Er zijn acht comfortabele bungalows en verder vindt u hier een zwembad en een thermale bron. De lodge organiseert wild- en vogelobservaties en wandelingen met gids. Ook paardrijden is mogelijk. **$$$$**

Palmwag Lodge and Campsite
PO Box 339
Swakopmund
Tel. 064-404459
www.Palmwag.com
Een van de oudste lodges van Namibië ligt in een oase-achtig bosje makalanipalmen die gevoed wordt door een ondergrondse rivier. De lodge (42 kamers), die regelmatig bezocht wordt door woestijnolifanten en ander wild, biedt een restaurant, een snackbar en twee zwembaden. U kunt hier wild en vogels observeren en wandelingen maken. Er is ook een kampeerplaats. **$$$-$$$$**

Sesfontein

Fort Sesfontein Lodge
PO Box 7

Kamanjab
Tel. 065-275534
www.fort-sesfontein.com
Charmant fort in een tropische tuin met tien tweepersoonskamer, drie gezinssuites, een kampeerplaats, een zwembad en een restaurant. Ook dagtochten met gids. **$$$**

Opuwo en omgeving

Omarunga Camp Epupa
Tel. 061-234342
Op loopafstand van de Epupa-watervallen, 180 km ten noordwesten van Opuwo. U vindt hier tien luxe tenten en zes kampeerplekken voor campers. Het kamp kan wandelingen met gids en bezoeken aan Himba-nederzettingen organiseren. **$$**

Ruacana Eha Lodge
Tel. 065-270031
www.ruacanaehalodge.com.na
Deze comfortabele, moderne lodge bevindt zich in Ruacana, circa 50 km ten noordoosten van Opuwo. Er zijn hier 21 kamers, een goed restaurant, een zwembad en een fitnesscentrum. De lodge kan wandelingen met gids en bezoeken aan Himba-nederzettingen organiseren. De aangrenzende kampeerplaats biedt goedkope accommodatie in hutten. **$-$$**

Ohakane Lodge
PO Box 8
Opuwo
Tel. 065-273031
www.natron.net
Goede kamers, een zwembad en een restaurant in het centrum van Opuwo, de 'hoofdstad' van de Himba. **$-$$**

GERAAMTEKUST

Skeleton Coast Camp
PO Box 6850
Windhoek
Tel. 061-274500
www.wilderness-safaris.com
Deze luxueuze en exclusieve lodge (zes kamers) is de enige accommodatie in het Skeleton Coast National Park en richt zich alleen op gasten die per vliegtuig

komen. Voor een goede indruk van de omgeving is een verblijf van minimaal vier dagen aan te bevelen. Wilde dieren zijn hier onder andere woestijnolifanten, bruine hyena's, cheeta's en verschillende soorten antilopen en vogels. De lodge organiseert spectaculaire excursies in het park en naar een aantal van de scheepswrakken langs de Geraamtekust. **$$$$**

Serra Cafema Camp
PO Box 6850
Windhoek
Tel. 061-274500
www.wilderness-safaris.com
Dit nieuwe kamp ligt ten oosten van het park op een afgelegen, maar mooie locatie aan de rivier de Kunene op een Himba-concessie. De duinen die langs de oevers omhoogrijzen, zorgen voor een spectaculaire omlijsting. U kunt hier onder andere quadbiken in de duinen, wild en vogels in de Hartmann-vallei observeren en een bezoek brengen aan lokale Himba-nederzettingen. **$$$$**

Terrace Bay Restcamp
Reserveren via Namibia Wildlife Resorts (zie blz. 261)
Dit voormalige verblijf van een mijnbedrijf ligt bijzonder afgelegen (bijna 300 km ten noorden van de dichtstbijzijnde plaats: Henties Bay). Langs de rotsige kustlijn zijn hier goed uitgeruste bungalows en een restaurant te vinden. **$$**

Torra Bay Campsites
Reserveren via Namibia Wildlife Resorts (zie blz. 261)
Dit bijzonder eenvoudige kamp (met camperplekken) ligt op circa 100 km ten zuiden van Terrace Bay en is alleen tussen 1 dec. en 31 jan. geopend. De winkel en de benzinepomp zijn alleen tijdens de vakantieperiode in dec. geopend. Dan zijn hier ook water en brandhout te koop. **$**

Henties Bay, Cape Cross en omgeving

Cape Cross Lodge
Tel. 064-694012
www.capecross.org

Luxueuze lodge, die 4 km van de zeehondenkolonie van Cape Cross en 50 km ten noorden van Henties Bay op een prachtig geïsoleerd gelegen locatie aan zee ligt. Ook bezoekers van Cape Cross kunnen hier een hapje gaan eten. **$$$-$$$$**

Hotel De Duine
Duine Road 34
PO Box 1
Henties Bay
Tel. 064-500001
www.namibialodges.com
Betrouwbaar hotel aan het strand, met vriendelijk personeel. Comfortabele kamers met telefoon en een aparte badkamer. Goed restaurant. **$-$**

Mile 72, Mile 108 en Jakkalsputz Campsite
Reserveren via Namibia Wildlife Resorts (zie blz. 261)
Deze kampeerplaatsen worden vrijwel alleen maar door hengelaars gebruikt. De faciliteiten zijn bijzonder sober, maar er zijn toiletten en tegen geringe betaling kunt u een warme douche nemen. In de Namibische schoolvakantie in dec. is er op alle kampeerplaatsen een winkeltje. Benzine is alleen beschikbaar op Mile 72 en Mile 108.

DE NAMIB

Swakopmund

Swakopmund Hotel and Entertainment Centre
Theo-Ben Gurabib Street 2
PO Box 616
Tel. 064-4105200
www.legacyhotels.co.za
Dit viersterrenhotel is deels gevestigd in een oud spoorwegstation (de receptie en een kleine bar). De negentig kamers zijn bijzonder goed uitgerust met tv, telefoon, minibar, airconditioning en een kluisje. Goed restaurant. Er is ook een casino. **$$$**

Hansa Hotel
Hendrik Witbooi Street 3
PO Box 44
Tel. 064-414200
www.hansahotel.com.na
Centraal gelegen en gelauwerd hotel met vijftig

kamers, dat in 2005 zijn honderdjarig bestaan vierde. De ouderdom van het hotel wordt weerspiegeld in de prachtige architectuur en de karaktervolle, stijlvolle inrichting. Efficiënt en vriendelijk personeel. Uitstekende keuken en een leuke, intieme bar met een open haard. **$$$**

The Burning Shore
Tel. 064-207568
www.burningshore.com
Deze luxueuze lodge met zijn twaalf kamers ligt op 15 km ten zuiden van Swakopmund aan de weg naar Walvisbaai en is een van de mooiste verblijven in deze omgeving. De populariteit van de lodge is na 2006 alleen nog maar toegenomen, want toen was The Burning Shore wereldnieuws omdat Brad Pitt en Angelina Jolie hier verscheidene weken te gast waren. **$$$**

Sam's Giardino
Anton Lubowski Avenue 89
Tel. 064-403210
www.giardino.com.na
Een must voor lekkerbekken en liefhebbers van een goed glas wijn, want dit comfortabele en betaalbare pension staat bekend om zijn goede keuken – die de Zwitserse nationaliteit van de eigenaar weerspiegelt – en de kelder vol uitstekende Kaapse wijnen. De accommodatie bestaat uit tien kamers. **$$**

Strand Hotel
PO Box 20
Tel. 064-400315
Tweesterrenhotel dat dicht bij het strand, maar ook vlak bij het centrum ligt. Sommige van de 45 kamers bieden uitzicht op zee. Verder vindt u hier twee restaurants. **$$**

Hotel Europa Hof
Bismarck Street 39
PO Box 1333
Tel. 064-405061
www.europahof.com
Dit centraal gelegen hotel combineert traditionele Duitse architectuur (vakwerk) met comfortabele kamers en een gerenommeerd visrestaurant. **$$**

The Stiltz
Tel. 064-400771
www.thestiltz.in.na
Deze aantrekkelijke nieuwe lodge bestaat uit acht houten bungalows op palen (vanuit nummer 7 hebt u het mooiste uitzicht), waartussen verhoogde wandelpaden in de kustvegetatie aangelegd zijn. U hebt hier uitzicht op de Swakop-lagune, die rijk is aan vogels. De lodge ligt op loopafstand van het centrum. Geen restaurant. **$$**

Swakopmund Municipal Restcamp
Private Bag 5017
Tel. 064-4104333/4
www.swakopmund-restcamp.com
De karakterloze, maar zeer betaalbare huisjes (er zijn er maar liefst 200) staan op vlak terrein, dicht bij de zee en het centrum. **$-$$**

Secret Garden Guesthouse
Bismarck Street 36
Tel. 064-404037
www.natron.net/tour/secretgarden
Rustig, comfortabel, zeer centraal gelegen en betaalbaar pension. De eigenaar zwaait hier zelf de scepter. Goede prijs-kwaliteitverhouding. **$**

Mile 14 Caravan Park
Reserveren via Namibia Wildlife Resorts (zie blz. 261)
Eenvoudige locatie, die tijdens de schoolvakantie in dec. populair is bij hengelaars. Dan opent hier ook een winkeltje zijn deuren. In de rest van het jaar beperken de faciliteiten zich tot sanitaire voorzieningen (waaronder warme douches). **$**

Walvisbaai

Lagoon Lodge
Kovambo Nujoma Drive 2
Tel. 064-200850
www.lagoonlodge.com.na
Deze uitnodigende lodge ligt op loopafstand van het centrum van Walvisbaai aan de lagune en is waarschijnlijk het comfortabelste verblijf in Walvisbaai. De lodge bestaat uit slechts zes, verschillend ingerichte kamers die rond een zwembad gesitueerd zijn. De meeste kamers beschikken over een eigen balkon dat uitziet over de lagune. **$$**

Walvis Bay Protea Hotel
Hoek Sam Nujoma Avenue en 10th Road
Tel. 064-209560
www.proteahotels.com
Dit hotel maakt deel uit van een zeer gerenommeerde Zuid-Afrikaanse keten van middenklassehotels. Schoon, functioneel, zeer centraal gelegen, goede faciliteiten en aantrekkelijk geprijsd. **$$**

Courtyard Hotel Garni
3rd Road
PO Box 3493
Tel. 064-213600
In de buurt van de lagune. Alle kamers zijn voorzien van een aparte badkamer. Klein overdekt zwembad en een sauna. Aangenaam hotel. **$-$$**

Kleines Nest B&B
Esplanade 76
Tel. 064-203203
www.natron.net/tour/kleines-nest
Uitnodigende lodge met zes kamers, die uitzicht bieden over de lagune. Massage en aromatherapie. **$**

Hotel Atlantic
Sam Nujoma Avenue
PO Box 46
Tel. 064-202811
Bijzonder centraal gelegen hotel dat in de nabije toekomst waarschijnlijk gerenoveerd zal worden. **$**

Hotel Langholm
Second Street West 24
PO Box 2631
Tel. 064-209230
www.langholmhotel.com
Aangenaam hotelletje in de buurt van de haven en de lagune. Comfortabele kamers. **$**

Esplanade Park Cottages
Tel. 064-206145
www.wbresorts.com.na
Adequate bungalows aan de lagune. **$**

Langstrand Campsite and Caravan Park
Tel. 064-2013267
Aangename kampeerplaats aan het Langstrand (Long Beach), circa 10 km buiten de stad langs de weg naar Swakopmund.

Namib-Naukluft en omgeving

Kulala Desert Lodge
PO Box 6850
Windhoek
Tel. 061-274500
www.wilderness-safaris.com
Deze exclusieve lodge met zijn twaalf kamers is prachtig gelegen aan de rivier de Tsauchab op een 320 km² grote concessie die grenst aan het Namib-Naukluft National Park. Ongeveer 50 km van de Sossusvlei. Richting westen hebt u een mooi uitzicht op de duinen. Op dezelfde concessie (en eveneens beheerd door Wilderness Safaris) bevinden zich de nog exclusievere en prijzigere kampen Kulala Wilderness en Little Kulala. Alledrie de verblijven bieden een uitstekend restaurant, ballonvaarten en tochten met gids naar de Sossusvlei en omgeving. **$$-$$**

Sossusvlei Wilderness Camp
PO Box 6850
Windhoek
Tel. 061-274500
www.wilderness-safaris.com
Deze exclusieve lodge ligt circa 30 km van Sesriem op een kleine heuvel op privé-terrein en biedt prachtig uitzicht op de omliggende vlakten. De lodge bestaat uit negen chalets met rieten daken, een aparte badkamer en een eigen zwembad. Prachtige omgeving. **$$$$**

Wolwedans Collection
Tel. 061-230616
www.wolwedans.com
Dit drietal voortreffelijke lodges bevindt zich in het NamibRand Nature Reserve, een groot particulier park dat ten zuiden van Sesriem aan het Namib-Naukluft National Park grenst. De drie lodges beschikken gezamenlijk over zestien verblijven en bieden een unieke ervaring in de wildernis en een grote verscheidenheid van activiteiten in de woestijn. **$$$$**

Sossusvlei Lodge
Tel. 063-293223
www.sossusvleilodge.com
Deze lodge bevindt zich op een toplocatie bij de toegangspoort tot het Namib-Naukluft National Park in Sesriem en ligt van alle lodges in deze omgeving

ook het dichtst bij de Sossusvlei. De 45 tentkamers beschikken over een aparte badkamer en zijn ruim en stijlvol ingericht. De faciliteiten bestaan uit een verlichte waterpoel en een zwembad. Verder worden ballonvaarten en excursies met gids naar de Sossusvlei georganiseerd. **$-$$$**
Desert Homestead
Tel. 061-249116
www.deserthomestead-namibia.com
Recentelijk verplaatst en herbouwd op een particuliere concessie aan de C19, op ongeveer 30 km van Sesriem. Deze mooie lodge bestaat uit twintig met riet bedekte chalets die elk over een aparte badkamer beschikken. Vanaf uw eigen veranda kunt u 's avonds van de zonsondergang genieten. Naast een goed restaurant en een zwembad

biedt de lodge populaire paardrij-excursies de duinen in en excursies met gids naar de Sossusvlei, onder andere bij zonsondergang. **$$$**
Namib Naukluft Lodge
PO Box 22028
Windhoek
Tel. 061-372100
www.namib-naukluft-lodge.com
Deze lodge bevindt zich op een 250 km² groot particulier reservaat dat tussen Sesriem en Solitaire aan het Namib-Naukluft National Park grenst. De lodge bestaat uit 16 moderne kamers met een eigen veranda. U kunt hier inschrijven voor een dagtocht naar de Sossusvlei, maar de lodge is ook gunstig gelegen voor wandelingen in het Naukluftgebergte. **$$$**
Zebra River Lodge
Private Bag 11742
Windhoek
Tel. 063-293265

www.zebrariver.com
Deze kleine lodge in het onherbergzame Tsarisgebergte is populair bij wandelaars vanwege de verscheidene wandelpaden die over het uitgestrekte terrein lopen (er is hier ook een grote verscheidenheid van wilde dieren te vinden) en de nabijheid van het Naukluftgebergte. Verder is de lodge een geschikte uitvalsbasis voor excursies (met de auto of per vliegtuig) naar de Sossusvlei. De goede accommodatie is rond een zwembad gesitueerd. Knusse ambiance. **$$$**
Solitaire Country Lodge
PO Box 6597
Windhoek
Tel. 061-374750
www.namibialodges.com
Deze nieuwe lodge ligt op circa 85 km van Sesriem en domineert het plaatsje Solitaire, dat aan de lange en stoffige weg richting

Lüderitz ligt. U vindt hier 25 kamers met aparte badkamer die rond een uitnodigend zwembad gesitueerd zijn. Verder is deze lodge een goede uitvalsbasis voor dagtochten naar het Naukluftgebergte en de Speetshoogte-pas. Ook kamperen is hier mogelijk. **$$**
Sesriem Campsite
Reserveren via Namibia Wildlife Resorts (zie blz. 261)
Twintig kampeerplekken in een bosje schaduwrijke kameeldoorns bij de hoofdtoegangspoort tot het Namib-Naukluft National Park, op korte afstand van de Sesriem Canyon en op 63 km van de Sossusvlei. De faciliteiten bestaan hier uit een winkel met een vrij uitgebreid assortiment, een benzinestation en sanitaire voorzieningen. Voor een hapje eten kunt u terecht in de aangrenzende Sossusvlei Lodge. **$**

ZUID-NAMIBIË

REHOBOTH

Lake Oanob Campsite
PO Box 3381
Tel. 062-522370
www.oanob.com.na
Comfortabele en aantrekkelijk gelegen accommodatie aan de rand van het Oanobmeer, op 7 km ten westen van Rehoboth. Naast kampeerfaciliteiten biedt men ook een grote keuze aan kamers en huisjes. Goede faciliteiten (restaurant, observatiehutten, internetcafé). **$$**
Reho Spa Recreation Resort
Reserveren via Namibia Wildlife Resorts (zie blz. 261)
Dit aangename, maar vreemd genoeg ondergewaardeerde resort is rond de warmwaterbronnen in het centrum van Rehoboth gebouwd. U vindt hier twintig chalets, kampeerfaciliteiten voor zowel tenten als campers, een restaurant en een thermaal zwembad. **$**

Mariental en omgeving
Intu Africa Kalahari Game Reserve
Tel. 061-240529
www.thirstlandadventures.namibia.com.na
In dit 200 km² grote particuliere reservaat ten noordoosten van Mariental is een aanzienlijke verscheidenheid van wat mijn dieren te vinden. Verder is dit ook het woongebied van een aantal van de nog slechts weinige gemeenschappen van Bosjesmannen in Zuid-Namibië. Er zijn drie lodges in het reservaat, die allemaal goed onderdak bieden. De twee chicste beschikken ook over een zwembad. Alle lodges organiseren wildobservaties. **$$-$$$$**
Bagatelle Kalahari Game Ranch
Tel. 063-240982
www.bagatelle-kalahari-gameranch.com
Op deze recentelijk geopende particuliere ranch, die circa drie kwartier rijden

ten noordoosten van Mariental ligt, is een grote variëteit van wild te vinden, waaronder cheeta's, giraffen, spiesbokken en verscheidene soorten kleinere antilopen. De accommodatie (op palen) ligt op een duintop en is bijzonder sfeervol. Verder kunt u hier genieten van prachtige uitzichten en goede faciliteiten. **$$$**
Auob Lodge
PO Box 6597
Windhoek
Tel. 061-374750
www.namibialodges.com
Deze driesterrenlodge ligt ten oosten van Mariental nabij Gochas, op circa 150 km van de grens en het Kgalagadi Transfrontier Park. De accommodatie bestaat uit 26 ruime kamers die uitzicht bieden op de Kalahari-duinen. **$-$$**
Kalahari Anib Lodge
PO Box 800
Mariental
Tel. 061-230066
www.gondwana-desert-collection.com
Deze lodge ligt aan de C20,

circa 30 km ten noordoosten van Mariental, en biedt 35 comfortabele kamers met aparte badkamer. De omgeving wordt bepaald door prachtige tuinen en de rode duinen van de Kalahari. **$-$$**
Hardap Recreation Resort
Reserveren via Namibia Wildlife Resorts (zie blz. 261)
De bungalows van dit resort bevinden zich op 25 km van Mariental en bieden uitzicht op de Hardap Dam. Verder vindt u hier ook kampeerfaciliteiten, een winkel, een restaurant, een benzinestation en een zwembad. **$-$$**
Mariental Hotel
Marie Brandt Street
PO Box 619
Tel. 063-242466
Goed plattelandshotel. Alle kamers hebben een eigen badkamer, airconditioning en telefoon. **$**

Keetmanshoop

Canyon Hotel
Warnbader Road
PO Box 950

Tel. 063-223361
www.canyon-namibia.com
Dit fortachtige driesterrenhotel in het zuiden van
Keetmanshoop is ogen-
schijnlijk de chicste accommodatie van de plaats,
maar die indruk wordt
enigszins tenietgedaan
door de ouderwetse
inrichting en de
beklemmende sfeer van
veronachtzaming. Evengoed
vindt u hier zeventig
degelijke kamers met
airconditioning, een groot
zwembad en een goed
restaurant. **$$**
Central Lodge
5th Avenue
Tel. 063-250586
www.central-lodge.com
Deze centraal gelegen
lodge (op de plek van het
vroegere Hansa Hotel uit
1910) is de populairste van
Keetmanshoop en biedt
een goede prijs-kwaliteit-
verhouding. Alle 19 kamers
beschikken over airconditio-
ning en satelliettelevisie.
De faciliteiten bestaan uit
een zwembad en een goed
restaurant (à la carte) met
een aangenaam geprijsde
wijnkaart. **$**
Bird's Mansions Hotel
6th Avenue
Tel. 063-221711
www.birdsaccommodation.com
Ook dit hotel, dat een blok
ten noorden van de Central
Lodge (zie hiervoor) ligt,
biedt een goede prijs-
kwaliteitverhouding. De 22
kamers beschikken over
satelliettelevisie en aircon-
ditioning. Verder vindt u
hier een zwembad en een
café met terras. **$**

Fish River en omgeving

Cañon Lodge
PO Box 80205
Windhoek
Tel. 061-230066
www.namibiaweb.com/canyon
Deze fantastische lodge
bevindt zich in het
Gondwana Canyon Park,
een door particulieren
beheerd gebied dat grenst
aan het Fish River Canyon
National Park. De dertig
bungalows liggen op de
rotsige heuvels op circa
20 km van het belangrijkste

uitkijkpunt over de canyon
en vormen een harmonieus
geheel met hun granieten
omgeving. U kunt hier
paardrijden of een duik
nemen in het zwembad. In
het prachtig gelegen
restaurant (een oude
Duitse boerderij) worden
lokale gerechten
geserveerd. **$$$**
Ai-Ais Recreation Resort
Reserveren via Namibia Wildlife
Resorts (zie blz. 261)
Dit enigszins vervallen
resort aan de zuidkant van
de Fish River Canyon biedt
zogeheten luxe apparte-
menten, maar ook hutten
en kampeerfaciliteiten.
Verder vindt u hier een
winkel, een restaurant, een
benzinestation, een
minerale bron en een
zwembad. **$-$$**
Hobas Resort
Reserveren via Namibia Wildlife
Resorts (zie blz. 261)
Deze kampeerplaats be-
vindt zich bij de noordelijke
toegangspoort tot het Fish
River Canyon National Park,
dicht bij de beste uitkijkpunten en het vertrekpunt
van de wandelroute door de
Fish River Canyon. Op het
terrein bevinden zich een
winkel en een zwembad. **$**

Helmeringhausen

Dabis Guest farm
PO Box 15
Helmeringhausen
Tel. 06362, vragen naar 6820
Deze uitnodigende gas-
tenboerderij ligt circa een
halfuur rijden ten noorden
van Helmeringhausen en
wordt al vier generaties
door dezelfde Duitse familie beheerd. Bijzonder interessant voor wie meer wil
weten over de schapenteelt
in dit droge gebied.
's Avonds worden verruk-
kelijke lamskoteletjes van
de barbecue geserveerd.
Goede stopplaats tussen
Lüderitz/Fish River en
Sesriem. **$$$**
Hotel Helmeringhausen
PO Box 21
Tel. 063-283083
Dit kleine plattelandshotel
uit de jaren dertig heeft zijn
historische karakter weten
te bewaren. Midden in het
dorpje. **$**

Grünau

Grünau Country House
PO Box 2
Tel. 063-262001
www.grunauch.iway.na
Dit plattelandshotel is de
beste keuze in dit kleine
stadje nabij de Zuid-
Afrikaanse grens. **$**

Karasburg

Kalkfontein Hotel
Kalkfontein Street
PO Box 338
Tel. 063-270172
De 17 kamers van dit hotel
zijn aan de eenvoudige
kant, maar toch nog altijd
comfortabel genoeg. Op de
zuidelijke hellingen van het
Karasgebergte. **$**

Maltahöhe

Namseb Restcamp
PO Box 76
Tel. 063-293166
Deze aangename lodge ligt
niet ver buiten Maltahöhe
en biedt accommodatie in
de vorm van ruime, uit
natuursteen opgetrokken
bungalows. De faciliteiten
bestaan uit een zwembad
en een goed restaurant.
Verder worden
wildobservaties met gids
georganiseerd. **$-$$**
Hammerstein Restcamp
PO Box 250
Maltahöhe
Tel. 063-693111
www.hammerstein.com.na
Dit middenklassekamp met
zwembad ligt aan de C19
tussen Maltahöhe en
Sesriem op het met
rotspartijen bezaaide
terrein van een boerderij,
dat ook een aantal goede
rotskunstlocaties en
verschillende soorten
woestijndieren herbergt.
Vanaf hier kunt u in een
dag op en neer naar de
Sossusvlei. **$$**

Aus

Klein-Aus Vista
PO Box 25
Tel. 063-258116
Dit uitnodigende onderko-
men ligt 3 km van Aus aan
de B4 richting Lüderitz, in
een gebied dat regelmatig
bezocht wordt door de

wilde paarden van de
Namibwoestijn. De accom-
modatie bestaat uit de
Desert Horse Inn met zijn
14 kamers, de exclusievere
Eagle's Nest Lodge op de
heuvel en een kleine
kampeerplaats. **$-$$$**

Lüderitz

The Nest Hotel
Diaz Street
PO Box 690
Tel. 063-204000
www.natron.net/tour/nest-hotel
Een goed driesterrenhotel
aan een privé-strand ten
zuidwesten van het cen-
trum van Lüderitz. Alle
kamers hebben uitzicht op
zee. In het restaurant
worden goede gerechten
geserveerd. **$$-$$$**
Sea View Hotel zum Sperrgebiet
Woerman Street
PO Box 373
Tel. 063-203411
www.seaview-luderitz.com
Een comfortabel en mo-
dern driesterrenhotel met
22 kamers, een overdekt
zwembad en een sauna.
Het restaurant is bijzonder
goed. **$$**
Bayview Hotel
Diaz Street
PO Box 387
Tel. 063-202288
Vriendelijk, eenvoudig en
centraal gelegen hotel met
kamers die rond een bin-
nenplaats met zwembad
gesitueerd zijn. **$**
Kapps Hotel
Tel. 063-202345
Dit centraal gelegen hotel,
dat het oudste van Lüderitz
is, viert in 2007 zijn
honderdjarig bestaan.
Bijzonder sfeervol onder-
komen, hoewel de kamers
wel enigszins afgeleefd zijn.
Goede prijs-kwaliteitver-
houding. **$**

VERVOER
ACCOMMODATIE
UIT ETEN
ACTIVITEITEN
PRAKTISCHE INFORMATIE

U IT ETEN

RESTAURANTS, CAFÉS EN BARS

Lokale keuken

Net als de meeste andere Afrikaanse hoofdsteden heeft Windhoek op culinair gebied veel te bieden en de stad pronkt in Namibië dan ook met de ruimste keuze voor een etentje.
In Windhoek vindt u maar liefst honderd verschillende restaurants en fastfoodzaken, waaronder goede vertegenwoordigers van de Duitse, Franse, Italiaanse, Portugese, Chinese, Indiase en zelfs Argentijnse keuken. Verder is een aantal gelegenheden gespecialiseerd in lokale, West-Afrikaanse of zelfs Ethiopische gerechten en dan hebben we het nog niet eens gehad over ketens als Debonairs Pizzeria, Kentucky Fried Chicken en Nando's. Er is hier met andere woorden voor elk wat wils en voor een prijs die naar internationale maatstaven bijzonder redelijk is (in alle etablissementen - behalve de chique - bent u voor een hoofdgerecht veelal niet meer dan circa € 7 kwijt). Vaak hebt u verder de keuze uit een ruime selectie lokale bieren en Zuid-Afrikaanse wijnen.
In de drie belangrijkste havenplaatsen - Lüderitz, Walvisbaai en vooral Swakopmund - bevindt zich een veel kleinere, maar overigens vergelijkbare selectie restaurants. Hier zijn vis en schelpdieren de specialiteit, hoewel ook goede vleesgerechten geserveerd worden. Elders zijn in de stedelijke centra meestal slechts één of twee steakhouse-achtige etablissementen te vinden, die eenvoudige lokale vleesgerechten serveren. Maar weinig toeristen zullen echter veel tijd in het kleinstedelijke Namibië doorbrengen: de meeste gaan naar geïsoleerd gelegen lodges, rest camps en gastenboerderijen, die meestal kwalitatief goede (maar natuurlijk beperkte) drie- of viergangenmenu's (of buffetten) voor circa € 15 p.p. serveren.

Restaurants in wildparken en -reservaten

De onderstaande wildparken en -reservaten hebben een restaurant: Ai-Ais, Daan Viljoen, Etosha (Halali, Namutoni en Okaukuejo), Gross Barmen, Waterberg, Skeleton Coast Park (Terrace Bay) en Hardap. De openingstijden zijn veelal beperkt, dus informeer vooraf.

LIJST MET RESTAURANTS

WINDHOEK

Abyssinia Restaurant
Lossen Street 3
Tel. 061-254891/2
De Ethiopische keuken bestaat uit verschillende gekruide stoofschotels (waaronder een aantal goede vegetarische), die gegeten worden met een soort pannenkoekje dat injera heet. $$$
Restaurant Africa
Alte Feste Museum,
Robert Mugabe Avenue
Tel. 061-247178
Goede selectie traditionele Afrikaanse gerechten - waaronder knapperig gebakken mopanewormen! $$

Café Schneider
Levinson Arcade
Tel. 061-226304
Café met terras waar u terecht kunt voor koffie, ontbijt of lunch. $
Central Café
Levinson Arcade
Tel. 061-222659
Café met terras, ideaal voor ontbijt, lunch en koffie. $
Dunes Restaurant
Kalahari Sands Hotel
Gustav Voigts Centre
Independence Avenue
Tel. 061-280011
U zit hier op een terras met uitzicht op de Independence Avenue. Buffetten. $$$

El Cubano
Tal Street 48
Tel. 081-2917192
In een omlijsting die doet denken aan Havana eet u hier Cubaanse en creoolse gerechten. Centrale ligging, open tot 2.00 uur (ma. t/m za.). $$$$
El Gaucho Argentine Grill
Sam Nujoma Drive
Tel. 061-255503
Walhalla voor de vleesliefhebber: grote steaks en andere vleesgerechten. $$$
Fürstenhof Hotel
Frans Indongo Street
Tel. 061-237380
Formele ambiance. Ge-

serveerd worden Franse, Duitse en Namibische wildgerechten. $$$
Gourmet Restaurant
Kaiserkrone Centre,
vlak bij de Post Street Mall
Tel. 061-232360
Gevestigde exponent van de verfijnde Duitse keuken. $$$$
Grand Canyon Spur
Independence Avenue 251
Tel. 061-231003
Levendige ambiance. U eet hier hamburgergerechten op Amerikaanse wijze. $$
Jenny's Place
Sam Nujoma Drive 78
Klein Windhoek

VERVOER

Tel. 061-236792
Ontspannen ambiance in een tuin. Zeven dagen per week open voor koffie, gebak en lichte maaltijden. $

Joe's Beerhouse
Nelson Mandela Drive 160
Tel. 061-232457
Dit rustieke etablissement is zowel tussen de middag als 's avonds geopend. Joe's staat bekend om zijn goede vleesgerechten, en dan vooral hert. In de weekends is een dinerreservering meestal wel noodzakelijk. $-$$

La Marmite
383 Independence Avenue
Tel. 061-240306
Centraal gelegen en aangenaam restaurant dat gespecialiseerd is in de West-Afrikaanse keuken. $$

Luigi & The Fish
Sam Nujoma Drive 320
Tel. 061-263999
Uitstekende vis- en pastagerechten.

Mugg & Bean
Town Square, Post Office Mall
Tel. 061-248898
Snacks, warme maaltijden, de hele dag door ontbijt en

altijd verse koffie. Uitzicht op de levendige Post Street Mall. $

O Portuga
Nelson Mandela Drive
Tel. 061-272900
Portugese keuken op Angolese wijze, waaronder visgerechten voor een redelijke prijs. Ruime openingstijden (12.00-23.00 uur, zeven dagen per week). $$

Pizza Palace
Eros Shopping Centre
Tel. 061-239997
Betaalbare pizza's, ook om mee te nemen. $

Sardinia Pizzeria & Eiscafe
Independence Avenue 47
Tel. 061-225600
Informele ambiance en een goede, redelijk geprijsde Italiaanse keuken. $$

Taal Indian Restaurant
Independence Avenue 416
Tel. 061-221958
Populair restaurant dat zowel vlees- als vegetarische gerechten serveert.

Yangtze Chinese Restaurant
Sam Nujoma Drive 351
Tel. 061-234779
Chinese keuken. Zeer betaalbare wijnen. $$

ACCOMMODATIE

GROOTFONTEIN, TSUMEB, OUTJO EN OMARURU

Grootfontein

Le Club
Hidipo Hamutenya Street
Tel. 067-242414
Populair restaurant waar u in een ongedwongen sfeer kunt ontbijten, lunchen en dineren. Goede prijs-kwaliteitverhouding. $

Tsumeb

Minen Hotel
Post Street
Tel. 067-221071
www.minenhotel.com
De goed bereide gerechten worden hier in een tuin geserveerd. $-$$

Outjo

Etosha Garten Hotel
Otavi Street
Tel. 067-313130

In het Grasdak Restaurant aan de rivier worden lokale gerechten geserveerd. Goede prijs-kwaliteit-verhouding. $

Outjo Bäkkerei
Sam Nujoma Drive
Populair adres voor de lunch. U kunt hier terecht voor smakelijke sandwiches en hamburgers, maar ook voor een groot assortiment broodjes, gebak en andere zoetigheden. $

Omaruru

Staebe Hotel
Scheepers Drive
Tel. 064-570035
Hier worden gerechten uit de Duitse keuken op tafel getoverd. $-$$

UIT ETEN

KEETMANSHOOP EN LÜDERITZ

Keetmanshoop

Central Lodge
5th Avenue
Tel. 063-250586
Goed en betaalbaar restaurant met een dito wijnkaart. $$

Lara's Restaurant, Pub and Grill
Warmbader Road
Tel. 063-222233
Populaire kroeg waar eenvoudige kost, maar ook steaks, wild en andere grillgerechten geserveerd worden. $$

Uschi's Coffee Shop
Warmbader Road

Tel. 062-222445
Goedkoop en aangenaam adres; een lokaal instituut. Goede koffie, sandwiches, snacks, pizza's en lichte maaltijden. $

Lüderitz

Rotzi's Seafood Restaurant
Hafen Road
Lüderitz
Tel. 063-202818
Dit restaurant is gevestigd in de nieuwe Harbour Square Mall en heeft een balkon met uitzicht op de haven. Goede visgerech-

ten, maar ook verschillende vlees- en kipgerechten. Aangenaam geprijsde wijnkaart. $$$

Barrel's Bar & Restaurant
Berg St
Lüderitz
Tel. 063-202458
Sfeervolle kroeg in een pand dat van voor WO I dateert. De stevige gerechten van de dag gaan vergezeld van een salade (buffet) en een grote portie groenten. Goedkoop. $$

Diaz Coffee Shop
Bismarck Drive

Lüderitz
Tel. 063-203147
Een goede centrale locatie voor een lichte lunch, een stevige sandwich of een vers gezet kopje koffie. $

ACTIVITEITEN

PRIJZEN

Prijzen voor een maaltijd voor één persoon, inclusief een glas huiswijn:
$ = tot NAD 70
$$ = NAD 70-140
$$$ = NAD 140-210
$$$$ = vanaf NAD 210

PRAKTISCHE INFORMATIE

SWAKOPMUND

Café Anton
Hotel Schweizerhaus
Bismarck Street
Tel. 064-402419
Zowel ontbijt als lunch, maar het bekendst vanwege zijn koffie. Mooi uitzicht op zee. **$-$$**

Hansa Hotel
Hendrik Witbooi Street 3
Tel. 064-414200
Dit elegante, honderd jaar oude hotel heeft ook een gevestigd en gerenommeerd restaurant. In een formele ambiance wordt hier een goede keuze aan continentale gerechten geserveerd, waarbij de nadruk ligt op vis en schelpdieren. **$$$$$**

Hotel Swakopmund and Entertainment Centre
Theo-Ben Gurabib Street 2
Tel. 064-400777
De dinerbuffetten bestaan uit verschillende soorten vis- en vleesgerechten. **$$-$$$**

Kücki's Pub
Moltke Street
Tel. 064-402407
Levendige bar met bijzonder goede gerechten en vriendelijk personeel. Reserveren is vaak noodzakelijk. **$-$$**

Mandarin Garden Chinese Restaurant
Brücken Street
Tel. 064-402081
Goede, maar te dure Chinese gerechten. **$$$$**

Strand Hotel
Beach Front
Tel. 064-400315
Befaamd vanwege de verse vis en schelpdieren. **$-$$**

The Lighthouse Pub and Restaurant
Pool Terrace, bij de Promenade Street
Tel. 064-400894
Probeer hier rond zonsondergang een plaatsje op het balkon te bemachtigen. De steakhouse-achtige gerechten zijn bijzonder goed en redelijk geprijsd. In de weekends is reserveren noodzakelijk. **$-$$**

The Tug
Strand Road
Tel. 064-402356
Verse vis in een sleepboot, met prachtig uitzicht op zee. Reserveren is noodzakelijk. **$$-$$**

Erich's Restaurant
Daniel Tjongarero Street 21
Tel. 064-405141
Grote keuze aan vis en schelpdieren. Reserveren is aan te bevelen. **$$-$$**

WALVISBAAI

Crazy Mama's
Sam Nujoma St, tegenover het Atlantic Hotel
Tel. 064-207364
Centraal gelegen etablissement met een ontspannen ambiance. Ruime keuze, maar vooral de pizza's zijn goed. **$$**

Raft Restaurant
Esplanade Lagoon
Tel. 064-204877
Dit stijlvolle visrestaurant heeft dezelfde eigenaars als The Tug in Swakopmund. Prachtig uitzicht over de lagune. Reserveren is beslist noodzakelijk. **$$$$**

Castle Park Restaurant
Sam Nujoma Drive
Een van de weinige adressen in het centrum van Walvisbaai waar u op zondag een hapje kunt eten. Dit degelijke en aangenaam geprijsde steakhouse heeft echter een enigszins smakeloos interieur, dat de jacht als centraal thema heeft. Zo hangt er boven de hoek van een van de tafels een opgezette baviaan met ontblote tanden. **$$**

A CTIVITEITEN

BEZIENSWAARDIGHEDEN, KUNST EN CULTUUR, UITGAAN, WINKELEN EN NOG VEEL MEER ...

BEZIENSWAARDIGHEDEN

In dit hoofdstuk vindt u informatie over openingstijden, entreebewijzen en adressen van de bezienswaardigheden die in het *Reizen door*-gedeelte van dit boek staan vermeld. De volgorde van de hoofdstukken is aangehouden. Als achter de naam een cijfer of letter staat (bijvoorbeeld ❶), is dat de verwijzing naar de kaart in het betreffende hoofdstuk.

Windhoek (blz. 157 t/m 164)
State Museum
Open ma. t/m vr. van 9.00-17.00, za. en zo. van 10.00-12.30 en van 15.00-17.00 uur; op feestdagen gesloten.
Toegang gratis; een donatie is welkom.
Christuskirche ❶
Tel. 061-236002
Rondleidingen op wo. om 16.00 en op za. om 11.00 uur
Parlementsgebouwen (Tintenpalast) ❶
Tel. 061-2882605
Rondleidingen alleen na reservering.
Owela Museum ❶
Zelfde openingstijden als het State Museum.
National Art Gallery of Namibia ❶
Open ma. t/m vr. van 8.00-17.00, za. van 9.00-14.00 en zo. van 11.00-16.00 uur.
Ma. t/m vr. toegang gratis, za. en zo. entreegeld.
TransNamib Transport Museum
Open ma. t/m vr. van 10.00-13.00 en 14.00-17.00 uur, entreegeld.
Kasteel Heinitzburg ❶
Het huidige Hotel Heinitzburg Garni.
Tel. 061-249597

www.heinitzburg.com
Daan Viljoen Game Park
Dagelijks open van zonsopgang-18.00 uur
Entreegeld.

Centraal-Namibië (blz. 169 t/m 176)
Okahandja
Ombo Ostrich Farm
Tel. 062-501176
Entreegeld.

Usakos
Ameib Ranch ❶
Tel. 064-530803

Omaruru
Erongo Lodge
Tel. 064-570852
www.erongolodge.iway.na

Kalkfeld
Otjihaenamaparero Farm
Entreegeld.

Tsumeb
Tsumeb Museum
Open ma. t/m vr. van 9.00-12.00 en van 15.00-18.00, za. van 9.00-12.00 uur.
Toegang gratis.
Tsumeb Arts and Crafts Centre
Open ma. t/m vr. van 8.30-13.00 en van 14.30-17.00, za. van 8.30-13.00 uur.

Grootfontein
Hoba-meteoriet
Entreegeld.

Dordabis
Dorka Teppiche
Tel. 062-573581
Alleen op afspraak.
Ibenstein Weavers
Tel. 062-560047

Noordwest-Namibië (blz. 215 t/m 223)
Khorixas
Petrified Forest (Versteend Woud)
Dagelijks open.
Entreegeld.
Twyfelfontein ❼
Dagelijks open van 8.00-17.00 uur.
Entreegeld.

De Geraamtekust (blz. 227 t/m 232)
Cape Cross
Dagelijks open van 10.00-17.00 uur.
Entreegeld.

De Namibwoestijn (blz. 237 t/m 244)
Swakopmund
Swakopmund Museum ❶
Bij het Strand Hotel, dagelijks open van 10.00-13.00 en van 14.00-17.00 uur.
Entreegeld.
Kristall Gallery
Open ma. t/m za. van 9.00-17.00 uur.
Entreegeld.
National Marine Aquarium ❶
Open di. t/m zo. van 10.00-16.00 uur. Elke di., za. en zo. om 15.00 uur worden de haaien gevoederd.
Entreegeld.
Living Desert Snake Park
Open ma. t/m vr. van 8.30-17.00, za. 8.30-13.00 uur.
Voedertijd op za. om 10.00 uur.
Entreegeld.

Zuid-Namibië (blz. 249 t/m 255)
Keetmanshoop
Keetmanshoop Museum
Open ma. t/m vr. van 7.30-12.30 en van 13.30-16.30 uur.
Toegang gratis.

Lüderitz
Lüderitz Safaris and Tours
Tel. 063-202719

Goerke Haus ❿
Open ma. t/m vr. van 14.00-16.00, za. en zo. van 16.00-17.00 uur; op feestdagen gesloten. Entreegeld.

KUNST EN CULTUUR

Kunstgaleries

In de National Art Gallery of Namibia (www.nagn.org.na) in Windhoek bevindt zich de belangrijkste permanente collectie lokale kunst, variërend van landschapsschilderijen uit het koloniale tijdperk tot hedendaagse werken die de politieke en maatschappelijke situatie weerspiegelen. Op werkdagen is de toegang vrij, in het weekend en op officiële feestdagen moet een gering bedrag worden betaald.

In diverse kunstgaleries in Windhoek en Swakopmund kunt u Namibische kunstwerken kopen. Galeries in de hoofdstad zijn onder andere: Artelier Kendzia, Volans Street 14, tel. 061-225991 en Wilderness Gallery, Bülow Street 19, tel. 061-238207. Swakopmund heeft de reputatie van kunstenaarsbolwerk en

biedt vele galeries, waaronder: Die Muschel, Hendrik Witbooi Street, tel. 064-402874, Gallerie Rapmund, Bismarck Street, tel. 064-402035 en Hobby Horse, The Arcade, Hendrik Witbooi Street, tel. 064-402875.

Theater

Het National Theatre of Namibia

In het **National Theatre of Namibia** (NTN) worden het hele jaar door toneelstukken en andere theaterproducties opgevoerd. Vele hiervan zijn lokale producties, maar ook internationale gezelschappen die in Zuid-Afrika toeren doen soms Namibië aan. Het theater biedt plaats aan 470 toeschouwers en bevindt zich op de hoek van de Robert Mugabe Avenue en de John Meinert Street. Voor reserveringen kunt u terecht op ma. t/m vr. 9.00-12.00 en 14.00-16.00 uur (tel. 061-237966).

Het **Alte Brauerei Warehouse Theatre** van NTN in Tal Street wordt voornamelijk gebruikt voor drama en cabaret. Het theater is gevestigd in de oude brouwerij van Windhoek en ademt daarom een informele sfeer.

Kunstfaculteit

Ook de **kunstfaculteit** van de univer-

siteit van Namibië in Windhoek voert verscheidene dramaproducties uit. De nadruk ligt op experimenteel theater en workshops, maar ook klassiek drama wordt opgevoerd. Bij het Department of Performing Arts (Instituut voor Uitvoerende Kunsten, tel. 061-225841) kunt u informatie over het programma krijgen. De toegangsprijs is inclusief een kleine snack en een glas wijn, bier of vruchtensap.

Ook andere gezelschappen voeren zo nu en dan theaterproducties op. Kijk in de lokale bladen voor nadere informatie.

Ander amusement

Van de verscheidene koren in Windhoek is het dertigkoppige **Cantare Audire** een van de populairste. Het koor werd in 1972 opgericht en was in 1985 de beste in de categorie gemengde koren bij het International Eisteddfod (een muziekfeest) in Wales. Cantare Audire heeft ook door Duitsland, Oostenrijk en de Verenigde Staten getoerd. Verder geeft het nationale jeugdkoor van Namibië zo nu en dan een uitvoering.

Het **College for the Arts** (Hogeschool voor de Kunsten) in de Peter Müller Street biedt een gevarieerd programma, van kunsttentoonstellingen tot uitvoeringen van het kamerorkest, dat uit docenten en studenten bestaat. Kijk op het informatiebord bij de Hogeschool of in de lokale publicaties voor actuele informatie. Ook het veertigkoppige nationale symfonieorkest van Namibië geeft regelmatig een uitvoering.

FESTIVALS

Een van de kleurrijkste en spectaculairste evenementen in Namibië is de jaarlijkse **Maharero Day**, een feestdag van de Red Flag Herero. Toneel van de feestelijkheden (in het weekend dat het dichtst bij 26 augustus ligt) is Okahandja. De dag begint met parades van verscheidene eenheden geüniformeerde mannen in de buitenwijken van de stad. De mannen zingen gedichten ter ere van hun helden en voorvaderen, terwijl de vrouwen veel kabaal maken. Halverwege de ochtend gaat een processie van mannen (waarvan sommigen te paard) en vrouwen in hun Victoriaanse jurken naar de plek waar hun grote leiders begraven liggen. Hier betuigen ze *ombimbi* (respect).

De **Mbanderu**, of Green Flag Herero, eren hun overleden leiders in het weekend voorafgaand aan of van 11 juni. Ook deze festiviteiten vinden

---

Onder: Elk jaar herdenken de Red Flag Herero hun voorouders met feestelijkheden in Okahandja.

plaats in Okahandja. Voor deze gelegenheid dragen alle vrouwen een groene Victoriaanse jurk.

Ook in het weekend voorafgaand aan 10 oktober vindt een traditioneel Herero-evenement plaats. Dan komen volgelingen van Herero-opperhoofd **Zeraua** - de White Flag Herero - bijeen in Omaruru.

Het belangrijkste culturele evenement in de hoofdstad is zonder twijfel het WIKA, het **Windhoek Karneval**, hoewel dit niet te vergelijken is met het beroemde carnaval van Rio de Janeiro. Het WIKA vindt doorgaans rond eind april of begin mei plaats en begint op vrijdagavond met het Prinzenball. Bijzonder populair zijn vooral de Büttenabende (muziek en sketches); op een van deze avonden is het Engels voertaal. Een ander hoogtepunt van de carnavalsweek is het Maskenball (gemaskerd bal), dat op de vrijdagavond voor de Kehraus - het einde van het carnaval - plaatsvindt. Er is ook een *ladies' night*, een jeugdcarnaval en een kindercarnaval.

Ook in Swakopmund wordt ieder jaar carnaval gevierd: het KUSKA - **Küste Karneval** oftewel Kustcarnaval - vindt plaats in augustus/september. Verder zijn ook Otjiwarongo en Tsumeb jaarlijks het toneel van festiviteiten rond carnaval. In Windhoek wordt een oktoberfeest georganiseerd, maar wel op een veel bescheidener schaal dan dat in München.

BIOSCOOP

In de bioscopen van Windhoek (bel 061-248980 voor meer informatie) en Swakopmund (tel. 064-400777) worden zeven dagen per week films vertoond. In Windhoek vinden verder ieder jaar een filmfestival, een festival van de klassieke film en een kinderfilmfestival plaats, die georganiseerd worden door het National Theatre of Namibia (NTN). Kijk in de lokale bladen voor meer informatie.

UITGAAN

Wie op zoek is naar een bruisend uitgaansleven, wordt in Namibië waarschijnlijk teleurgesteld. Slechts een paar hotels hebben een nachtclub of discotheek en verder is er voor de gasten over het algemeen maar weinig amusement. In Windhoek zijn een paar nachtclubs, maar die bevinden zich buiten het centrum. Kijk in de lokale bladen of vraag bij de receptie van uw hotel waar er wat te beleven is.

WINKELEN

Waar te winkelen

Een groot deel van de informele winkelsector is gericht op de toeristenmarkt. In Windhoek komen souvenirjagers goed aan hun trekken op de markt en de Post Street Mall en op de straatmarkt op de hoek van de Peter Müller Street en de Independence Avenue. De meeste curiositeiten-, boek- en juwelierswinkels zijn geopend ma. t/m vr. 8.30-17.00 en za. 8.00-13.00 uur.

De meeste supermarkten zijn tot 18.00 uur open en bij de grotere kunt u ook op zaterdagmiddag en zondag terecht. Houd er rekening mee dat veel winkels rond lunchtijd (13.00-14.30/15.00 uur) gesloten zijn, vooral in de wat kleinere steden.

Wat te kopen

ANTIEK
Windhoek

Bushman Art, Independence Avenue, tel. 061-228828.

BOEKEN
Windhoek

Book Cellar, Fidel Castro Street, tel. 061-231615.
Book Den, Frans Indongo Gardens, tel. 061-239976.
Central News Agency (CNA), Gustav Voigts Centre, tel. 061-225625 en Wernhil Park, tel. 061-240369.

Swakopmund

Swakopmunder Buchhandlung, Sam Nujoma Drive, tel. 064-402613.
CNA, Hendrik Witbooi Street, tel. 064-404488.

EDELSTENEN

Snuffelen bij de edelstenenverkopers van Namibië is beslist de moeite waard. Wees echter gewaarschuwd, want sommige als lokaal bestempelde edelstenen zijn in werkelijkheid uit Zuid-Amerika geïmporteerd.

Windhoek

African Gemstone Exchange, Wernhil Park, bovenste verdieping, tel. 061-227735.
Rocks and Gems, SWABOU Building, begane grond, Independence Avenue, tel. 061-235560.
The House of Gems, Stübel Street 131, tel. 061-225202.

The Jewel of Namibia, Mandume Ndemufayo Street 197, Windhoek, tel. 061-240327.

Swakopmund

Desert Gems, Hendrik Witbooi Street 2, tel. 064-402400.
Stonetique, Dr Libertine Amuthila Street 27, tel. 064-405403.
The Tourmaline Shop, NDC Centre, Knoblauch Street, tel. 064-462810.

Wie onderweg is van Swakopmund naar Okahandja (of vice versa), kan ook even gaan kijken bij het **Henckert Tourist Centre** in de hoofdstraat van Karibib (tel. 064-550700).

KLEDING

Namibië is wereldberoemd om zijn karakoelvachten (Swakara). Bedenk echter dat de pasgeboren lammetjes worden gevild in plaats van geschoren en dat de duurdere 'broadtail' van foetussen komt. In Windhoek worden Swakara-jassen en ander textiel en bontwerk gemaakt. In vergelijking met Europa zijn lederwaren in Namibië aangenaam geprijsd. Zo kunt u hier kleding van buffel- en struisvogelleer kopen, maar omdat de struisvogel-industrie van Namibië nog in de kinderschoenen staat, komen de meeste van deze producten uit Zuid-Afrika.

KUNST EN KUNSTNIJVERHEID

In de curiositeitenwinkels vindt u een grote verscheidenheid aan curiosa, van authentieke kunstnijverheid van de inheemse bevolking van Namibië en zijn buurlanden tot de gebruikelijke artikelen die in massaproductie worden vervaardigd.

Windhoek

Namibia Crafts Centre, Tal Street, in het gebouw van de Alte Brauerei, tel. 061-242222, www.catgem.com/ namibiacrafts.
African Curiotique, Gustav Voigts Centre, Independence Avenue, tel. 061-236191.
Bushman Art, Independence Avenue 187, tel. 061-228828/229131, www.bushmanart.com.
Rogl Souvenirs, Independence Avenue, tel. 061-225481.
Penduka Project Centre, Katutura, tel. 061-257210.

Swakopmund

Okaporo Curio, Sam Nujoma Avenue, tel. 064-405795.

Outjo

The Tourist Shop, Etosha Street, tel. 067-313176.

SAFARI-/KAMPEERUITRUSTING

Windhoek

Cymot City, Mandune Ndemufayo Avenue, tel. 061-234131.
Le Trip, Wernhil Park, tel. 061-233499.
Holtz Safariland, Gustav Voigts Centre, tel. 061-235941.
Trappers Trading Co., Wernhil Park, tel. 061-223136.
Kampeeruitrusting is te huur bij:
Africa Safari Kit Hire
Gloudina Street 29, Ludwigsdorf, Windhoek, tel. 081-1283025, www.askhire.com.
Camping Hire Namibia
Malcolm Spence Street 78, Olympia, Windhoek (of PO Box 80029), tel. 061-252995, www.orusovo.com/camphire
(*zie ook Camperhuur, blz. 260*).

Swakopmund

Safariland-Holtz, Sam Nujoma Drive, tel. 064-462387.

SIERADEN

Er is een groot aanbod van handge-maakte Namibische sieraden. Ook sieraden uit Zambia, Zimbabwe en Lesotho zijn een goede optie en eveneens ruim voorhanden.

Windhoek

Adrian and Jack, Levinson Arcade, Independence Avenue, PO Box 1772, tel. 061-225502.

Onder: Een tochtje in een heteluchtballon.

Canto Jewellers, Levinson Arcade, PO Box 1723, tel. 061-222894.
Herle & Herma, Sanlam Centre, Independence Avenue, PO Box 3837, tel. 061-224578.
Horst Knop Jeweller, Kaiserkrone Centre, Post Street Mall, PO Box 327, tel. 061-228657.
W Meyer Jewellers, Independence Avenue 264, PO Box 832, tel. 061-236100.

Swakopmund

African Art Jewellers, Hendrik Withooi Street, PO Box 1479, tel. 064-405566.

TAPIJTEN

Namibië staat bekend om zijn uit-stekende, handgeweven karakoel-tapijten. U kunt hiervoor terecht bij de volgende bedrijven:

Omgeving Windhoek

Ibenstein Weavers, nabij Dordabis, tel. 062-573524.
Dorka Weavers, ten oosten van Windhoek, tel. 061-573581.
Der Webervogel, Independence Avenue, Kalahari Sands Building, tel. 061-272586, www.webervogel. com.na.

Swakopmund

Karakulia Crafts Centre, Knoblauch Street, tel. 064-461415, www.karakulia.com.na.

SAFARI'S

De volgende lokale touroperators kunnen een safari voor u organise-ren. Andere adressen zijn te ver-krijgen via het Verkeersbureau van Namibië.
Namib Wilderness Safaris
Tel. 061-274500/239455
PO Box 6850, Windhoek
Tel. 061-225178
www.wilderness-safaris.com
Namibia Tours & Safaris
Tel. 064-406038
www.namibia-tours-safaris.com
Southern Cross Safaris
PO Box 941, Windhoek
Tel. 061-251553
www.southern-cross-safaris.com
Pack Safaris
PO Box 29, Windhoek
Tel. 061-231603
www.packsafari.com
KaokoHimba Safaris
PO Box 11580, Windhoek
Tel. 061-222378
www.natron.net/tour/kaoko/himbae
Begeleide reizen voor kleine groepen naar het Kaokoveld.
Trans Namibia Tours
P.O. Box 6746, Windhoek
Tel. 061-371100/37
www.trans-namibia-tours.com
Abenteuer Africa Safaris
PO Box 1490, Swakopmund
Tel. 064-404030
www.abenteuerafrika.com
Desert Adventure Safaris
Tel. 064-403274
Bismarck Street 38 (of PO Box 2915) Swakopmund
www.das.com.na
Neushoornobservaties in samenwer-king met Save the Rhino Trust en andere gespecialiseerde tochten.

BUITENACTIVITEITEN

Ballonvaren

Het uitzicht over de Namibwoestijn vanuit een heteluchtballon is niet te evenaren. De tocht gaat alleen bij goed weer door en verder moeten er minimaal twee passagiers zijn.
Neem voor meer informatie contact op met:
Camp Mwisho in het NamibRand Nature Reserve (tel. 061-230616).
Ook kunt u zich wenden tot:
Namib Sky Adventure Safaris
PO Box 5197, Windhoek
Tel. 063-293233
www.balloon-safaris.com
African Adventure Balloons
Swakopmund Adventure Centre

PO Box 2567, Swakopmund
Tel. 064-403455
www.namplaces.com/aab
Ballonvaarten, skydiven, quadbiken
en sandboarden.

Bergbeklimmen

Namibië heeft de bergbeklimmer een
aantal prachtige gebieden te bieden,
zoals de Spitzkoppe, de Brandberg en
het Erongogebergte. De Brandberg is
de grootste uitdaging, vanwege het
extreem ruige terrein, het gebrek aan
water en de hoge temperaturen. Wie
onervaren is of een slechte tot matige
conditie heeft, mag zich onder geen
beding aan een beklimming wagen.
Een zorgvuldige planning is een
vereiste en een beklimming van de
Königstein, het dak van Namibië
(2574 m) kan het beste in het
gezelschap van een kundige gids
worden gedaan (tel. 061-234610).
Wie weet af te rekenen met de
genoemde omstandigheden, wordt
beloond met prachtige uitzichten en
even mooie rotsschilderingen.
   Neem voor meer informatie contact
op met de **Mountain Club of Namibia**
in Windhoek, tel. 061-232506.

Golf

The Windhoek Country Club en de
Rossmund Golf Club in Swakopmund
bieden beide een goed onderhouden
18 holes-baan. Ook in Walvisbaai,
Henties Bay en Tsumeb kunt u
golfen.

Jagen

In Namibië zijn er tal van
mogelijkheden om de jachtsport te
beoefenen. De dieren waarop u mag
jagen zijn de spiesbok, de koedoe,
de springbok en het knobbelzwijn. Op
alle andere dieren mag alleen worden
gejaagd als u een vergunning hebt.
   Neem voor meer informatie
contact op met de **Namibia
Professional Hunters Association**
(NAPHA), Windhoek, tel. 061-
234455, www.natron.net/napha.

Kamperen

In Namibië kunt u op verschillende
manieren kamperen: in de wildernis
(waar u volledig op uzelf aangewezen
bent!), zoals in Kaokoland en
Bushmanland, en op speciale
locaties of in *rest camps* zoals die in
de nationale parken. Bij de laatste
zijn sanitaire voorzieningen en
proviand wel binnen handbereik.
Voor uitrusting zie blz. 278.

Paard- en kameelrijden

De Namib Desert Ride (400 km)
begint op de Farm Hilton in het
Khomas Hochland, ten westen van
Windhoek, en eindigt in Swakopmund. Meer informatie kunt u krijgen
bij **Reit Safari Horse Trails** (PO Box
20706, Windhoek, tel. 061-250764,
www.reitsafari.com). Voor een tochtje
langs de kust bij Swakopmund neemt
u contact op met **Okakambe Trails**
(tel: 064-402799, www.okakambe.
iway.na).
   Ook is het mogelijk om een tochtje
op de rug van een kameel te maken;
bel hiervoor met tel. 064-400363.
   Nadere informatie is ook te verkrijgen bij:
The Namibia Equestrian Foundation
PO Box 5445, Windhoek
Tel. 061-238886.

Rafting

Rafting is alleen mogelijk in het
uiterste zuiden (de Oranjerivier) en
noorden (delen van de rivier de
Kunene) van het land.
Kunene River Lodge (PO Box 643,
Ondangwa, tel. 065-274300,
www.kuneneriverlodge.com).
Organiseert raftingtrips.
Felix Unite (Hill House,
5e verdieping, Somerset Road 43,
Green Point, Kaapstad, Zuid-Afrika,
tel. 0027-216701300,
www.felixunite.com).
Rafting op de Oranjerivier.
Inshore Safaris (Walvisbaai, tel. 064-
202609, www.inshore.com.na).
Boottochten, duinsporten en
kajakken op zee.

Sandboarden en quadrijden

Wie van avontuur houdt, kan in het
duingebied langs de kust zowel
sandboarden als quadrijden. Neem
voor meer informatie contact op met
een van deze twee touroperators:
Abenteuer Afrika, tel. 064-404030,
www.abenteuerafrika.com
Dare Devil Adventures, Swakopmund
tel. 064-209532

Scubaduiken

De bijzondere ondergrondse meren
van Namibië, zoals Dragon's Breath
en het Otjikotomeer, zijn alleen
geschikt voor ervaren duikers. Neem
voor meer informatie contact op met:
**Namibian Underwater Federation
(NUF)**
PO Box 40003, Windhoek
tel. 061-238320

Skydiven

Windhoek en Swakopmund bieden de
ideale omstandigheden voor skydiven
en paragliden. Voor meer informatie
kunt u terecht bij een van de toeristenbureaus.
   Ook kunt u contact opnemen met:
Swakopmund Adventure Centre
Roon Strasse, Swakopmund
tel. 064-406096

Sterren kijken

Dankzij de geringe luchtvervuiling is
Namibië een van de beste locaties
ter wereld om sterrenhemels te
bewonderen. In het Auasgebergte,
ten zuiden van Windhoek, bevindt
zich een observatorium; neem voor
meer informatie contact op met tel.
061-238982.

Terreinrijden

Namibië biedt talloze mogelijkheden
op het gebied van terreinrijden,
waaronder de **Isabis Trail**, ten westen
van Windhoek (tel. 061-228839), de
Windhoek-Okahandja Trail, ten
noorden van Windhoek (tel. 061-
257157), de **Uri Desert Run** (PO Box
83, Koes, tel. 0632532 - vragen naar
2021) en de **Naukluft Four Wheel
Drive Trail** (tel. 061-256446).

Vissen

De kust van Namibië wordt al sinds
jaar en dag beschouwd als een van
de aantrekkelijkste visgebieden langs
de kustlijn van zuidclijk Afrika en van
half januari tot eind maart zijn rijen
zongebruinde hengelaars hier dan
ook een vertrouwd gezicht. Een dagje
vissen kan echter op een teleurstel-
ling uitlopen als u niet bekend bent
met de lokale omstandigheden.
   Het **Swakopmund Restcamp** is een
populaire uitvalsbasis van hengelaars,
maar ook diverse kampeerplaatsen ten
noorden van Swakopmund worden veel
bezocht. **Namibia Wildlife Resorts**
(*zie blz. 281*) onderhoudt een aantal
eenvoudige kampeerplaatsen in het
National West Coast Recreation Area,
bij Mile 14 (22 km ten noorden van
Swakopmund), Jakkalsputz (60 km ten
noorden van Swakopmund), bij Mile
72 (115 km ten noorden van
Swakopmund) en bij Mile 108 (175 km
ten noorden van Swakopmund) .
   De faciliteiten in het **Skeleton
Coast Park** beperken zich tot eenvoudige kampeerplekken bij Torra Bay
- die alleen in dec. en jan.
toegankelijk zijn - en bungalows bij
Terrace Bay. De meest gevangen
vissoorten zijn hier *kabeljou*,
steenbrasem en *blacktail*, maar

galjoen is de meest gezochte vis. Ook barbeel wordt regelmatig gevangen; gerookt is deze vis een delicatesse.

Hetgeen u aan de haak slaat is sterk afhankelijk van het soort aas dat u gebruikt. Goede keuzen zijn mestpieren en verse pelsers, die voor vrijwel elke vissoort geschikt zijn. Als u echter op galjoen vist, kunt u beter witte mosselen (of ook mestpieren) gebruiken. Steenbrasems zijn verzot op garnalen en witte mosselen, terwijl u *kabeljou* alleen een plezier doet met witte mosselen.

Voor sommige vissoorten hebt u een vergunning nodig en verder dient u rekening te houden met de minimaal toegestane lengte van uw vangst en de maximale hoeveelheid aas die u mag meenemen. Onthoud verder dat u een overtreding begaat als u in het bezit bent van meer dan 25 galjoenen. Neem voor meer informatie contact op met het Namibische **Ministerie van Visserij** (tel. 064-405744).

Een aantal booteigenaars biedt vanuit Swakopmund visexcursies aan. Informatie over deze excursies kunt u krijgen bij het kantoor van **Namib I** in de Sam Nujoma Drive; (tel. 064-404287/ 403129, www.namibi.org.na) of kijk op www.swakop.com.

De stuwmeren in het binnenland van Namibië wemelen van de zoet-watervissen. Hardap, het mekka van de zoetwaterhengelaars, zit boordevol karper, geelvis, barbeel, moddervis en moggel. Verder vindt u in de Von Bach Dam net buiten Okahandja karper, kurper en zwarte baars, en in de Otjivero Dam nabij Gobabis barbeel en kurper. In de Fish River komen vijf vissoorten voor, waarvan vooral de buitengewoon grote barbeel in de poelen aan de voet van de dam bij het **Ai-Ais Resort** zich in een grote belangstelling mag verheugen. Ook diverse soorten geelvis, karper en blauwe kurper komen veel voor in de Fish River.

Een vergunning voor het vissen in zoet water is verkrijgbaar bij het Ai-Ais Resort, Hardap, het Von Bach Recreation Resort, het *rest camp* bij de Popa-watervallen of het toeristenbureau. De minimaal toegestane lengte van de meest gevangen vissoorten is: kurper 20 cm, karper en baars 25 cm, geelvis 30 cm en barbeel 35 cm. Van deze soorten mag u er niet meer dan tien in uw bezit hebben, maar aan de aantallen moddervis en moggel zijn geen limieten verbonden.

Maïspapbolletjes en wormen zijn het beste aas voor karper en kurper, terwijl kunstaas en wormen het geschiktst zijn voor baars. Barbeel heeft heel eigen voorkeuren: kippenlever, wormen, vissenkoppen en -ingewanden.

In de rivier de Zambezi in Noord-oost-Namibië kunt u op tijgervissen vissen, het beste tussen augustus en december. Andere soorten die hier voorkomen zijn brasem, meerval, barbeel en nembwe. U kunt een boot en visgerei huren in Katima Mulilo of een vissafari boeken bij Kalizo (*zie hierna*). De keuze bestaat uit een safari van een weekend of een week, maar u kunt ook een safari geheel op uw wensen laten toesnijden. Alle safari's vertrekken vanuit een kamp op de oevers van de Zambezi, op circa 35 km van Katima Mulilo. Voor reserveringen neemt u contact op met **Kalizo**, PO Box 1854, Ngweze, tel. 066-252802/3, www.kalizolodge.com.

Vogelobservaties

Wie graag vogels observeert, komt het meest aan zijn trekken in het noordoosten van het land. In Oost-Kavango zijn tot nog toe 417 soorten geregistreerd en in Oost-Caprivi 430. Vooral het *rest camp* bij de Popa-watervallen en het nabijgelegen Mahango Game Reserve (die beide met een gewone auto te bereiken zijn) zijn populair onder vogelaars, met name tijdens de zomermaanden.

Onder: De Sossusvlei.

Ook het Kaudom Game Reserve is een bezoek beslist waard, maar daar hebt u een terreinauto nodig.

In het Etosha National Park zijn 340 vogelsoorten geregistreerd. Na overvloedige zomerregens trekt de Etosha Pan grote aantallen watervogels, maar in droge jaren zult u hier nog geen honderd soorten spotten.

Het wetland van Walvisbaai, dat wordt aangedaan door tienduizenden paleoarctische trekvogels, behoort tot de tien belangrijkste wetlands van Afrika. Verder is dit een habitat voor respectievelijk 63, 60 en 42 procent van de populaties Kaapse plevieren, kleine flamingo's en gewone flamingo's van zuidelijk Afrika. De kiezelvlakten ten noorden van Walvisbaai zijn het leefgebied van 80 procent van de wereldbroedpopulatie Damara-sterns, terwijl de Namibleeuwerik de kiezelvlakten tussen Lüderitz en Zuidwest-Angola als habitat heeft.

De **Namibia Bird Club** organiseert regelmatig bijeenkomsten en excursies. Meer informatie: PO Box 67, Windhoek, tel. 061-225372.

Wandelen

Vanwege de droogte in Namibië zijn de mogelijkheden voor uitgebreide wandeltochten vanzelfsprekend beperkt, maar evengoed hebt u de keuze uit een aantal goede alternatieven.

De **Fish River Canyon Backpacking Trail** in het desolate landschap van Zuid-Namibië wordt beschouwd als een van de beste vijf wandelroutes in zuidelijk Afrika. De 85 km lange route vergt een uitstekende conditie en bovendien moeten de wandelaars volkomen zelfvoorzienend zijn. Verder moet een groep uit minimaal drie personen bestaan. De extreme temperaturen en het gevaar van overstromingen maken de tocht in de zomer onmogelijk. De route is dan ook alleen opengesteld tussen 1 mei en 30 september.

De spectaculaire **Naukluft Hiking Trail** aan de rand van de Namibwoestijn doorkruist zinderende vlakten en diepe ravijnen. Onderweg kunt u zich laten imponeren door de prachtigste uitzichten. U hebt de keuze uit een vierdaagse route van circa 60 km of een achtdaagse route van 120 km.

De steile beklimmingen en het rotsige terrein vragen veel van het lichaam. De route is dan ook niet geschikt voor beginners of mensen met een slechte tot matige conditie. Vanwege de hoge temperaturen in de zomer zijn wandelingen alleen tussen 1 maart en 31 oktober toegestaan. Een groep moet uit minimaal drie en uit maximaal twaalf personen be-

staan. De accommodatie onderweg bestaat uit gerenoveerde boerderijen of eenvoudig stenen hutten zonder faciliteiten. Wandelaars moeten dus hun eigen uitrusting meedragen, waaronder een lichtgewicht komfoortje omdat het maken van open vuur niet is toegestaan.

De hiervoor genoemde wandelingen kunt u op eigen gelegenheid maken, maar u kunt ook kiezen uit twee wandeltochten met gids. De eerste, de driedaagse **Ugab River Wilderness Trail** in het Skeleton Coast Park, biedt u de gelegenheid om de Namibwoestijn te voet te verkennen. Voor water en brandhout wordt gezorgd, maar eten en een uitrusting - waaronder een slaapzak - dient u zelf mee te nemen. De nacht wordt onder de blote hemel doorgebracht. De vierdaagse wandelingen vinden het hele jaar door op elke tweede en vierde di. van de maand plaats.

De andere wandeltocht met gids is de **Waterberg Guided Wilderness Trail**, die gericht is op de geologie, het wild en de geschiedenis van het gebied. Zo volgt u onder andere de sporen van zeldzame wildsoorten die in het park voorkomen - de witte en de zwarte neushoorn, de sabel- en de paardantilope en talloze andere dieren. De wandelingen vinden plaats vanuit een basiskamp en worden toegesneden op de conditie en wensen van de groep. Het kamp bestaat uit hutten die voorzien zijn van bedden met schuimrubber matrassen, koud water en een open haard. Wandelaars hoeven alleen een eigen slaapzak, proviand en persoonlijke zaken mee te nemen, want voor rugzakken, waterflessen, kook- en eetgerei en een EHBO-kistje wordt gezorgd. De tochten beginnen op de derde en vierde do. van elke maand (tussen april en november) en eindigen op de vroege zondagmiddag.

Voor alle hiervoor genoemde wandeltochten moet worden gereserveerd bij **Namibia Wildlife Resorts** in Windhoek (*zie hierna*). (Let op: wie de Fish River Canyon Backpacking Trail, de Naukluft Hiking Trail of de Ugab River Wilderness Trail wil lopen, moet een door een arts opgestelde verklaring van een goede gezondheid kunnen overleggen.)

Wie niet de tijd of de conditie heeft voor meerdaagse wandelingen, kan een keuze maken uit diverse dagtochten: de **Waterkloof Trail** en de **Olive Trail** in het Naukluft-deel van het Namib-Naukluft Park, de **Wag-'n-Bietjie Trail** en **Rooibos Trail** in het Daan Viljoen Game Park en twee routes in het Hardap Game Reserve. Ook vanuit het *rest camp* Halali in het Etosha National Park kunt u een

korte wandeltocht maken en verder zijn er wandelroutes uitgestippeld rond het *rest camp* Bernabe de la Bat in het Waterberg Plateau Park.

Voor meer informatie over een van de genoemde tochten kunt u contact opnemen met:
Namibia Wildlife Resorts
Ministry of Environment and Tourism (MET)
Private Bag 13378, Windhoek
Tel. 061-2857200
www.nwr.com.na
Wanderers Club
Post Street, Windhoek
PO Box 2226
Tel. 061-242069

P RAKTISCHE INFORMATIE

EEN HANDIG OVERZICHT VAN PRAKTISCHE INFORMATIE, IN ALFABETISCHE VOLGORDE

Alleenreizende vrouwen

Alleenreizende vrouwen hebben op het gebied van ongewenste aandacht maar weinig te vrezen in Namibië. Het land is weliswaar vrij conservatief, maar op een manier die eerder als geruststellend dan als bedreigend wordt ervaren.

Het is echter wel verstandig om u wat minder opvallend te kleden dan u thuis misschien gewend bent. Dit geldt vooral in de stedelijke centra, waar al te onthullende kleding mogelijk een verkeerd signaal afgeeft. Sommige alleenstaande vrouwen maken graag gebruik van een trouwring om ongewenste aandacht in de kiem te smoren. Gebruik verder uw gezond verstand; maak bijvoorbeeld niet na het invallen van de duisternis in uw eentje een wandeling door een stad.

Alarmnummers

Politie: 10111 (landelijk)
Ambulance/brandweer: 211111 of 1199 (in Windhoek)
Algemeen noodnummer: 112 of 081-112

Ambassades en consulaten
In Nederland en België

Namibië heeft geen ambassade in Nederland. Nederlandse reizigers kunnen voor informatie terecht bij de ambassade in Brussel.

Ambassade van Namibië
Tevurenlaan 454
B-1150 Sint-Pieters-Woluwe (Brussel)
Tel. 0032-(0)2-7711410
Fax 0032-(0)2-7719689

In Namibië

Nederland en België hebben geen ambassade in Namibië. Voor hulp kunt u terecht bij de ambassade in Pretoria, Zuid-Afrika:
Ambassade van Nederland,
tel. 0027-124254500
www.dutchembassy. co.za
Ambassade van België,
tel. 0027-124403201
www.diplomatie.be/pretorianl)

Consulaat van Nederland
Liliencron Street 18,
Unit 4
Windhoek
Tel. 061-223733

Consulaat van België
Franciska Street 3B
Windhoek
Tel. 061-238295

D ouane
Visa en paspoorten

Alle bezoekers van Namibië dienen in het bezit te zijn van een paspoort dat na terugkomst nog zes maanden geldig is. Een visum is voor een verblijf tot drie maanden niet nodig.

Bij aankomst zouden douanebeambten u kunnen vragen om uw retourbiljet te overleggen (of een bewijs dat u van plan bent om dat te kopen) en mogelijk dient u ook aan te tonen dat u in staat bent om uzelf gedurende de periode van uw verblijf financieel te onderhouden. Dit soort verzoeken komt echter steeds minder voor en in beide gevallen is het tonen van een creditcard doorgaans voldoende. De douanebepalingen zijn aan verandering onderhevig, dus informeer voor uw vertrek bij de Visumdienst (www.visumdienst.nl) of bij uw reisbureau naar de actuele stand van zaken. Alle bezoekers die van plan zijn langer dan drie maanden in Namibië te blijven of zakelijke reizigers moeten ver voor hun vertrek een visum aanvragen bij de ambassade in Brussel (zie *Ambassades en consulaten*). Als u echter al in het land bent, kunt u zich vervoegen bij het kantoor van het ministerie in Windhoek (in het Cohen Building, op de hoek van de Kasino Street en de Independence Avenue, ma. t/m vr. 8.00-13.00 uur).

Neem ook een fotokopie van uw paspoort mee en bewaar deze gescheiden van het origineel, tezamen met twee pasfoto's. Als uw paspoort is gestolen of zoek geraakt, dient u een vervangend reisdocument aan te vragen bij uw consulaat in Windhoek; de extra pasfoto's en het kopie-paspoort kunnen u daarbij veel tijd en moeite besparen.

Douanebepalingen

Bezoekers mogen belastingvrij invoeren:
• 400 sigaretten of 50 sigaren of 250 g tabak
• 2 l wijn, 1 l sterkedrank
• 50 ml parfum
• persoonlijke bezittingen, sport- en kampeeruitrustingen, fotorolletjes, camera's en andere foto- en film-accessoires mogen belastingvrij worden ingevoerd. Sommige mee-gebrachte waren moeten wel worden aangegeven, maar worden niet belast.

Voor de invoer van radio's, cassetterecorders, draagbare televisies, muziekinstrumenten enz. kan een waarborgsom gevraagd worden, die bij vertrek weer wordt terugbetaald. De invoer van land- en tuinbouwproducten is niet toegestaan. Ook huisdieren mogen niet worden ingevoerd.

Sinds november 2006 gelden er nieuwe regels voor handbagage. Voor de meest actuele situatie zie www.schiphol.nl.

Als u medicijnen gebruikt, controleer dan van tevoren of deze wellicht in Namibië onder de narcoticawet vallen; zie *Medicijnen* onder *Gezondheid en medische zorg* in deze rubriek.

Laat uw bagage nooit onbeheerd of bij een vreemde achter, en neem zelf ook niets mee van of voor anderen!

E lektriciteit

In Namibië is de netspanning 220 volt. In de steden is de elektriciteitsvoorziening betrouwbaar, maar in veel lodges worden zonnepanelen of generators voor energieopwekking gebruikt die soms maar goed zijn voor een paar uur elektriciteit per dag.

F eestdagen

De meeste winkels zijn op officiële feestdagen gesloten, maar veel supermarkten in Windhoek en de grotere steden zijn zowel 's ochtends als 's middags vaak toch een paar uurtjes open. Houd er verder rekening mee dat als een feestdag op een zondag valt, de daaropvolgende maandag vaak ook als feestdag geldt.

Namibië heeft twaalf officiële feestdagen:
1 januari: Nieuwjaarsdag
21 maart: Independence Day
Maart/april: Goede Vrijdag en paasmaandag
1 mei: Dag van de Arbeid
4 mei: Cassinga Day (herdenking van de slachtoffers van de aanval van het Zuid-Afrikaanse leger op een SWAPO-vluchtelingenkamp in het Zuid-Angolese Cassinga in 1978)
Mei: Hemelvaartsdag
25 mei: Africa Day (gedenkdag van de stichting van de Organisatie van Afrikaanse Eenheid in 1963)
26 augustus: Heroes' Day (gedenkdag van het begin van de vrijheidsstrijd in 1966)
10 december: Internationale Dag van de Mensenrechten (in Namibië herdenkt men dan de slachtoffers die in 1959 vielen tijdens de gedwongen verhuizing uit Old Location in Windhoek)
25 december: Kerstmis
26 december: Family Day

Fooien

De vuistregels die voor een fooi in West-Europa gelden, zijn ook in Namibië van toepassing. Zo is het bijvoorbeeld gebruikelijk om in een restaurant een fooi van circa 10 procent van de rekening te geven, tenzij de bediening al inbegrepen is (of deze niet geheel naar wens was).

Verder is het gebruikelijk om het meeste hotelpersoneel een fooi te geven, zoals de kruier en het kamermeisje. Houd er echter rekening mee dat de meeste verblijven in Namibië (zelfs een aantal van de chicste) hun gasten helemaal niet aanbieden om de bagage naar de kamer te brengen.

Fotografie

Of u nu een moderne digitale of een 'oude' analoge camera gebruikt, bescherm hem in elk geval tegen de hitte. Als u goede resultaten in kleur wilt hebben, bedenk dan dat het blootstellen van camera en films aan de zon reacties in de emulsielaag van de film veroorzaakt, waardoor de kleurgevoeligheid wordt aangetast. Bewaar uw camera en films daarom zo

veel mogelijk op een koele plaats, liefst in een ruimte met airconditioning, maar in ieder geval in de schaduw; dus niet op de hoedenplank van de auto. Ervaren fotografen adviseren bovendien films van huis mee te nemen of in ieder geval in steden te kopen en niet op het platteland, waar films vaak niet op de juiste manier worden bewaard. Controleer altijd de datumcode op het pakje.

Andere gevaren waardoor films of camera worden bedreigd zijn vocht, zand en fijne stof. Er zijn speciale tassen in de handel die een vochtabsorberende stof bevatten waarin u uw camera en films kunt bewaren. Een zakje silicagel in een goed afsluitbare tas kan ook goed voldoen. Verder houdt een filter behalve ongewenste schitteringen ook stof en zand van de lens. Vraag advies aan uw fotozaak.

Om foto's te maken met bevredigende contrasten en kleuren, kunt u het beste vóór 10.30 uur of ná 15.00 uur fotograferen. Rond het middaguur is het licht te sterk, waardoor subtiele kleurnuances verloren gaan. Het licht van de vroege morgen en late middag geeft mooiere contrasten en een grotere kleurintensiteit. Voor haarscherpe resultaten is het aan te bevelen vanaf een statief te fotograferen, en voor detailopnamen een flitser te gebruiken.

Als u een digitale camera hebt, zorg dan voor voldoende (oplaadbare) batterijen, memorysticks en/of geheugenkaarten.

Neem het zekere voor het onzekere, en vraag altijd vooraf toestemming als u mensen of religieuze plaatsen of gebeurtenissen wilt fotograferen. Nog afgezien van het feit dat u hiermee onaangenaamheden kunt voorkomen, getuigt het in elk geval van goede manieren.

U mag vrijwel alles in Namibië fotograferen, maar waag u niet aan het State House (de residentie van de president), de luchthaven, militaire bases, politiebureaus of gevangenissen. Verder is het niet aan te bevelen foto's van geüniformeerde personen te nemen.

G ehandicapten

Namibië is nog niet erg goed ingesteld op mensen met een handicap, maar is druk bezig daar verandering in te brengen. Informeer bij de Namibische touroperators in hoeverre men tegemoet kan komen aan uw specifieke behoeften.

Ga ook bij het boeken van de accommodatie bij het reisbureau na welke voorzieningen er aanwezig zijn.

VERVOER ACCOMMODATIE UIT ETEN ACTIVITEITEN PRAKTISCHE INFORMATIE

Geldzaken

De Namibische dollar (NAD), die onderverdeeld wordt in 100 centen, werd in september 1993 geïntroduceerd als vervanger van de Zuid-Afrikaanse rand (ZAR). De ZAR wordt echter nog altijd geaccepteerd in Namibië en is vrijwel één op één inwisselbaar met de NAD. Er gelden geen beperkingen voor de hoeveelheid buitenlandse valuta die u Namibië invoert.

De meeste valuta - waaronder de euro - kunnen bij de Namibische banken worden gewisseld voor NAD. Ook sommige hotels wisselen geld, maar daar wordt meestal een ongunstigere koers gehanteerd. In alle grotere plaatsen is er minstens één bank waar u ook geld kunt wisselen. De lange afstanden tussen de plaatsen brengen echter met zich mee dat u soms meerdere dagen achtereen geen geld zult kunnen wisselen. Plan dit dus zorgvuldig en houd daarbij in gedachten dat brandstof voor de auto (benzine of diesel) in het hele land altijd contant met NAD of ZAR moet worden afgerekend. Ga niet in op illegale geldwisseltransacties.

Op het Hosea Kutako International Airport van Windhoek zijn een paar Bureaux de Change. Wissel uw overgebleven Namibische dollars voor vertrek, omdat geen enkele Europese bank - en slechts een paar Zuid-Afrikaanse - die zal aannemen.

Travellercheques en creditcards met het Visa- of Mastercardlogo worden bijna overal geaccepteerd, maar de meeste andere creditcards (waaronder American Express) slechts mondjesmaat. In veel plaatsen kunt u 24 uur per dag bij geldautomaten Namibische dollars pinnen (meestal met een maximum van NAD 1000 per dag). Hoed u echter voor 'behulpzame' Namibiërs, vooral als u buiten de kantoortijden geld pint in Windhoek.

Bewaar uw betaalmiddelen (creditcards, travellercheques, bankpassen en contant geld) apart van elkaar, zodat u bij verlies of diefstal niet meteen helemaal zonder geld zit. Mocht u onverhoopt uw creditcard, travellercheques of bankpas kwijtraken, dan moet u dat direct melden aan de betreffende maatschappij. Controleer daarom voor vertrek of u de juiste telefoonnummers hebt en neem deze mee.

Voor wisselkoersen *zie blz. 287, Reisbudget.*

Gezondheid en medische zorg

ZIEKTEKOSTENVERZEKERING

Zorg dat u niet vertrekt zonder een uitgebreide ziektekosten- en/of reisverzekering. Laat u informeren door uw reisbureau, verzekeringsmaatschappij of bank. Bewaar de rekeningen als bewijs van alle kosten die u hebt gemaakt, zodat u deze kunt declareren.

Als u van plan bent een avontuurlijke of actieve vakantie te houden, controleer dan van tevoren of die activiteiten wel worden gedekt door uw verzekeringspolis. Risicovolle sporten, zoals abseilen, bungeejumping, skiën en dergelijke, worden vaak niet meeverzekerd.

INENTINGEN EN PROFYLAXE

Hoewel vaccinaties niet verplicht zijn, wordt het wel sterk aangeraden u te laten inenten tegen hepatitis A (geelzucht) en DTP (difterie, tetanus en polio). Vaccinatie tegen gele koorts is verplicht als u voor aankomst in een besmet gebied bent geweest.

In Nederland stelt het Landelijk Coördinatiecentrum Reizigersadvisering (LCR) en in België het Instituut voor Tropische Geneeskunde (ITG, www.itg.be) de landelijke richtlijnen voor reizigersadvisering op en adviseert vóór vertrek een persoonlijk inentingsadvies in te winnen, waarbij de arts kan kijken naar de exacte reisroute, het verblijf, de periode en de persoonlijke gezondheidstoestand.

Neem dus ruim vóór uw vertrek contact op met uw huisarts of GGD voor de benodigde inentingen en medicijnen (zie ook *Websites* in deze rubriek).

Voor meer informatie over inentingen enzovoort kunt u bellen met de volgende nummers:
• Landelijke Vaccinatielijn voor Reizigers/Tropencentrum van het Academisch Medisch Centrum Amsterdam: 0900-9584 (niet gratis);
• Instituur voor Tropische Geneeskunst in België: 0900-10110;
• KLM Travel Clinic Schiphol: tel. 0900-1091096 (niet gratis);
• Travel Clinic van het Rotterdamse Havenziekenhuis: tel. 0900-5034090 (niet gratis).

Als u om medische redenen niet ingeënt mag worden, moet u uw (huis)arts vragen een verklaring (in het Engels) op te stellen, die u in uw handbagage bij u dient te houden.

Malaria

In het noorden van Namibië, waaronder het Etosha National Park, komt malaria voor, dus preventieve middelen zijn essentieel. Normaal gesproken dient u de antimalariamiddelen vanaf twee weken voor aankomst in Namibië in te nemen en hiermee door te gaan tot twee weken na thuiskomst, maar lees altijd goed de aanwijzingen op de verpakking. Ook door u met een insectenwerend middel in te smeren, 's avonds een shirt met lange mouwen en een lange broek aan te trekken en onder een muskietennet te slapen kunt u zo veel mogelijk voorkomen dat u gestoken wordt. Zie ook *Ziek in eigen land* in deze rubriek.

OVERIGE GEZONDHEIDSADVIEZEN

Er bestaat geen preventieve medicatie tegen **bilharzia** (schistosomiasis), dat in Okavango en de Caprivistrook voorkomt. U kunt het beste niet zwemmen of pootjebaden in of drinken van langzaam stromend water met maar weinig vegetatie of alleen maar onderwatervegetatie, omdat de zuigwormen een dergelijke omgeving meestal het prettigst vinden. Als u na ongeveer zes weken bloed in uw urine of ontlasting ontdekt, dient u meteen een dokter te waarschuwen.

Zo nu en dan wordt een geval van **tekenbeetkoorts** gemeld, maar u ondervindt meestal geen schadelijke effecten als de teek binnen een uur wordt verwijderd. Dit kunt u vaak het beste doen door de teek met vaseline of een andere vettige substantie te bedekken en hem voorzichtig uit de huid te trekken. De wond moet goed worden gedesinfecteerd, maar als deze desondanks geïnfecteerd raakt, moet meteen een dokter worden geconsulteerd. De symptomen van tekenbeetkoorts - zoals pijnlijke ledematen, hoofdpijn, koorts en opgezwollen klieren - manifesteren zichzelf meestal één tot twee weken na de beet. De ziekte is goed te genezen met antibiotica.

Net als een groot deel van de rest van sub-Saharaans Afrika heeft Namibië een hoog hiv-cijfer. Het risico dat onbeschermde seks hier met zich meebrengt, hoeft eigenlijk geen betoog. Mocht u echter onverhoopt een bloedtransfusie nodig hebben, dan kunt u ervan verzekerd zijn dat al het bloed door de Namibische bloedtransfusiedienst gecontroleerd is op het hiv-virus en hepatitis B.

In het hele land worden in de commerciële etablissementen strenge **hygiënische voorschriften** gehanteerd. Een maaltijd in een restaurant is dan ook over het algemeen veilig. Op markten neemt men het echter niet zo nauw met de hygiëne, zodat u hier beter geen vis of vlees kunt eten.

Het **kraanwater** in Namibië is op zich drinkbaar en veilig, maar laat soms aan smaak te wensen over. Het is echter niet aan te bevelen om rechtstreeks uit een stuwmeer of rivier te drinken. De meeste reizigers zullen gebruikmaken van de flessen drinkwater die in een supermarkt verkrijgbaar zijn. Houd verder in gedachten dat Namibië een bijzonder droog land is en dat het zeer schaarse water niet verspild mag worden.

ZIEK IN EIGEN LAND

Als u eenmaal weer terug in Nederland of België ziek wordt, is het aan te raden naar uw huisarts te gaan. Vertel exact in welke gebieden u bent geweest, dit kan zelfs jaren na de reis nog van belang zijn. De dokter zal u wellicht doorsturen naar een van de centra die gespecialiseerd zijn in tropische ziekten. Zie ook de adviezen op internet (zie *Websites* in deze rubriek).

MEDICIJNEN

Indien u medicijnen gebruikt, is het verstandig om een dubbele voorraad mee te nemen. Bewaar beide sets tijdens de vliegreis in uw handbagage; in het bagageruim is het vaak te koud voor medicijnen. Na aankomst kunt u de twee sets beter gescheiden bewaren, zodat u bij verlies altijd nog één set overhoudt. Vraag uw (huis)arts voor de zekerheid om een medisch paspoort of een briefje (in het Engels) met de naam van uw aandoening en van de samenstelling en dosering van de medicijnen, zodat u in geval van nood snel geholpen kunt worden. Vraag uw arts ook om een medisch attest indien u allergisch bent voor bepaalde geneesmiddelen.

Indien u medicijnen gebruikt die in Namibië onder de narcoticawet vallen, moet u zich voor vertrek goed laten voorlichten over hoe u problemen met de douane in Namibië kunt voorkomen. Informeer bijvoorbeeld bij de ANWB in Nederland of de ambassade in Brussel (zie *Ambassades en consulaten*).

MEDISCHE ZORG

Laat uw verzekeringspapieren invullen en ondertekenen na een dokters- of ziekenhuisbehandeling en bewaar alle rekeningen en andere bewijzen; deze hebt u nodig om de kosten na thuiskomst te kunnen verhalen op uw verzekering.

Hulpdiensten

De Namibische hulpdiensten zijn Aeromed Namibia (tel. 061-249777 of 081-124444) en MedRescue Namibia (tel. 061-230505), maar er rijden ook ambulances van de (particuliere) ziekenhuizen. Bij een medisch spoedgeval kiest u **211111** of **1199**. U krijgt dan een telefonist(e) die een ambulance voor u regelt.

Arts en apotheek

In Windhoek staan de artsen onder het kopje 'Medical' in het telefoonboek, maar elders staan ze gewoon op achternaam vermeld. Hoewel er in Windhoek meerdere artsen zijn, kan het maken van een afspraak een probleem zijn. Het Kalahari Sands Hotel en het Safari Hotel in Windhoek hebben beide een dokter op afroep en in de Mokuti Lodge is een kundige verpleegster aanwezig.

Een apotheek vindt u alleen in de grotere steden van het land.

Ziekenhuizen

In Windhoek en de andere grote steden zijn goed uitgeruste ziekenhuizen en klinieken. Windhoek heeft vier ziekenhuizen. Het particuliere **Mediclinic Windhoek** (tel. 061-222687) biedt alle soorten medische hulp, waaronder chirurgie, orthopedie, kindergeneeskunde en

intensive care. Patiënten worden vaak alleen op verwijzing van hun eigen dokter geholpen, maar in een noodgeval zal men u zeker niet wegsturen. In het centrum bevindt zich nog het **Roman Catholic Hospital** (tel. 061-237237). Verder beschikt het **Windhoek State Hospital** (tel. 061-222886) over alle benodigde faciliteiten voor specialistische behandelingen en is het **Rhino Park Private Hospital** (tel. 061-225434) de laatste aanwinst op het gebied van betaalbare medische zorg.

Elders in het land vindt u in verscheidene steden staatsziekenhuizen. Verder vindt u in Otjiwarongo het Mediclinic Hospital (tel. 067-303735), in Swakopmund het Swakopmund Hospital (tel. 064-405731) en in Usakos het Roman Catholic Hospital (tel. 064-530013).

H omo's en lesbiennes

De Namibische wet verbiedt uitdrukkelijk discriminatie op grond van seksuele geaardheid en het hoogste rechtscollege van het land heeft in 1999 bepaald dat homoseksuele stellen dezelfde rechten hebben als heteroseksuele stellen. Het wonderlijke is echter dat homoseksualiteit onder mannen nog altijd verboden is, omdat de gewone wet dit omschrijft als 'een onnatuurlijk seksueel misdrijf'. De laatste rechtszaak diende in de jaren tachtig van de

Onder: Himba-vrouw en -kind in de duinen.

vorige eeuw. Onduidelijk is of ook homoseksualiteit onder vrouwen een misdrijf is. Nog niet zo lang geleden hebben ook ex-president Sam Nujoma, ministers en onderministers zich fel gekeerd tegen homoseksualiteit. Het Rainbow Project komt op voor de belangen van homoseksuelen in Namibië.

The Rainbow Project: PO Box 26122, Windhoek, tel. 061-250582. **Sister Namibia** (mensenrechten-organisatie van vrouwen), PO Box 40092, Windhoek, tel. 061-230618/ 061-236371.

I nternet

De meeste stadshotels in de betere categorieën bieden wel internet-faciliteiten, maar dat geldt doorgaans niet voor de afgelegen wildlodges en gastenboerderijen. In de grotere steden zijn er overal internetcafés met snelle en betaalbare verbindingen, maar in de kleinere plaatsen kan de verbinding trager en de rekening hoger zijn. Afhankelijk van de door u gekozen route door Namibië kan het verstandig zijn familie, vrienden of zakenpartners voor uw vertrek te informeren dat er een week voorbij kan gaan zonder dat u kunt kijken of er nog e-mail voor u is.

K aarten

De beste kaart van Namibië is een gratis exemplaar van het Namibische verkeersbureau, die bij de meeste lokale en overzeese toeristenbureaus te verkrijgen is. De kaart biedt bijzonder nauwkeurige informatie over de staat van de wegen en de afstan-den en wordt regelmatig geactualiseerd. Goede commerciële kaarten worden uitgegeven door Map Studio (een dochter van Struik/New Holland) en door Freytag & Berndt.

Kaarten van het Britse Ordnance Survey (1:250.000 en 1:50.000) zijn te koop bij het Surveyor General's Office in de Robert Mugabe Avenue in Windhoek

Alle wegen in Namibië zijn voorzien van een nummer, dat onderweg ook duidelijk wordt aangegeven. (Zie ook *blz. 259, Met de auto*).

Kleding

In Namibië kleedt men zich over het algemeen casual, maar er is een aantal bijzonderheden waarmee u rekening dient te houden. Van mannen wordt bijvoorbeeld niet verwacht dat ze 's avonds in een restaurant of cocktailbar een colbertje en een stropdas dragen, maar in de restaurants en bars van de chiquere hotels wordt u met een korte broek,

een T-shirt of een spijkerbroek beslist niet toegelaten. Tijdens een avondje theater is verzorgd-casual de dresscode.

In het warme klimaat van Namibië is gemakkelijk zittende, katoenen kleding het comfortabelst en meest praktisch. Vanwege de koele en vaak winderige omstandigheden aan de kust - en ook de mist die in de late namiddag vanuit de zee het land op trekt - is een warm kledingstuk (bijvoorbeeld een windjack) echter ook geen overbodige luxe.

In de zomer kunt u overdag het beste een luchtig jurkje, rokje of een korte broek en een shirt of blouse met korte mouwen aantrekken. 's Avonds is vanwege de muggen een shirt met lange mouwen en een lange broek de beste optie. Zet verder een hoed met een brede rand of een nekflap op en zorg dat u ook een regenjasje bij u hebt: aan het eind van de middag komen hier vaak onweersbuien tot ontwikkeling.

Ook in de winter kunt u hier het beste lichte kleding dragen. In dit seizoen maakt de grotere variatie in dag- en nachttemperaturen warme kleding echter noodzakelijk, vooral op de vroege ochtend, in de late middag en in de centrale hooglanden. Een broek, een wollen shirt en een jas bieden dan uitkomst. Als u van plan bent om een aantal van de lokale atrracties te voet te gaan bekijken, neem dan ingelopen, comfortabele en stevige leren wandelschoenen met rubberzolen mee.

Naaktrecreatie is nergens toege-staan en bovendien strafbaar. Wie een duik wil nemen in de zee of in een zwembad, dient hiervoor zwemkleding aan te trekken.

Als u op safari gaat, is het niet be-slist noodzakelijk om alle kleding die u denkt nodig te hebben in uw koffers te proppen. Met name in Windhoek zijn er diverse winkels die gespecialiseerd zijn in safari- en outdoorkleding.

Klimaat

Namibië heeft gemiddeld 300 dagen met zon per jaar. In de winter (mei-september) is de lucht overdag veelal helblauw en wolkenloos, maar in de zomer ontstaan in de late namiddag vaak grote wolkenpartijen.

De koelere **winter** is dus de beste periode voor een bezoek aan het binnenland. In dit seizoen beweegt de maximumtemperatuur overdag zich in het zuiden tussen de 22 en 27° C, in het midden tussen de 20 en 26° C en in het noorden tussen de 25 en 30° C. De avonden zijn koud, met een mini-mumtemperatuur van 5 tot 10° C in het zuiden, 6 tot 12° C in het midden

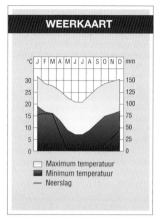

WEERKAART

□ Maximum temperatuur
■ Minimum temperatuur
— Neerslag

en 6 tot 10° C in het noorden. Ook kan het in grote delen van het land dan vriezen (soms zelfs stevig), maar rond 11.00 uur wijst het kwik meestal alweer een temperatuur van 20° C aan. Omdat het in de winter niet regent, is de lucht dan erg droog.

In de **zomer** stijgt de gemiddelde maximumtemperatuur in het binnen-land meestal tot boven de 30° C, waarbij ook temperaturen van meer dan 35° C niet ongewoon zijn (in dat geval is een siësta aan te bevelen!). In de centrale hooglanden is de temperatuur in de zomer doorgaans een paar graden lager. De matigende invloed van de Atlantische Oceaan maakt de kust in deze periode tot een populaire bestemming - ondanks de mist, die vaak in de late namiddag komt opzetten en tot halverwege de ochtend blijft hangen.

Met een gemiddelde jaarlijkse neerslag van 270 mm kan Namibië geclassificeerd worden als een overwegend droog land. Meer dan 80 procent van de jaarlijkse neerslag valt tussen november en maart en komt in de vorm van onweersbuien. Er zit een groot verschil tussen de hoeveelheid neerslag die langs de kust valt (minder dan 15 mm) en die in het binnenland valt (in Windhoek valt gemiddeld 375 mm per jaar). Ook tussen het zuiden (minder dan 50 mm) en het noorden en noordoosten (meer dan 500 mm) bestaat een dergelijk verschil.

De regenval is echter onvoorspel-baar en de evaporatie (verdamping) gaat extreem snel. Gelukkig koelt de regen de lucht voldoende af, zodat het hier niet zo drukkend wordt als in sommige andere landen in de tropen.

M edia

Radio en televisie

De Namibian Broadcasting Corpora-tion (NBC) wordt geleid door een

VERVOER

onafhankelijk bestuur dat aangesteld is door de minister van Informatie, Radio en Televisie. De NBC heeft zeven radiozenders die in negen verschillende talen op de verschillende banden uitzenden. De nationale radiozender zendt van 17.00-18.05 en 21.00-6.00 uur Engelstalige programma's uit en van 10.05-17.00 en 18.05-21.00 uur Duitstalige.

De grotere plaatsen in Namibië kunnen een Engelse televisiezender ontvangen die doordeweeks om 20.00 uur een nieuwsbulletin uitzendt. De meeste lodges (maar de lodges in de wildparken meestal niet) zijn geabonneerd op de Zuid-Afrikaanse satellietzender DSTV, die diverse internationale nieuwszenders en sportkanalen in zijn pakket heeft.

Via de Wereldomroep kunt u op de hoogte blijven van de ontwikkelingen en het nieuws in Nederland en de rest van de wereld. Als u de Wereldomroep wilt kunnen ontvangen in Namibië, bel dan voor uw vertrek met tel. 035-6724333 of raadpleeg hun website www.rnw.nl om te informeren naar het uitzendschema dat van toepassing is gedurende uw reisperiode. Folders met de actuele zendschema's zijn ook verkrijgbaar bij de ANWB-kantoren en op Schiphol.

Kranten

In verhouding tot het kleine aantal inwoners heeft Namibië een verrassend groot aantal kranten. De nadruk ligt vooral op het lokale nieuws. Verder zijn de bladen vaak extreem kritisch over het gevoerde overheidsbeleid, want men maakt graag gebruik van de in de grondwet verankerde persvrijheid.

Er verschijnen drie Engelstalige kranten in Namibië: The Namibian (ma. t/m vr.), de Windhoek Observer (alleen za.) en New Era, een krant die wekelijks wordt uitgegeven door het ministerie van Informatie, Radio en Televisie en over het hele land wordt verspreid. The Namibia Economist is een wekelijks handelsblad. Die Republikein richt zich op Afrikaanstalige lezers en verschijnt van ma. t/m vr. Verder verschijnt er één Duits dagblad: de Allgemeine Zeitung (ma. t/m vr.).

Omdat alle kranten in Windhoek worden gedrukt, duurt het vaak één of twee dagen (en soms nog langer) voordat deze elders in het land aankomen. The Namib Times wordt twee keer per week in Walvisbaai uitgegeven en richt zich vooral op het lokale nieuws van Swakopmund en Walvisbaai. De Zuid-Afrikaanse ochtend- en zondagskranten zijn vaak later op dezelfde dag al in Windhoek te verkrijgen. Duitse kranten - de Frankfurter Allgemeine, Die Welt en de Süddeutsche Zeitung - zijn een paar dagen na verschijning verkrijgbaar in de

Windhoeker Buchhandlung in de Independence Avenue (tegenover het gemeentehuis).

In boekwinkels in Windhoek, Swakopmund en Lüderitz is een grote keuze aan internationale tijdschriften, paperbacks en koffietafelboeken te koop. Voor Zuid-Afrikaanse tijdschriften kunt u overal in het land terecht bij hoekwinkels (die lokaal bekendstaan als cafés) en supermarkten.

O peningstijden

Overheidskantoren: ma. t/m vr. 8.00-13.00 en 14.00-17.00 uur. Kassier: 8.00-13.00 uur.
Banken: ma. t/m vr. 9.00–15.30 (in Windhoek), 9.00-13.00 en 14.00-15.30 (in andere steden), za. 8.30-11.00 uur.
Winkels: ma. t/m vr. 8.00/8.30-17.00/17.30, za. 8.00/8.30-13.00 uur. Supermarkten zijn doordeweeks vaak tot 19.00 uur, za. 16.00-19.00 en zo. 10.00-13.00 en 16.00-19.00 uur open.
Postkantoren: ma. t/m vr. 8.30-16.30 (in provinciesteden 13.00-14.00 uur gesloten), za. 8.30-12.00 uur.
Kantoor Namibia Wildlife Resorts: ma. t/m vr. 8.00-13.00 en 14.00-17.00 uur (reserveringen en kassier: 8.00-13.00 en 14.00-15.00 uur).

P ost

De Namibische posterijen zijn relatief betrouwbaar en bijzonder goedkoop, maar de bezorging verloopt trager dan in het westen. Poststukken naar (en vanuit) Europa doen er minstens tien dagen over om op de plaats van bestemming aan te komen, dus vaak zult u eerder thuis zijn dan de ansichtkaarten die u gestuurd hebt!

R eisbudget

De dagelijkse uitgaven in Namibië zijn naar internationale maatstaven laag, ervan uitgaande dat u uw accommodatie en vervoer al voor uw vertrek hebt geboekt. Voor 1 euro krijgt u ongeveer 7,5 Namibische dollars (NAD). Onderstaand overzicht geeft een indicatie van de prijzen:
Accommodatie: klein pension NAD 300-500, stadshotel of gastenboerderij NAD 800-1200, NAD 2000 of meer voor een chique lodge.
Autohuur: vanaf NAD 250 per dag (kleine auto) tot NAD 800 (terreinauto).
Kampeerplaats: bij particulieren circa NAD 100 voor twee personen, in nationale parken betaalt u per groep, tot circa NAD 250.
Maaltijd in een restaurant: NAD 50

(hoofdgerecht, à la carte) tot NAD 150 (menu in een lodge), exclusief drankjes.
Frisdrank of bier: NAD 7-12 (in sommige lodges duurder).
Wijn (fles van gemiddelde kwaliteit): wit NAD 35-60, rood NAD 50-100.
Benzine: NAD 5,50 per liter.
Transfer naar de luchthaven: NAD 100-150.
Brood: NAD 3-4.

Religie

In elk stadje zijn talloze kerken te vinden, waarbij vooral de lutherse en katholieke kerken goed vertegenwoordigd zijn. In de meeste kerken wordt op elke zondag en op christelijke feestdagen wel een dienst gehouden. Bezoekers zijn van harte welkom. Andere religies zijn er hier vrijwel niet.

T elefoon

Namibië heeft zowel voor het binnenlandse als het internationale telefoonverkeer een uitstekend communicatiesysteem ontwikkeld, waardoor in de meeste gevallen rechtstreeks kan worden gebeld.

Als u vanuit Nederland of België naar Namibië belt, kiest u eerst de landencode van Namibië (264) en daarna het netnummer (zonder de 0) en het abonneenummer.

Belt u vanuit Namibië naar Nederland of België, dan moet u draaien: 09, landencode (Nederland 31; België 32), netnummer (zonder de eerste nul) en abonneenummer.

Voor gesprekken op ma. t/m za. 21.00-7.00 en van za. 13.00 tot ma. 7.00 uur geldt een daltarief (dit lagere tarief is echter alleen van toepassing op gesprekken binnen Namibië en naar Zuid-Afrika).

Mobiele telefoon

De belangrijkste provider van Namibië is MTC. In de meeste grotere steden en de grote kampen in het Etosha National Park hebt u bereik, maar dat geldt niet voor de afgelegen gebieden van het land. Op de website van Namibia Tourist Board, www.namibiatourism.com.na, is een kaart met het bereik van het mobiele netwerk zichtbaar. Namibië maakt gebruik van het GSM900- netwerk, dat voor de West-Europese telefoons geen problemen oplevert. U kunt echter ook een mobiele telefoon in Namibië huren.

Als u regelmatig contact wilt opnemen met het thuisfront of op de bonnefooi reist en dus vaak een lodge of een hotel moet bellen, dan zou u een lokale SIM-kaart (en daarmee een

ACCOMMODATIE UIT ETEN ACTIVITEITEN PRAKTISCHE INFORMATIE

lokaal nummer) voor uw eigen telefoon kunnen kopen. Na betaling van het starttarief van - omgerekend - circa € 10, kunt u bijzonder goedkoop sms-berichten versturen (circa € 0,80 voor uw internationale berichten).

Bij elk postkantoor kunt u terecht voor het versturen van een telegram.

Toeristeninformatie

IN NAMIBIË

De **Namibia Tourist Board,** het uitstekende verkeersbureau van Namibië, geeft vele nuttige publicaties uit. In Windhoek bevindt zich het hoofdkantoor en iln de meeste grotere steden van Namibië is er wel een filiaal van het verkeersbureau.

Hoofdkantoor in Windhoek:
Namibia Tourist Board
Begane grond, Sanlam Centre
Op de hoek van Fidel Castro Street en Werner List Street.
Tel. 061-2906000
www.namibiatourism.com.na

IN LONDEN

Nederland en België kent geen verkeersbureau van Namibië. Voor informatie kunt u terecht op de website of bij de vestiging in Londen:

Namibia Tourist Board
Suite 200 Parkway House
Sheen Lane
Londen SW 148LS
Tel. 0044-(0) 08703309333

V eiligheid en criminaliteit

In het algemeen is Namibië een veilig land, maar net als overal is het in de grotere steden aan te bevelen om goed op uw waardevolle spullen te letten. Loop ook niet te koop met de hoeveelheid geld of spullen die u bij zich heeft. Laat deze bijvoorbeeld nooit onbewaakt in uw auto achter. Verder komt autodiefstal steeds vaker voor in Namibië, dus wees op uw

hoede. Gezond verstand en de gebruikelijke voorzorgsmaatregelen zijn meestal voldoende om uw vakantie niet in het water te laten vallen.

W at mee te nemen

Voor wildobservaties hebt u behalve een camera en een verrekijker geen bijzondere uitrusting nodig.

Fotorolletjes zijn duur in Namibië en ook niet altijd even goed verkrijgbaar, dus het is aan te bevelen die van huis mee te nemen. Een rugzak is handig als u graag trektochten maakt en een geldriem (het liefst een die u onder uw kleding kunt verbergen) is een geschikte opbergplaats voor uw contante geld en documenten.

Een slaapzak is essentieel als u een wildernistocht met gids hebt geboekt, maar ook bij de meeste safari's waar de accommodatie uit tenten bestaat. De meeste kampeeruitrusting, van theelepeltjes tot tenten, kunt u ook per dag huren (*zie blz. 278*). Dit is bijzonder handig, want in de door de staat gerunde verblijven - met uitzondering van de luxe appartementen van Ai-Ais - is geen kook- of eetgerei aanwezig.

Toiletspullen, make-up, zonnebrand en insectenwerende middelen zijn lokaal verkrijgbaar, maar meestal geïmporteerd en daardoor duur. U kunt deze zaken het beste van huis meenemen. Als u medicijnen gebruikt, neem dan voldoende voorraad mee voor uw verblijf in Namibië.

In de grotere toeristenhotels en de door de staat gerunde verblijven zijn meestal wel stopcontacten voor elektrische scheerapparaten. Desondanks is het aan te bevelen om ook scheermesjes mee te nemen, vooral als u afgelegen gebieden bezoekt.

Websites

www.namibiatourism.com.na - officiële site van de Namibian Tourist Board.
www.wheretostayonline.com - uitgebreid overzicht van accommodatie in Namibië en zijn buurlanden.
www.holidaytravel.com.na - algemene reisinformatie, die

regelmatig wordt geactualiseerd.
www.natron.net - tal van links naar accommodatie, autoverhuurders en andere nuttige sites.
namibië.startpagina.nl - nuttige site met een keur van links naar diverse onderwerpen.
www.lcr.nl - website van Landelijk Coördinatiecentrum Reizigers met informatie over inentingen enz.
www.itg.be - website van Instituut voor Tropische Geneeskunst in België.
www.ggd.nl - informatie en adressen van GGD's.
www.rnw.nl - wereldomroep.
www.minbuza.nl en
www.wijsopreis.nl - websites met reisadviezen en praktische informatie van het Ministerie van Buitenlandse Zaken.
www.douane.nl - website van de Nederlandse douane.
www.weeronline.nl - voor een actueel weeroverzicht van o.a. Namibië.

Tijdzone

Namibië ligt in dezelfde tijdzone als Nederland en België, maar kent een andere zomertijd (eerste zo. van september tot eerste zo. van april), waardoor er toch een uur tijdsverschil kan optreden.

Tijdvak	Tijdsverschil met Nederland en België
• eerste zo. van april - eerste zo. van september	-1 uur
• eerste zo. van september - laatste zo. van oktober	0 uur
• laatste zo. van oktober - laatste zo. in maart	+1 uur
• laatste zo. in maart - eerste zo. in april	0 uur

LEZENSWAARD

Algemeen

Juweel van Afrika, Namibië, een belevenis, Ine Andreoli, Boekenplan, 2006.
Robbe en de Himbamaan, W. Ninclaus, Uitgeverij De Eenhoorn, 2006.
De andere kant van de stilte, André Brink, Uitgeverij Meulenhoff, 2003.
Solitaire, een thuis in de Namibische woestijn, Ton van der Lee, Uitgeverij Prometheus.
Van de Kalahari tot de Namib, Edgar Peijnenborgh, Gigaboek.
Touring Sesriem and Sossusvlei, P & M Bridgeford, Walvisbaai, Typoprint, 1997.
Stargazing for the novice, Franz Conradie, Pretoria, Kransberg Communication, 1996.
The sheltering desert, Henno Martin, A.D. Donker Publishers, herdruk, 1999.
The Namib – natural History of an ancient desert, M.K. Seely, Windhoek, Shell Oil Namibia, 1987.

Skeleton Coast, A. Schoeman, Johannesburg, Southern Publishers, 1996.
Few people, many tongues, J.F. Maho, Windhoek, Gamsberg Macmillan Publishers, 1998.
Peoples of Namibia, J.S. Malan, Pretoria, Henkos Publishers, 1995.

Geschiedenis en politiek

Samuel Maharero, Gerhard Pool, Windhoek, Gamsberg Macmillan Publishers, 1991.
Popular resistance and the roots of nationalism in Namibia, Tony Emmett, Kaapstad, Creda Communications, 1999.
SWA/Namibia: the politics of continuity and change, A. Du Pisani, Johannesburg, Jonathan Ball, 1985.

Natuur

Trees of Southern Africa, Keith Coates Palgrave, Kaapstad, Struik Publishing, 1983.

Grasses of South West Africa/ Namibia, M.A.N. Muller, Windhoek, Directorate of Agriculture and Forestry, 1984.
Damaraland Flora – Spitzkoppe, Brandberg, Twyfelfontein, P. Craven en C. Marais, Windhoek, Gamsberg, 1993.
Namib Flora – Swakopmund to the giant Welwitschia via Goanikontes, P. Craven & C. Marais, Windhoek, Gamsberg, 1986.
Trees and shrubs of the Etosha National Park, C. Berry, Windhoek, SWA Directorate of Nature Conservation, zonder jaartal.
Waterberg flora – footpaths in and around the camp, P. Craven & C. Marais, Windhoek, Gamsberg, 1989.
Damaraland flora, Patricia Craven & Christine Marais, Windhoek, Gamsberg Macmillan Publishers, 1993.
Animals of Etosha, J. Du Preez, Windhoek, Shell Oil Namibia, zonder jaartal.
Snakes and other reptiles of Southern Africa, Bill Branch, Kaapstad, Struik Publishers, 1994.
Smither's mammals of Southern Africa, Peter Apps, Goodwood, Southern Book Publishers, 1996.
Kingdon field guide to African mammals, Jonathan Kingdon, San Diego, Academic Press, 1997.
Rocks and minerals of Southern Africa, E.K. Macintosh, Kaapstad, Struik Publishing, 1983.
Sasol birds of Southern Africa, Ian Sinclair en Phil Hockey, Kaapstad, Struik Publishing, 1997.
Birds of Southern Africa, Kenneth Newman, Goodwood, Cape, National Book Printers, 1983.
Roberts birds of Southern Africa, P. Hockey, W. Dean, P. Ryan e.a., Kaapstad, John Voelcker Bird Fund, 7e druk, 2005.
Southern African birds, a photographic guide, I. Sinclair & I. Davidson, Kaapstad, Struik Publishing, 1995.

Andere *Insight Guides*

De volgende boeken over deze regio worden uitgegeven door **uitgeverij Cambium B.V.** te Zeewolde en zijn verkrijgbaar bij de goede boekhandel en de ANWB.

NEDERLANDSTALIG

Kenia
978.90.6655.124.4

Tanzania & Zanzibar
978.90.6655.125.1

Zuid-Afrika
978.90.6655.144.2

Voor een volledig titeloverzicht verwijzen wij u naar onze website:
www.insightguides.nl

FOTOVERANTWOORDING

Karl Ammann 126
Art Wolfe 5(o), 186(b)
Daryl Balfour/Gallo Images voorflap
(b), 117, 195, 254
Anthony Bannister/Gallo Images
achterflap (b), 18, 20, 22, 23, 77, 83,
101, 120, 121, 136, 141, 144/145,
146/147, 180, 182(b), 185, 204(b),
209, 209(b), 211, 229
Anthony Bannister/NHPA 255(b)
Des & Jen Bartlett/Oxford Scientific
Films 128/129
Heinrich van den Berg 97
Hu Berry 194
Bodo Bondzio achterflap (o), 6/7, 25,
26/27, 28, 60/61, 69, 91, 93,
106/107, 103, 143, 148/149,
154/155, 162, 164, 166/167, 175,
192(b), 195(b), 198(b), 214, 228(b),
232(b), 237, 239, 241, 248, 281
Zdenka Bondzio 160, 215
Hilton Brader-Barrit 159
Gerald Cubitt voorflap (o), achterkant
(l) en rug, 2/3, 21, 57, 65, 66, 70,
102, 104, 110, 124, 139, 140, 165,
168, 172, 177, 184, 187, 188/189,
196, 202, 220, 221, 228, 230, 231,
232, 233, 246/247, 257, 256
Steve Davey/La Belle Aurore 240(b)
Mark Deeble & Victoria Stone/OSF
111
Nigel Dennis/NHPA 206(b), 231(b)
Mark Downey/Lucid Images 96,
257(b), 275
Clemens Emmler/Laif/Camera Press
London 253
Michael Fogden/OSF 112, 134
Willie Giess 191, 224/225
Kerstin Geier/Gallo Images 4(o), 24,
39, 42, 76, 79, 205, 208, 210, 219
Johannes Haape/Südwest-Archiv 29,
30, 31, 35, 37, 38
Clem Haagner/Gallo Images 114,
122, 133(l), 135, 193, 196(b)
Mark Hannaford/Ffotograff 242, 243
Mark Hannaford/John Warburton-Lee
244, 245
Roger de la Harpe/Gallo Images
achterkant (m), 4/5, 138, 239(b), 255
Martin Harvey/Gallo Images 2(o),
197, 207
Martin Harvey/NHPA 176(b)
Heiner Heine 73, 87, 127, 156, 157
Daniel Heuclin/NHPA 242(b)

Steve Hilton-Barber 82
Gerald Hinde/Gallo Images 14
Carol Hughes 14/15
Hein von Horsten/Gallo Images 98,
131, 212/213
Getty Images cover
Gavriel Jecan/Art Wolfe 236
B. Jones 150, 203
Julian Love/John Warburton-Lee 173,
259
Jason Laure 40, 43, 161, 163(b),
221(b)
Francesc Muntada 219(b)
Alberto Nardi/NHPA 226
Panos Pictures 185(b), 217(b),
253(b)
Nigel Pavitt/John Warburton-Lee 223
Pixtal/Superstock 272
Tony Pupkewitz achterkant (r), 50, 51,
52, 53, 63, 68, 75, 84, 88/89, 90,
125, 276, 181, 186
Tony Pupkewitz/Rapho 19, 41,
48/49, 54, 62
Rapho 74
Johan le Roux/Gallo Images 115
Joan Ryder/Gallo Images 113
Paul van Schalkwyk 12/13, 56, 80,
86, 99, 100, 183, 199, 249
Amy Schoemann 64, 108/109,
118/119, 142, 169, 176, 217, 218,
227
B. Seely 94/95
Laura Stanton/Gallo Images 130,
198
Guy Stubbs/Independent
Contributors/africanpictures.net
261(o), 264, 273
Peter Tarr 34, 116, 123, 133(r), 190
Steve Thomas/Panos Pictures 47
Guy Tillim/South Light 67
Trip/Eric Smith 105, 174(b)
Trip/M Pepperell 160(b)
Trip/T Bognar 172(b)
Günay Ulutuncok 44, 45, 46, 55, 72,
78, 163, 206, 261(b)
Paul van Schalkwyk 258
Ariadne van Zandbergen 1, 274, 278,
284
Dieter Vogel 36, 85, 174
Paul Weinberg/South Light 81
Marcus Wilson-Smith 178/179, 222
Winfried Wisniewski/Aamy 252
Susanna Wyatt/John Warburton-Lee
280

Het beste van Namibië
Blz. 6: Peter Johnson/CORBIS, David
Paynter/Superstock, Ariadne Van
Zandbergen.
Blz. 7: Herbert Spichtinger/zefa/
Corbis, Fantuz Olimpio/4Corners
Images, Michael & Patricia
Fogden/CORBIS.
Blz. 8: Roger De La Harpe, Gallo
Images/CORBIS, Uli Wiesmeier/Alamy,
Frans Lemmens/zefa/Corbis.
Blz. 9: I Vanderharst/Robert Harding
World Imagery/Corbis, Ariadne Van
Zandbergen.

Wetenswaardpagina's
Blz. 32-33: Thomas Dressler/Gallo
Images, Anthony Bannister/Gallo
Images, Ariadne van Zandbergen, E.R.
Degginger, Gerald Cubitt, Jim Frazier &
Mantis Wildlife Films/Oxford Scientific
Films.
Blz. 200-201: Oriol Alamany, Gerald
Cubitt, Terry Carew/Gallo Images,
Michael Leach/Oxford Scientific Films,
Peter Johnson/Corbis, Clem
Haagner/Gallo Images.
Blz. 234-235: Art Wolfe, Roger de la
Harpe/Gallo Images, Panos Pictures,
Clem Haagner/Gallo Images, Gerald
Cubitt, Michael Fogden/Oxford
Scientific Films, Warwick
Tarboton/Gallo Images, Beverly
Joubert/Gallo Images.

KAARTEN, FOTO'S EN VORMGEVING

Polyglott Kartographie en
   Laura Morris   *Kaarten*
Zoë Goodwin   *Redactie*
Linton Donaldson   *Productie*
Klaus Geisler   *Vormgeving*
Hilary Genin   *Fotoredactie*

INDEX

Met Insight Guides kunt u alle kanten op

Alaska
Amsterdam
Argentina
Arizona &
   The Grand Canyon
Athens
Australië*
Bahamas
Bali*
Baltische staten*
Bangkok
Barbados
Barcelona*
Beijing*
Belgium
Belize
Bermuda
Boston
Brazilië*
Bruges, Ghent & Antwerp
Brussels
Bulgaria
Burma
California
Canada*
Cape Town
Caribbean Cruises
Chile
China*
Colorado
Corsica
Costa Rica*
Crete
Cuba*
Cyprus
Denmark
Dominican Republic
Ecuador*
Egypt
England
Finland*
Florence*
Florida
France
French Riviera
Germany
Gran Canaria
Great Britain
Great Railway Journeys
   of Europe

Greece
Greek Islands
Guatemala, Belize &
   Yucatán
Hawaii
Holland
Hong Kong
Hungary
Iceland
India*
Indian Wildlife
Indonesië*
Ireland
Israel
Italy
Jamaica
Japan
Jordan
Kenia*
Korea
Kroatië*
Kuala Lumpur
Laos & Cambodia
Las Vegas
Londen*
Los Angeles
Madeira
Madrid*
Maleisië*
Malta
Mauritius & Seychelles
Mexico*
Miami
Montreal
Morocco
Moscow
Namibië*
Nationale Parken West-
   Amerika*
Nepal*
New England
New Mexico
New South Wales
New York*
New York State
Nieuw-Zeeland*
Noord-Spanje*
Noorwegen*
Northern Italy
Oman & U.A.E.

Orlando
Oxford
Pacific Northwest
Pakistan
Parijs*
Perth
Peru*
Philadelphia
Philippines
Poland
Portugal
Praag*
Provence
Puerto Rico
Queensland
Rio de Janeiro
Romania
Rome*
Russia
San Francisco
Sardinia
Scandinavia
Scotland
Seattle
Shanghai
Sicilië*
Singapore
South America
South India
Southern China
Southern Italy
Spain
Sri Lanka*
St.-Petersburg
Switzerland
Sydney
Taipei
Taiwan
Tanzania & Zanzibar*
Tasmania
Texas
Thailand*
Thailand's Beaches
   and Islands
Tokyo
Toronto
Toscane*
Trinidad & Tobago
Turkey
USA on the Road

USA the New South
Utah
Vancouver
Venetië*
Venezuela
Vietnam*
Washington DC
Zuid-Afrika*
Zuid-Spanje*
Zweden*

* *Nederlandstalige*
   editie

Voor de meest actuele
informatie over het
aanbod, zie de website:
www.insightguides.nl